최상위 사고력을 위한 특별 학습 서비스

문제풀이 동영상

최고난도 문제를 동영상으로 제공하여

최상위 사고력 1A

펴낸날 [초판 1쇄] 2018년 10월 15일 [초판 6쇄] 2024년 3월 27일
펴낸이 이기열
대표저자 한헌조
펴낸곳 (주)디딤돌 교육
주소 (03972) 서울특별시 마포구 월드컵북로 122 청원선와이즈타워
대표전화 02-3142-9000
구입문의 02-322-8451
내용문의 02-323-9166
팩시밀리 02-338-3231
홈페이지 www.didimdol.co.kr
등록번호 제10-718호
구입한 후에는 철회되지 않으며 잘못 인쇄된 책은 바꾸어 드립니다.

초등 1A

상위권의 기준

최상위
사고력

수학 좀 한다면

선 하나를 내리긋는 힘!

직사각형이 있습니다.
윗변의 어느 한 점과 밑변의 두 끝을 연결한
삼각형을 만듭니다.

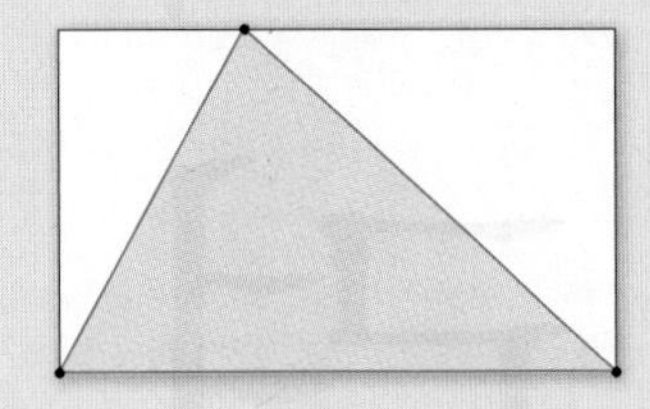

이 삼각형은 직사각형 전체 넓이의 얼마를 차지할까요?

옛 수학자가 이 문제를 푸느라
몇 날 며칠 밤, 땀을 뻘뻘 흘립니다.

그러다 문득!
삼각형의 위쪽 꼭짓점에서 수직으로 선을 하나 내리긋습니다.

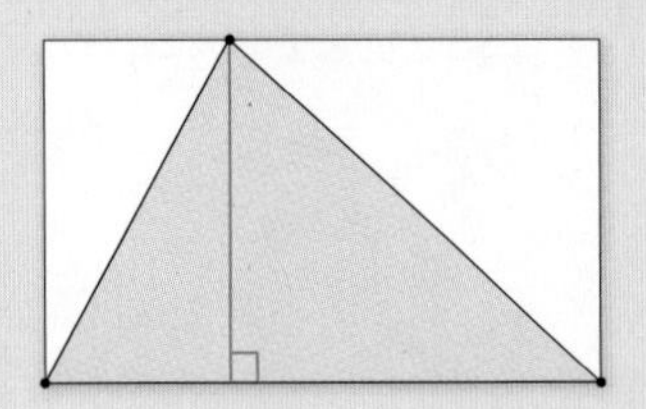

이제 모든 게 선명해집니다.
직사각형은 2개로 나뉘었고
각각의 직사각형은 삼각형의 두 변에 의해 반씩 나누어 집니다.

정답은 $\frac{1}{2}$

그러나 중요한 건 정답이 아닙니다.
문제를 해결하려 땀을 뻘뻘 흘리다, 뇌가 번쩍하며
선 하나를 내리긋는 순간!
스스로 수학적 개념을 발견하는 놀라움!

삼각형, 직사각형의 넓이 구하는 공식을 달달 외워
기계적으로 문제를 푸는 것이 아닌

진짜 수학적 사고력이란 이런 것입니다.
문제에 부딪혔을 때, 문제를 해결하는 과정 속에서
스스로 수학적 개념을 발견하고 해결하는 즐거움.
이러한 즐거운 체험의 연속이 수학적 사고력의 본질입니다.

선 하나를 내리긋는 놀라운 생각.
디딤돌 최상위 사고력입니다.

수학적 개념을 발견하고 해결하는 즐거운 여행

정답을 구하는 것이 목적이 아니라
생각하는 과정 자체가 목적이 되는 문제들로 구성하였습니다.

낯설지만 손이 가는 문제

어려워 보이지만 풀 수 있을 것 같은,
도전하고 싶은 마음이 생깁니다.

4-2. 모양을 겹쳐서 도형 만들기

1 겹쳐진 부분을 찾아 색칠하고 색칠한 도형의 개수를 각각 쓰시오.

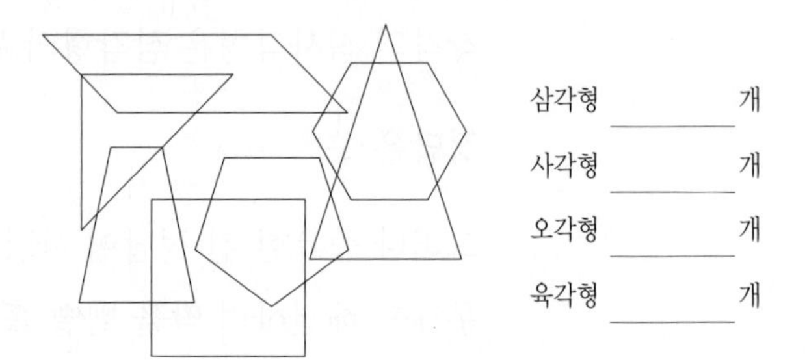

땀이 뻘뻘

2 크기와 모양이 같은 삼각형 2개를 겹쳤을 때 겹쳐진 부분의 모양이 오각형과 육각형이 되도록 그리시오.

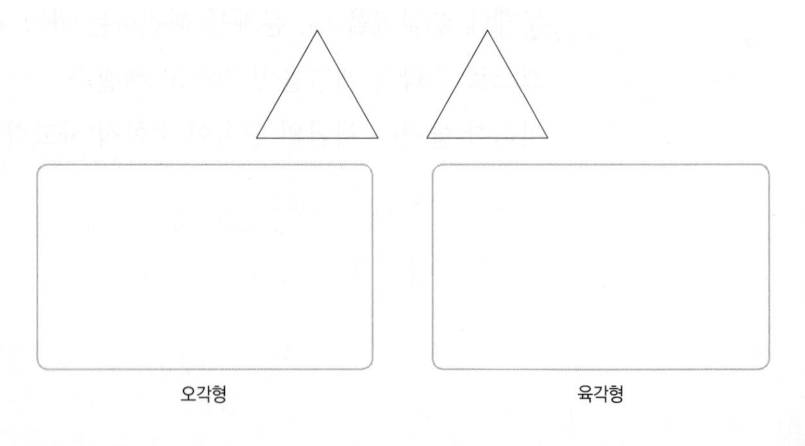

땀이 뻘뻘

첫 번째 문제와 비슷해 보이지만 막상 풀려면
수학적 개념을 세우느라 머리에 땀이 납니다.

뇌가 번쩍

앞의 문제를 자신만의 방법으로 풀면서 뒤죽박죽 생각했던 것들이
명쾌한 수학개념으로 정리됩니다. 이제 똑똑해지는 기분이 듭니다.

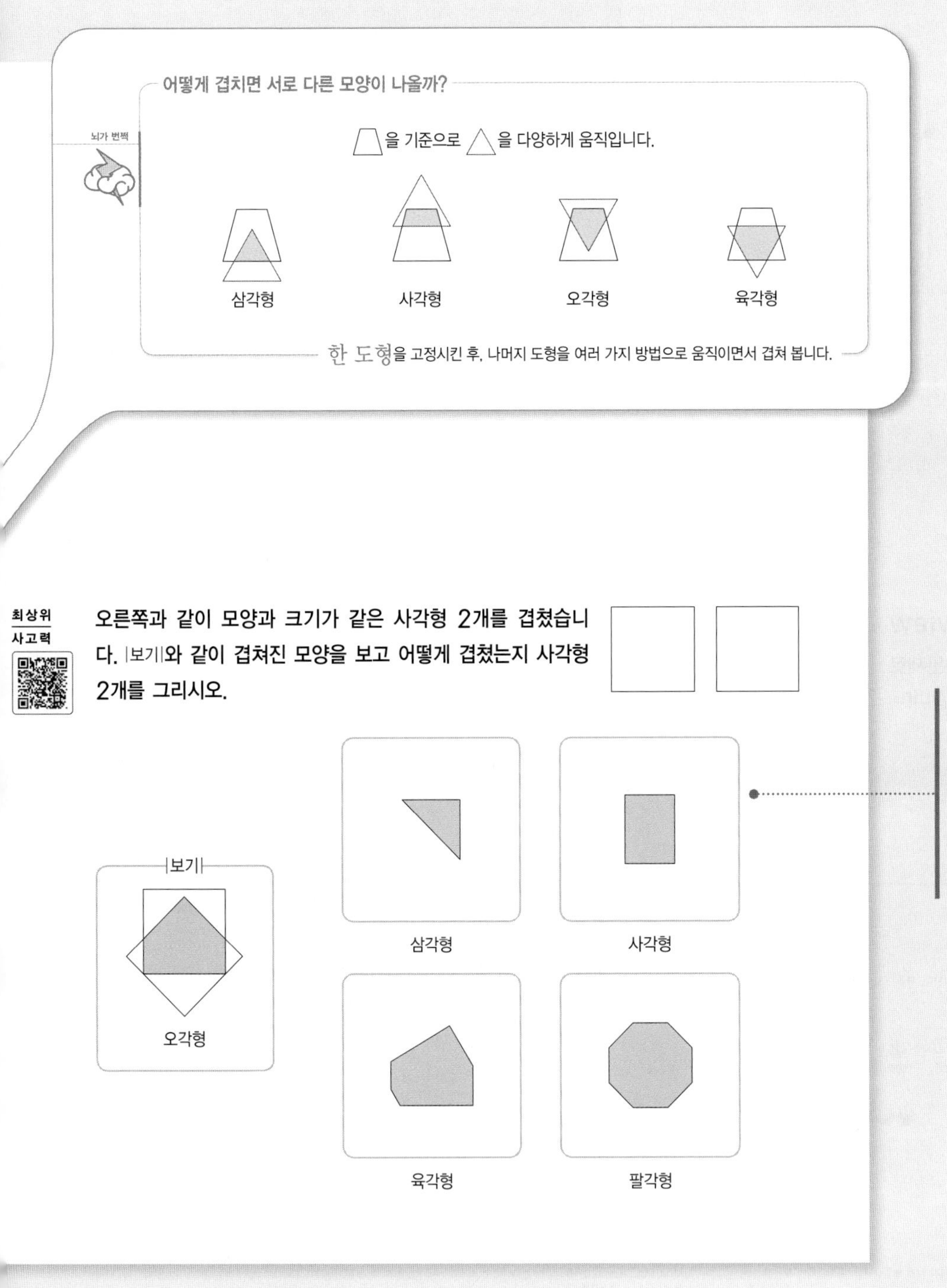

최상위 사고력 문제

뇌가 번쩍을 통해 알게된 개념을
다양한 관점에서
이해하고 해석해 봄으로써
한 단계 더 깊게 생각하는
힘을 기릅니다.

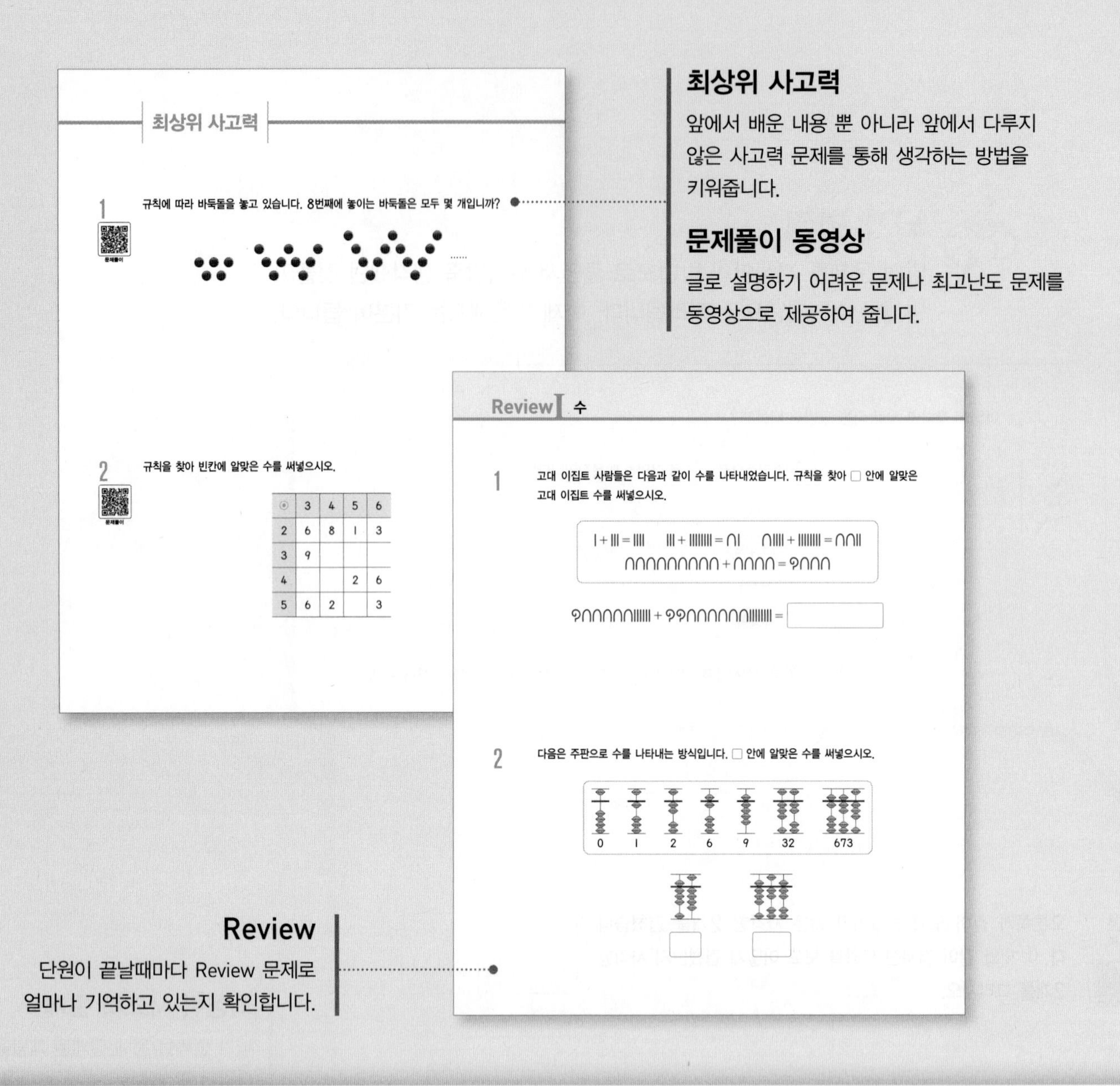

최상위 사고력

앞에서 배운 내용 뿐 아니라 앞에서 다루지 않은 사고력 문제를 통해 생각하는 방법을 키워줍니다.

문제풀이 동영상

글로 설명하기 어려운 문제나 최고난도 문제를 동영상으로 제공하여 줍니다.

Review

단원이 끝날때마다 Review 문제로 얼마나 기억하고 있는지 확인합니다.

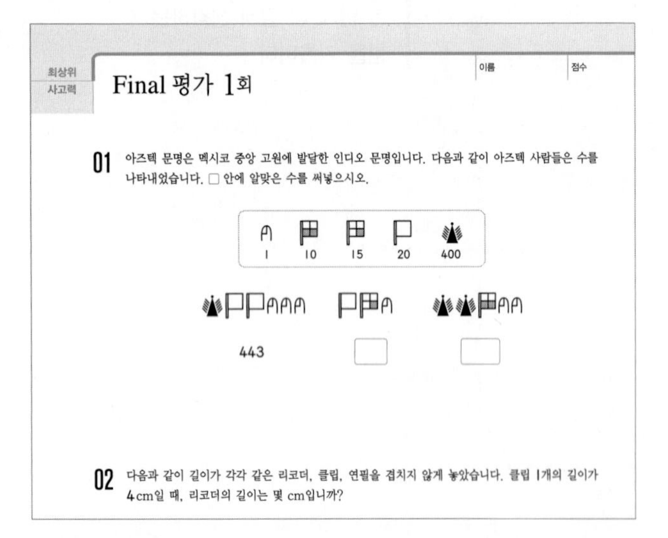

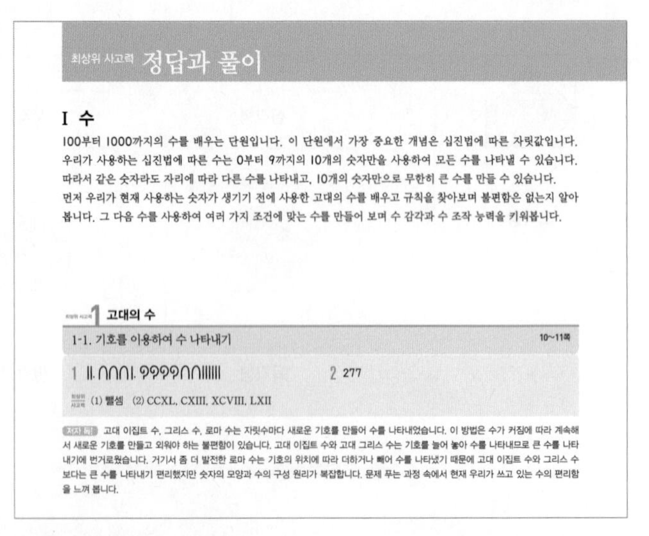

Final 평가

이 책에서 다룬 사고력 문제를 시험지 형식으로 풀어보며 실전 감각을 키웁니다.

친절한 정답과 풀이

단원 배경 설명, 저자 톡!을 통해 문제를 선정하고 배치한 이유를 알려줍니다. 문제마다 좀 더 보기 쉽고, 이해하기 쉽게 설명하려고 하였습니다.

contents

Ⅰ 수(1)
교과 과정
1. 9까지의 수

Ⅱ 도형
교과 과정
2. 여러 가지 모양

Ⅲ 연산
교과 과정
3. 덧셈과 뺄셈

Ⅳ 측정
교과 과정
4. 비교하기

Ⅴ 수(2)
교과 과정
5. 50까지의 수

수(1)

1 수를 이용한 퍼즐
1-1 칸 수 미로
1-2 1 큰 수, 1 작은 수
1-3 화살표 퍼즐

2 순서수
2-1 순서 찾기
2-2 전체 수 구하기
2-3 위치 찾기

3 수와 문제해결
3-1 수와 규칙
3-2 조건을 만족하는 수
3-3 수 카드 옮기기

I

1-1. 칸 수 미로

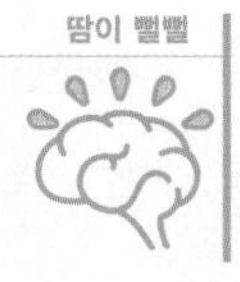

1 |보기|와 같이 가로, 세로로 주어진 수만큼 칸을 지나 미로를 탈출하려고 합니다. 지나간 길과 출발 또는 도착을 표시하시오. (단, 한 번 지나간 칸은 다시 지나갈 수 없습니다.)

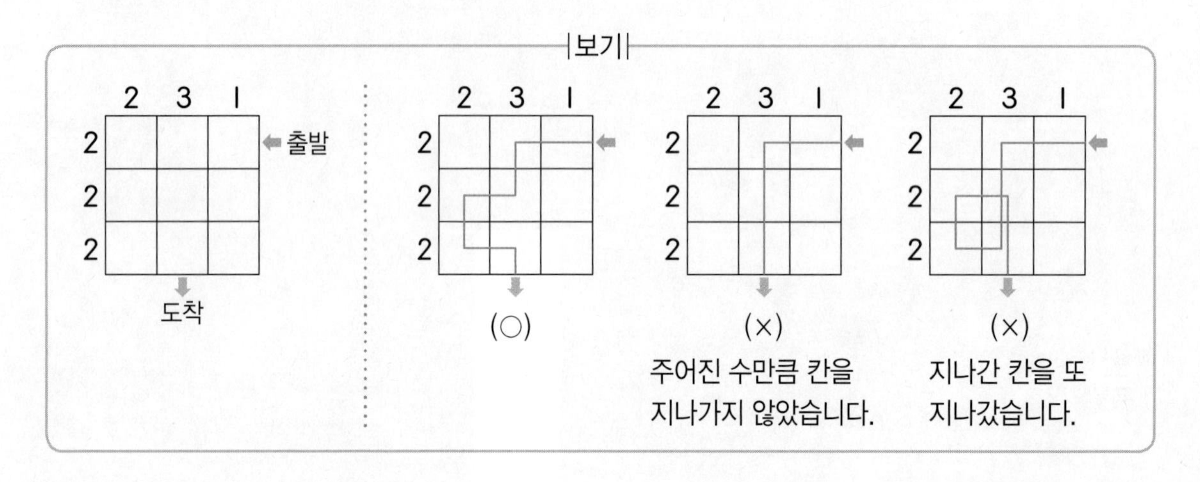

(1)

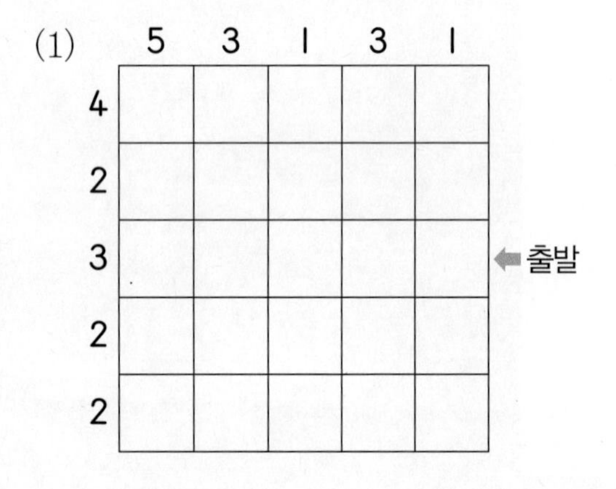

(2)

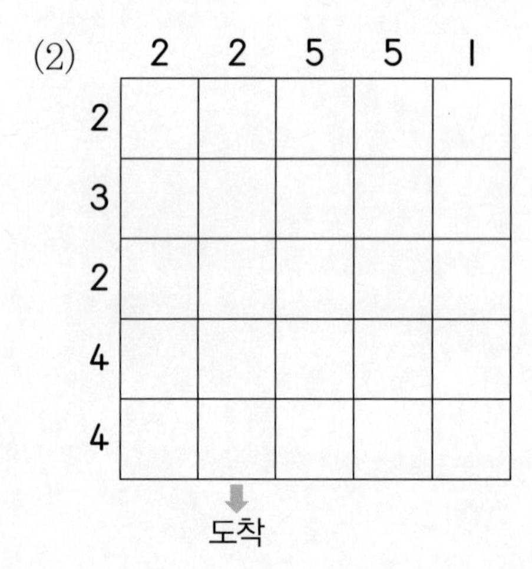

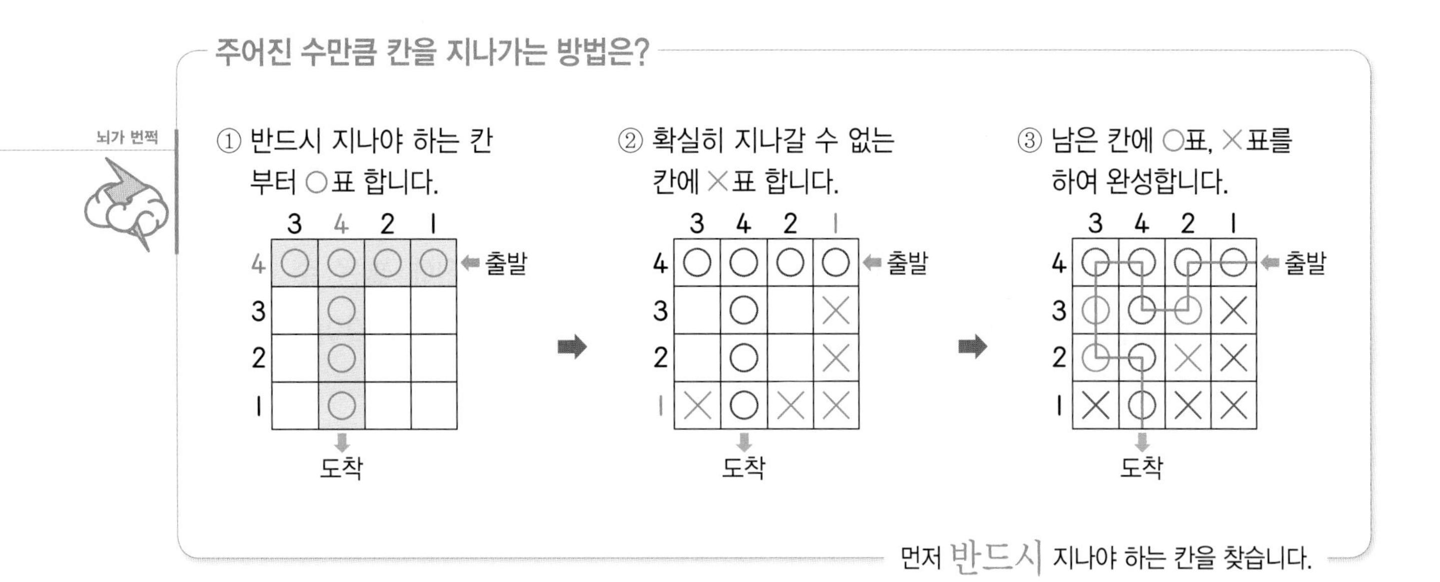

최상위 사고력

토끼가 가로, 세로로 주어진 수만큼 방을 지나 당근이 있는 곳까지 가려고 합니다. 지나간 길을 그리시오. (단, 한 번 지나간 방은 다시 지나갈 수 없습니다.)

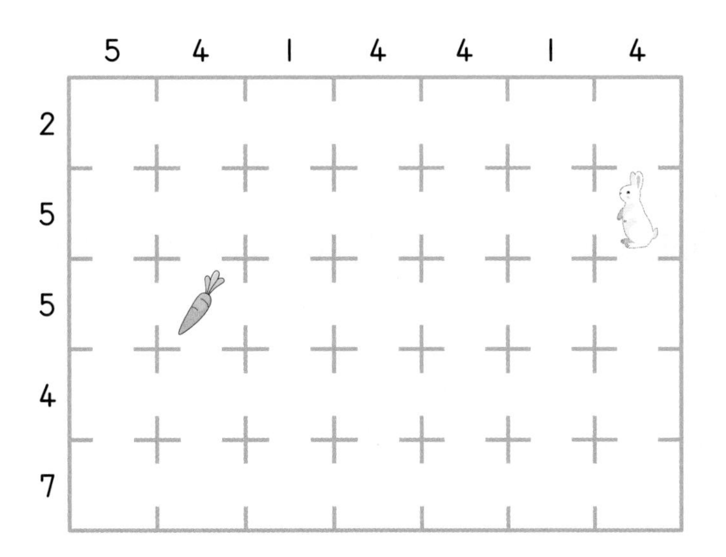

정답과 풀이 12쪽 ►

1-2. 1 큰 수, 1 작은 수

1 수 카드를 한 장씩 내려놓을 때 놓은 수 카드가 바로 전에 놓은 수 카드보다 1 큰 수이면 1점을 얻고, 1 작은 수이면 1점을 잃습니다. 다음과 같이 민수가 5부터 차례로 수 카드를 놓았을 때 민수의 점수는 몇 점입니까?

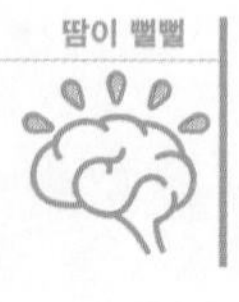

2 1부터 8까지의 수가 각각 적힌 공과 인형이 있습니다. 사격을 하여 공을 맞히면 공에 적힌 수보다 1 큰 수와 1 작은 수가 적힌 인형을 가져갈 수 있습니다. 물음에 답하시오.

(1) 지수가 사격을 하여 2번, 4번, 7번 공을 맞혔을 때 가져갈 수 있는 인형의 번호를 모두 쓰시오.

(2) 종호가 사격 게임에서 공 4개를 맞혀서 인형 8개를 모두 가져가려고 합니다. 맞혀야 하는 공의 번호 4개를 쓰시오.

뇌가 번쩍

4를 1 큰 수와 1 작은 수로 나타내려면?

1 큰 수		1 작은 수
3	④	5
1 작은 수		1 큰 수

➡ 3보다 1 큰 수, 5보다 1 작은 수

수를 순서대로 나열하여 이웃한 수 사이의 관계를 생각합니다.

최상위 사고력

가로 또는 세로로 이웃한 칸에 1 큰 수 또는 1 작은 수가 놓이지 않도록 수를 써넣으려고 합니다. 1부터 9까지의 수를 한 번씩 모두 써넣으시오.

(1)

6		5
	4	
3		9

(2)

1		
	5	
2		

정답과 풀이 14쪽 ►

1-3. 화살표 퍼즐

1 화살표가 가리키는 ○ 안의 수가 더 크도록 1부터 9까지의 수를 한 번씩 모두 써넣으시오.

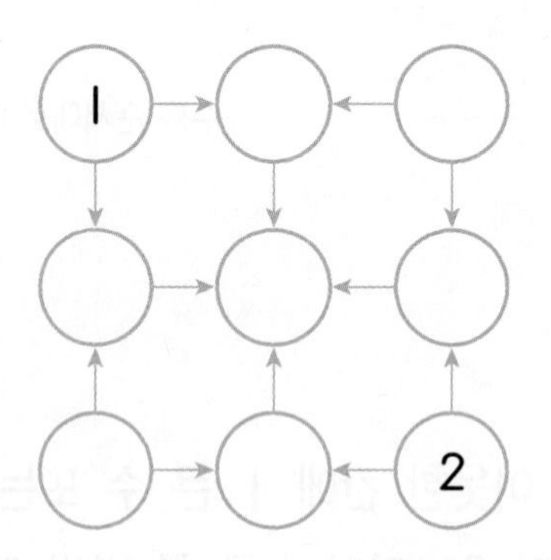

땀이 뻘뻘

2 화살표가 가리키는 ○ 안의 수가 더 크도록 1부터 6까지의 수를 한 번씩 모두 써넣으시오.

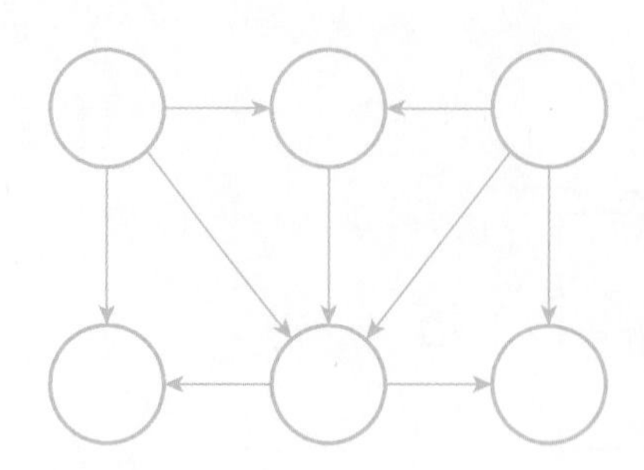

가장 작은 수가 들어갈 곳 찾기

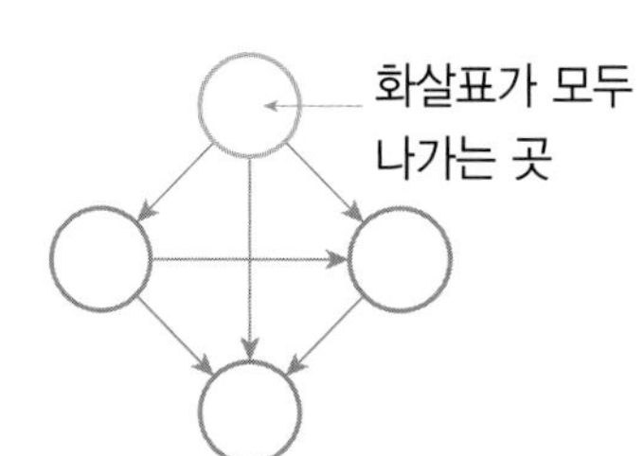

가장 큰 수가 들어갈 곳 찾기

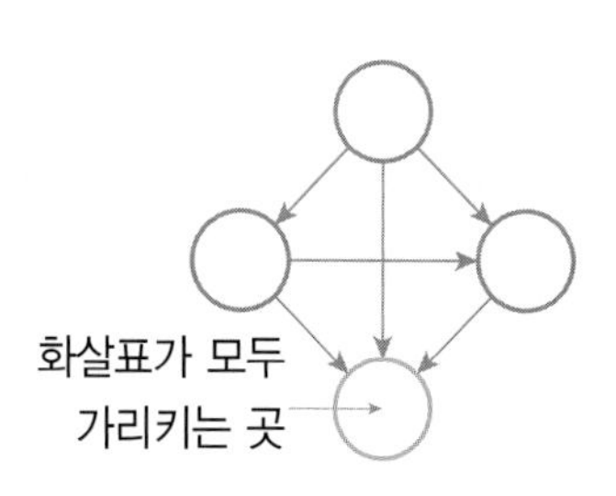

가장 작은 수와 가장 큰 수가 들어갈 곳을 찾습니다.

최상위 사고력

화살표가 가리키는 ○ 안의 수가 더 크도록 1부터 9까지의 수 중 6개의 수를 써넣을 때 ★에 써넣을 수 있는 수를 모두 구하시오.

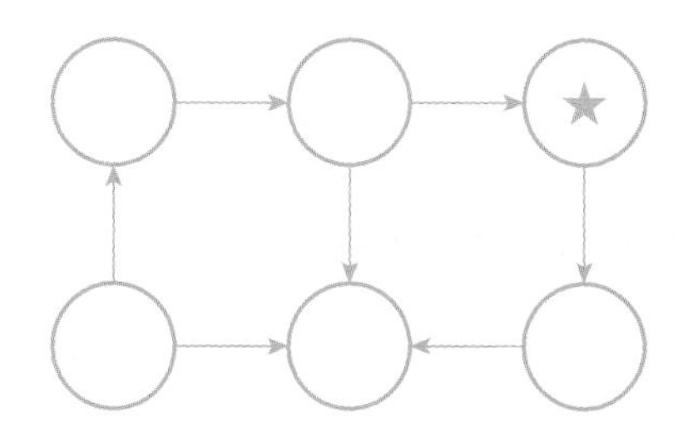

최상위 사고력

| 경시대회 기출 |

1 문제풀이

○ 안에 0부터 9까지의 수 중 6개의 수를 써넣으려고 합니다. 화살표 방향으로 큰 수를 써넣을 때 ♣에 써넣을 수 있는 수를 모두 구하시오.

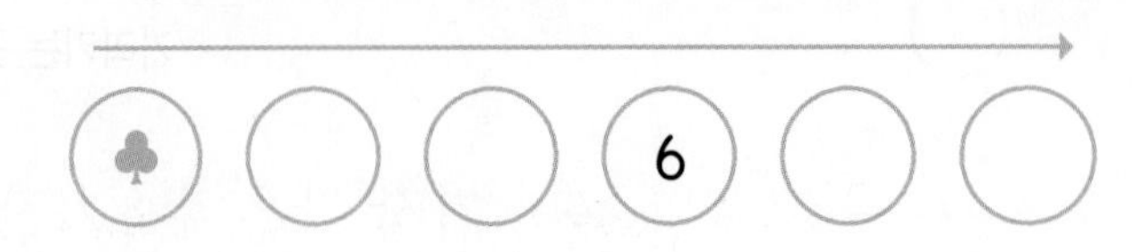

2 |보기|와 같이 모든 칸을 겹치지 않고 한 번씩만 지나도록 같은 수를 나타내는 것끼리 선으로 이으시오.

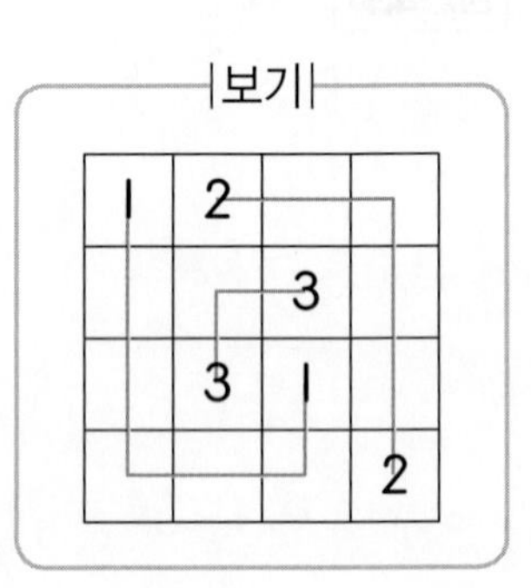

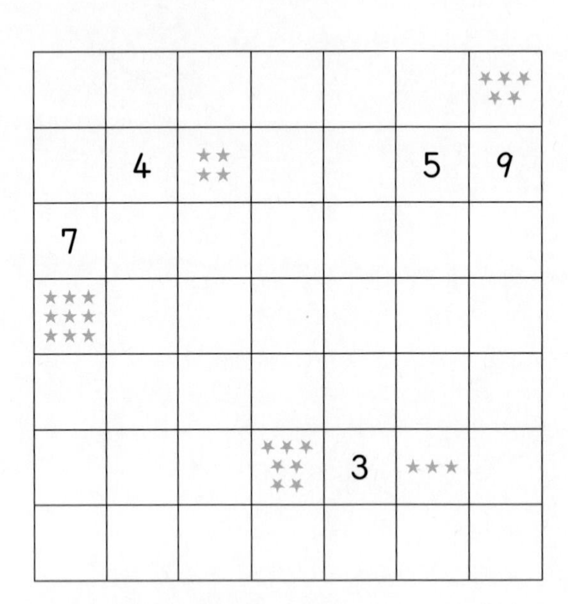

| 경시대회 기출 |

3 |보기|는 ○ 안에 그 줄에 놓인 수 중 가장 큰 수를 나타낸 것입니다. |보기|와 같이 ○ 안의 수를 보고 빈칸에 1부터 9까지의 수를 한 번씩 모두 써넣으시오.

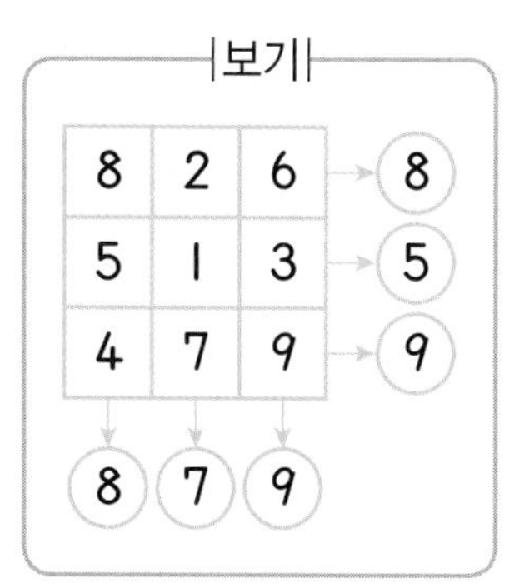

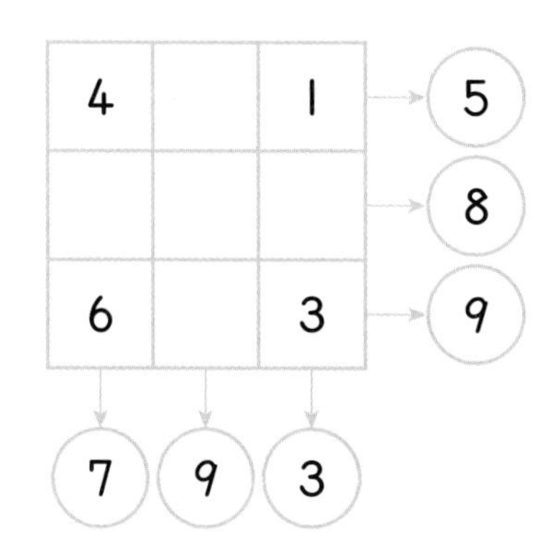

4 화살표가 가리키는 □ 안의 수가 더 크도록 4부터 9까지의 수를 한 번씩 써넣는 방법은 모두 몇 가지입니까?

2-1. 순서 찾기

1 같은 아파트의 서로 다른 층에 석민, 지은, 소희, 윤호, 희수가 살고 있습니다. 빈칸에 알맞은 이름을 써넣으시오.

- 석민이는 4층에 살고 있습니다.
- 지은이네 집보다 윗층에 4명이 살고 있습니다.
- 윤호네 집보다 2층 위에 희수가 살고 있습니다.

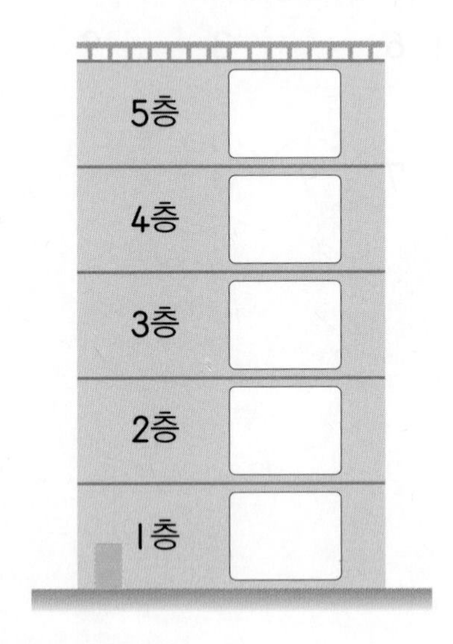

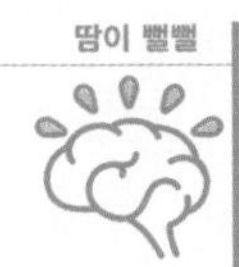

2 민희, 승환, 수정, 현수, 은찬이가 달리기를 했습니다. 들어온 순서대로 이름을 쓰시오.

- 수정이가 가장 먼저 들어왔습니다.
- 민희는 은찬이보다는 늦게, 승환이보다는 빨리 들어왔습니다.
- 현수는 네 번째로 들어왔습니다.

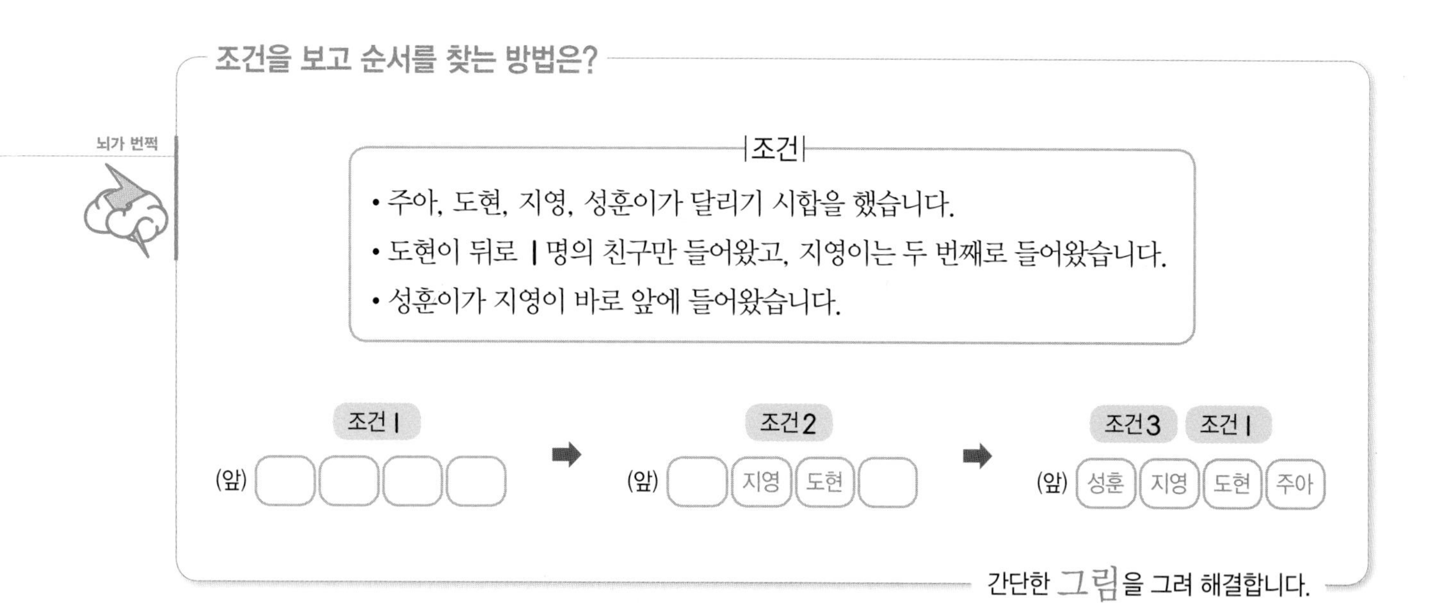

최상위 사고력

지후가 1층에서 고장난 엘리베이터를 타고 4층씩 두 번 올라갔다가 2층을 다시 내려왔습니다. 지후가 도착한 곳은 약국이고, 병원은 약국보다 3층 아래에 있습니다. 병원은 몇 층에 있습니까?

정답과 풀이 18쪽 ►

2-2. 전체 수 구하기

1 다음 |조건|을 만족하도록 빈칸에 1부터 9까지의 수를 써넣으시오.

|조건|

- 7에서 오른쪽으로 여섯 번째 수는 5입니다.
- 1에서 왼쪽으로 두 번째 수는 5입니다.
- 5에서 왼쪽으로 세 번째 수는 4입니다.
- 9에서 왼쪽으로 다섯 번째 수는 6입니다.
- 2에서 오른쪽으로 세 번째 수는 3입니다.

(왼쪽) | | | | | | | | | | (오른쪽)

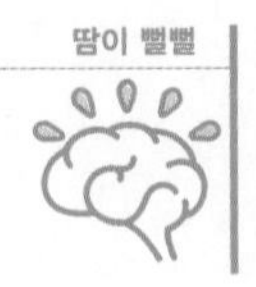

2 재희는 기차의 앞에서 일곱 번째 칸, 뒤에서 두 번째 칸에 탔습니다. 재희가 타고 있는 기차는 모두 몇 칸으로 되어 있습니까?

전체 수를 간단하게 구하는 방법은?

뇌가 번쩍

예 민우는 앞에서 두 번째, 뒤에서 네 번째에 있습니다.

(앞) ○ ● ← 앞에서 두 번째

뒤에서 네 번째 → ● ○ ○ ○ (뒤)

➡ (앞) ○ ● ○ ○ ○ (뒤)

5명

그림을 그려 해결합니다.

최상위 사고력

은호와 지윤이 사이에 있는 계단은 몇 칸입니까? (단, 한 칸에 한 명만 서 있습니다.)

- 9칸의 계단이 있습니다.
- 유미는 첫 번째 계단, 민우는 맨 윗 계단에 서 있습니다.
- 유미와 지윤이 사이에 있는 계단은 5칸입니다.
- 민우와 은호 사이에 있는 계단은 5칸입니다.

정답과 풀이 19쪽 ►

2-3. 위치 찾기

1 오른쪽과 같이 학생들이 앞에서부터 두 명씩 줄을 섰습니다. 영진이는 앞에서 세 번째, 뒤에서 두 번째 줄에 서 있고, 영진이의 두 줄 앞에는 시우가 서 있습니다. 시우의 오른쪽에 신미가 서 있을 때 줄을 선 학생들을 ○로 나타내고, 신미의 자리에 ×표 하시오.

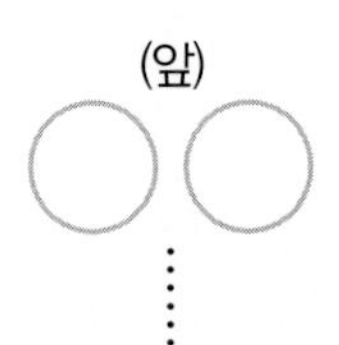

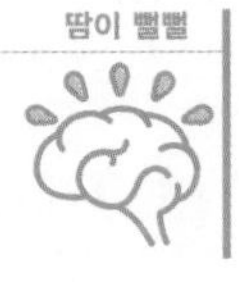

2 층수가 같은 3개의 건물 ㈎, ㈏, ㈐가 나란히 서 있습니다. 영화관의 위치를 찾아 빈칸에 써넣으시오. (단, 각 층에는 1개의 상가만 있고, 3개의 건물에 같은 상가는 없습니다.)

- ㈎ 건물 2층에는 치과가 있고, ㈏ 건물 5층에는 피아노 학원이 있습니다.
- 치과와 같은 층의 다른 건물에는 PC방과 독서실이 있습니다.
- 영화관은 독서실보다 3층 위에 있습니다.

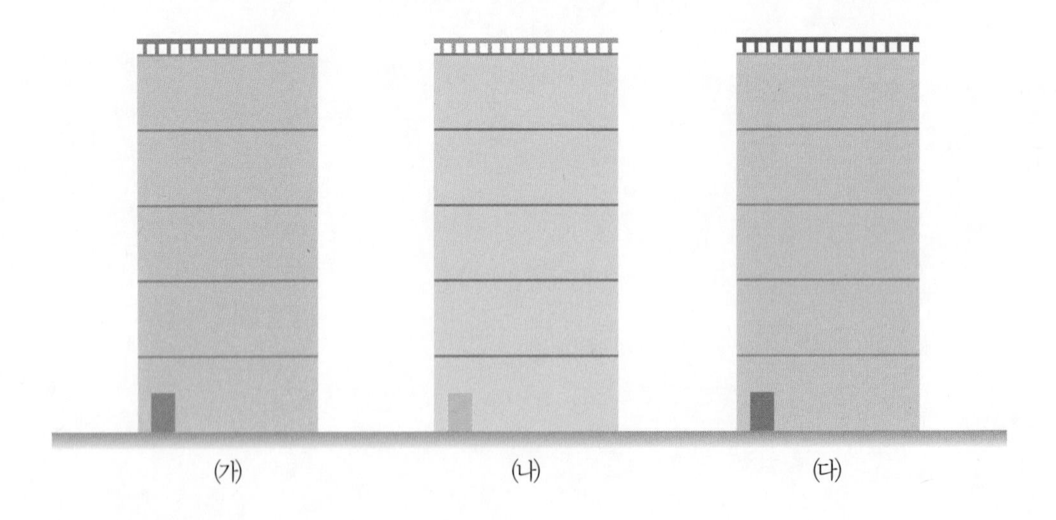

사물의 위치를 정확하게 찾는 방법은?

뇌가 번쩍

예 검은색 바둑돌은 앞에서 세 번째, 뒤에서 두 번째, 오른쪽에서 다섯 번째, 왼쪽에서 네 번째에 있습니다.

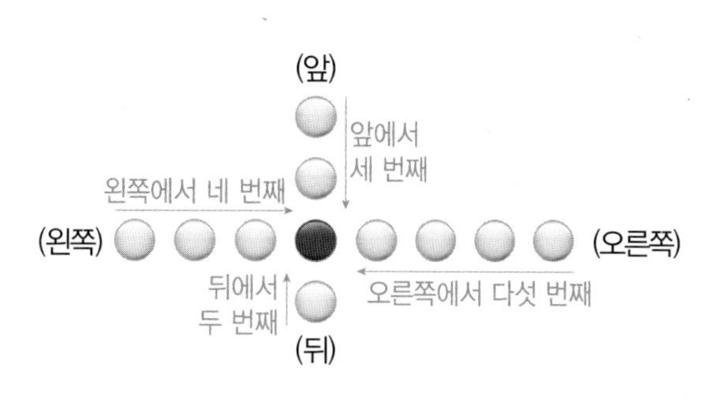

찾아야 하는 사물의 위치를 기준으로 여러 가지 방향에서 그림을 그립니다.

최상위 사고력

성주의 위치에서 오른쪽으로 9칸, 뒤로 3칸을 가면 아이스크림 가게가 있습니다. 학교에서 오른쪽으로 6칸, 앞으로 2칸을 가면 아이스크림 가게가 있다고 할 때, 학교가 있는 위치에 ○표 하시오.

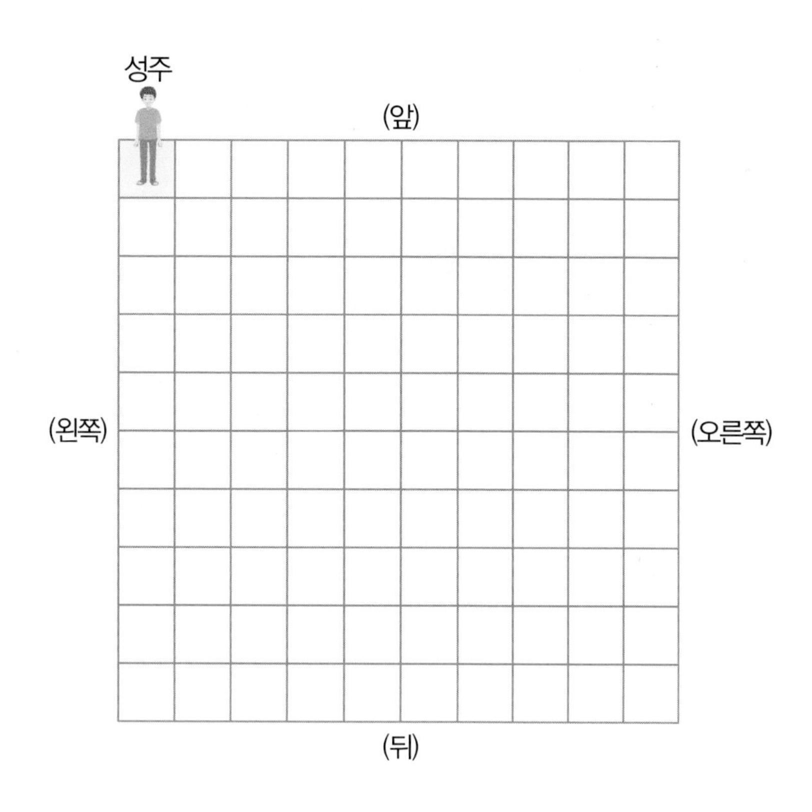

최상위 사고력

1 운동장에 학생들이 옆으로 3명씩 줄을 섰습니다. 지은이는 3명 중 가운데에 서 있고 앞에서 두 번째 줄, 뒤에서 두 번째 줄에 서 있습니다. 모두 몇 명의 학생이 줄을 서 있습니까?

2 지도에서 보물이 숨겨진 곳을 찾아 ○표 하시오.

- 깃발이 꽂힌 곳에서 오른쪽으로 다섯 번째 칸에 우물이 있습니다.
- 우물에서 뒤로 여섯 번째에 칸에 동굴이 있습니다.
- 보물이 숨겨진 곳에서 오른쪽으로 두 번째 칸, 뒤로 세 번째 칸에 동굴이 있습니다.

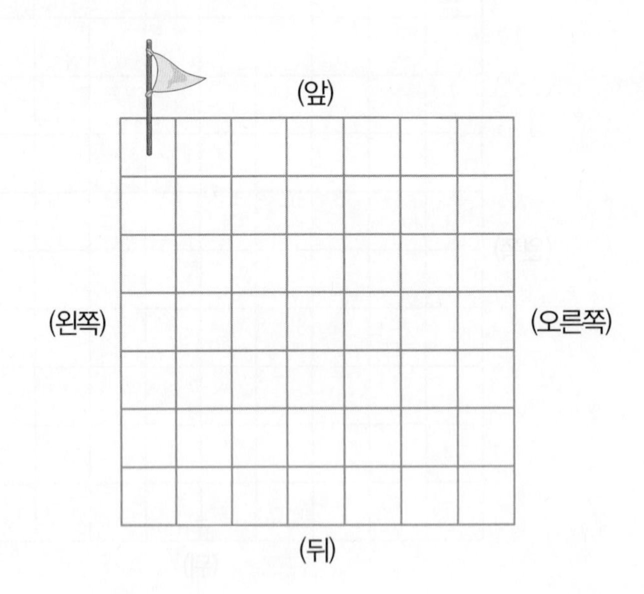

| 경시대회 기출 |

3 석우는 앞에서 다섯 번째, 뒤에서 세 번째로 달리고 있습니다. 지수가 여섯 번째로 달리다가 3명을 앞질렀다면 지수의 뒤에 달리고 있는 학생은 모두 몇 명입니까?

문제풀이

4 민희, 승환, 수정, 현수, 은찬, 지수가 교실에 도착한 순서입니다. 친구들이 도착한 순서대로 이름을 쓰시오.

- 민희보다 늦게 온 사람은 2명입니다.
- 수정이보다 늦게 온 사람은 4명입니다.
- 지수는 수정이 바로 앞에 도착했습니다.
- 현수가 도착한 후 한 명이 더 도착한 다음 승환이가 도착했습니다.

정답과 풀이 21쪽 ►

3-1. 수와 규칙

1 다음 칸에 쓰여진 수들의 규칙을 찾아 네 번째, 일곱 번째 표에 알맞은 수를 써넣으시오.

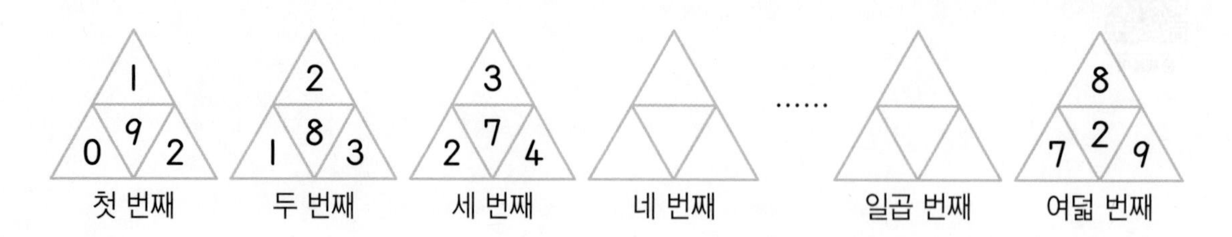

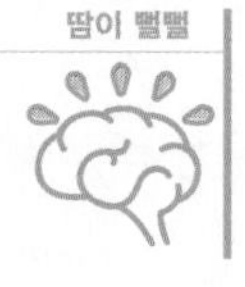

2 규칙에 따라 수를 묶었습니다. 9는 몇 번째 묶음에서 처음 나오는지 구하시오.

(0, 1, 2, 1, 0), (1, 2, 3, 2, 1), (2, 3, 4, 3, 2) ……

수의 규칙은 어떻게 찾을까?

뇌가 번쩍

방법1 수 사이의 관계에서 규칙 찾기

(1, 2, 3), (4, 5, 6), (7, 8, 9)

⬇

1부터 차례로 수를 3개씩 묶었습니다.

방법2 같은 위치에 놓인 수의 규칙 찾기

9	6	5
7	10	8

8	5	4
6	9	7

7	4	3
5	8	6

⬇

같은 위치에 쓰여 있는 수가 1씩 작아집니다.

수 사이의 관계나 위치를 살펴봅니다.

최상위 사고력

다음과 같은 규칙으로 표를 8개 만들었을 때, 7은 모두 몇 번 나오는지 구하시오.

0	0	0
	1	
2	2	2

1	1	1
	2	
3	3	3

2	2	2
	3	
4	4	4

......

정답과 풀이 23쪽 ►

3-2. 조건을 만족하는 수

1 1부터 9까지의 수 카드 중 다음 |조건|을 만족하도록 네 장의 수 카드를 고르려고 합니다. 카드를 고르는 방법을 모두 쓰시오.

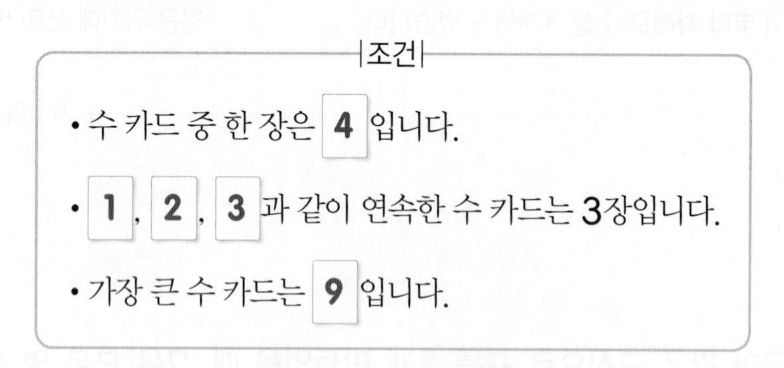
|조건|

- 수 카드 중 한 장은 4 입니다.
- 1, 2, 3 과 같이 연속한 수 카드는 3장입니다.
- 가장 큰 수 카드는 9 입니다.

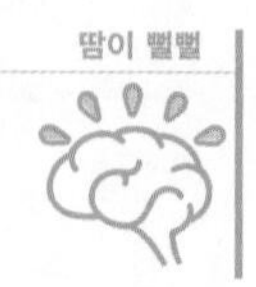

2 0부터 9까지의 수 중 □ 안에 공통으로 들어갈 수 있는 수를 모두 구하시오.

- □은(는) 2보다 크고 8보다 작습니다.
- 4는 □보다 작습니다.

뇌가 번쩍

조건이 여러 개일 때 □ 안에 알맞은 수를 찾는 방법은?

① □는 1보다 크고 6보다 작습니다. ➡ □=②, ③, 4, 5

② 4는 □보다 큽니다. ➡ □는 4보다 작습니다. ➡ □=0, 1, ②, ③

따라서 □ 안에 알맞은 수는 2, 3입니다.

조건을 모두 만족하는 수를 찾습니다.

최상위 사고력

다음 |조건|을 만족하도록 빈칸에 5, 6, 7, 8, 9를 써넣으시오.

|조건|

- 가장 큰 수를 왼쪽에서 두 번째 칸에 놓습니다.
- 6의 오른쪽에는 6보다 작은 수만 놓습니다.
- 7의 왼쪽에는 수를 놓지 않습니다.

(왼쪽) | | | | | | (오른쪽)

정답과 풀이 24쪽 ►

3-3. 수 카드 옮기기

1 다음과 같이 나열된 수 카드를 |보기|의 순서대로 옮기려고 합니다. 빈칸에 알맞은 수를 써넣으시오.

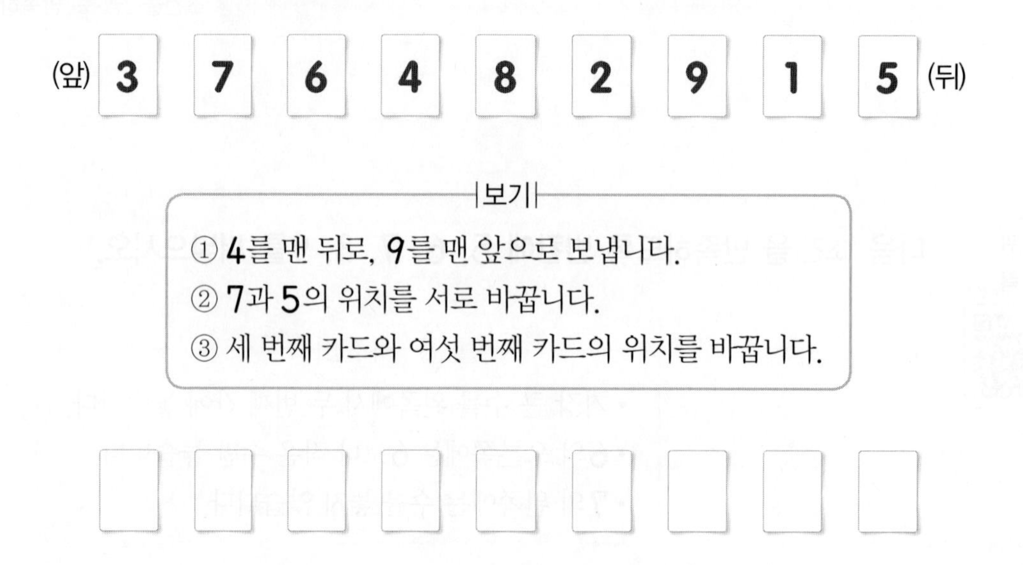

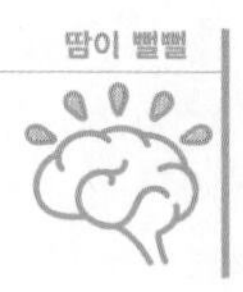

2 1부터 9까지의 수 카드 중 연속하는 수가 적힌 세 장의 수 카드를 두 번 골라 작은 수 카드부터 순서대로 놓으려고 합니다. 수 카드 중 한 장이 6 일 때 나머지 수 카드 5장을 놓을 수 있는 방법은 모두 몇 가지입니까?

최상위
사고력

다음과 같이 수 카드가 놓여 있습니다. 물음에 답하시오.

(1) 위의 수 카드 중 두 장을 골라 서로 위치를 바꾸어 다음과 같은 순서대로 놓으려고 합니다. 최소한 카드를 몇 번 바꾸어야 합니까?

(2) 아래와 같이 놓인 수 카드 중 두 장을 골라 서로 위치를 바꾸어 처음 놓인 순서대로 놓으려고 합니다. 최소한 카드를 몇 번 바꾸어야 합니까?

5 7 2 8 3 6 4 1 9

정답과 풀이 25쪽 ►

| 경시대회 기출 |

1 수 카드 0, 1, 8, 9를 나란히 놓으려고 합니다. 0과 1 사이에 수 카드를 한 장만 놓는 방법은 모두 몇 가지입니까?

2 규칙에 맞게 표를 채웠을 때, ★과 ♥에 알맞은 수를 각각 구하시오.

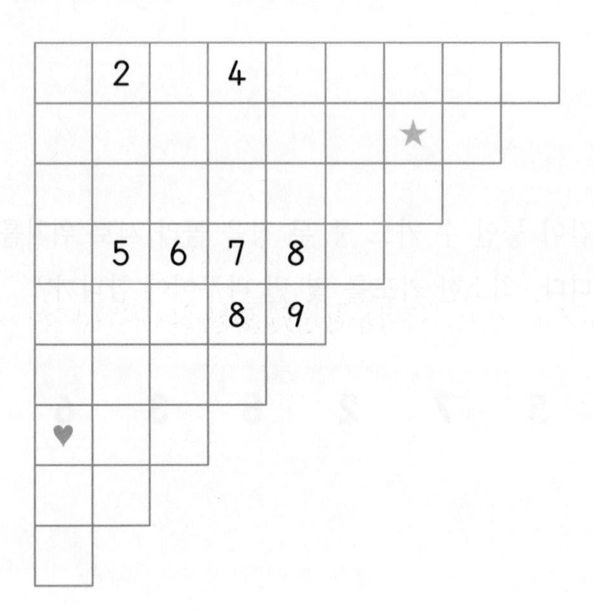

3 다음 수 카드를 |보기|의 순서대로 옮겼을 때, 옮기기 전과 놓인 위치가 바뀌지 않는 수 카드는 모두 몇 장입니까?

(앞) 2 9 5 4 7 6 1 8 3 (뒤)

|보기|

① 두 번째 카드와 여덟 번째 카드의 위치를 바꿉니다.
② 여섯 번째 카드를 맨 뒤로 보냅니다.
③ 일곱 번째 카드를 맨 앞으로 보냅니다.

4 |조건|을 보고 ●이 될 수 있는 수를 모두 구하시오.

|조건|

- ●보다 1 작은 수는 2보다 큽니다.
- ●보다 1 큰 수는 8보다 작습니다.

1

화살표 방향으로 주어진 수만큼 빈칸을 색칠하시오.

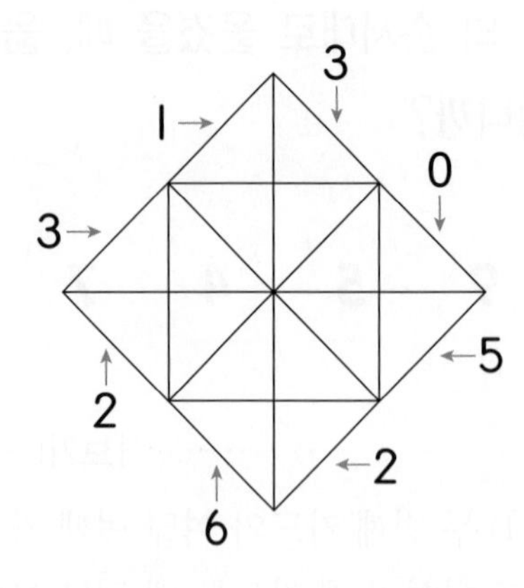

2

|보기|와 같이 모든 칸을 겹치지 않고 한 번씩만 지나도록 같은 수를 나타내는 것끼리 선으로 이으시오.

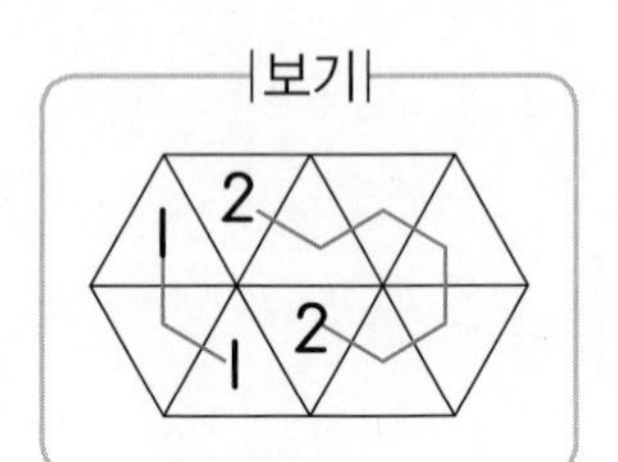

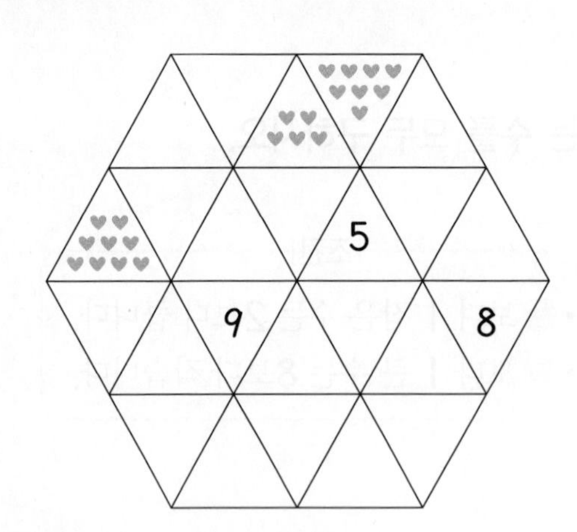

3 주희는 앞에서 네 번째에 서 있고 지훈이는 뒤에서 두 번째에 서 있습니다. 주희와 지훈이 사이에 두 명이 서 있을 때 줄을 선 학생은 모두 몇 명입니까?

4 선으로 연결된 곳에는 1 큰 수 또는 1 작은 수가 들어가지 않도록 ○ 안에 1부터 6까지의 수를 한 번씩 써넣으시오.

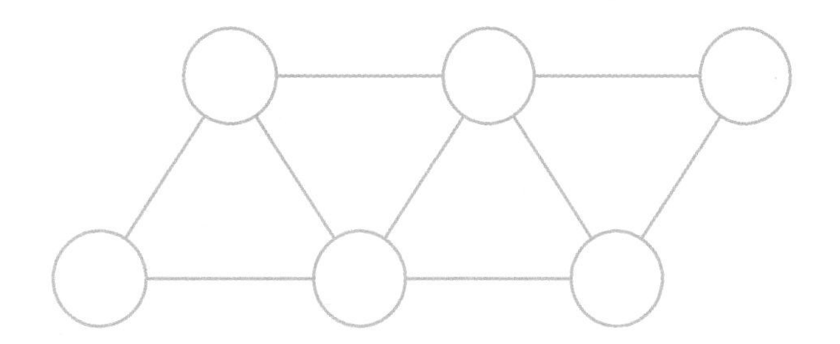

정답과 풀이 28쪽 ►

5 다음 칸에 쓰여진 수들의 규칙을 찾아 여섯 번째 칸에 알맞은 수를 써넣으시오.

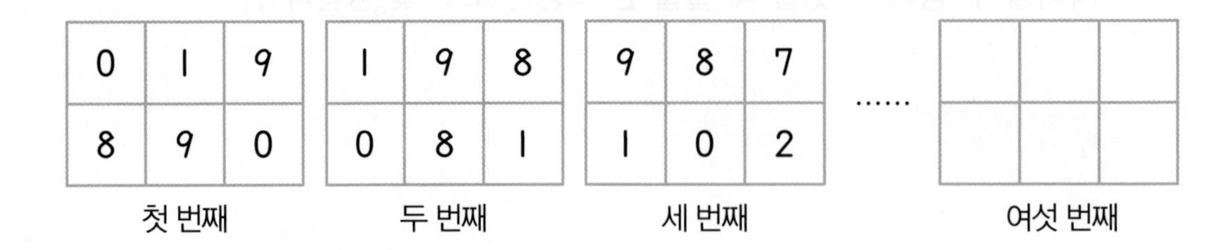

6 명주와 서희가 가위바위보 게임을 하고 있습니다. 가위바위보에서 이기면 앞 또는 오른쪽으로 한 칸 움직이고, 지면 뒤 또는 왼쪽으로 한 칸 움직입니다. 시작 에서 출발하여 가위바위보를 8번 했을 때 명주의 위치가 다음과 같다면 명주는 모두 몇 번 이긴 것입니까? (단, 비기는 경우는 없습니다.)

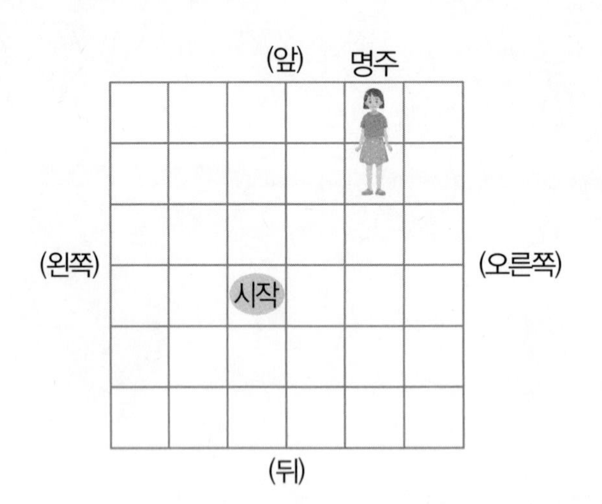

정답과 풀이 28쪽 ►

도형

4-1. 같은 모양 찾기

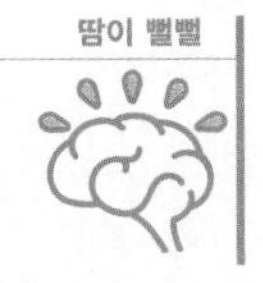

1 |보기|와 같은 모양을 찾아 ○표 하시오.

|보기|

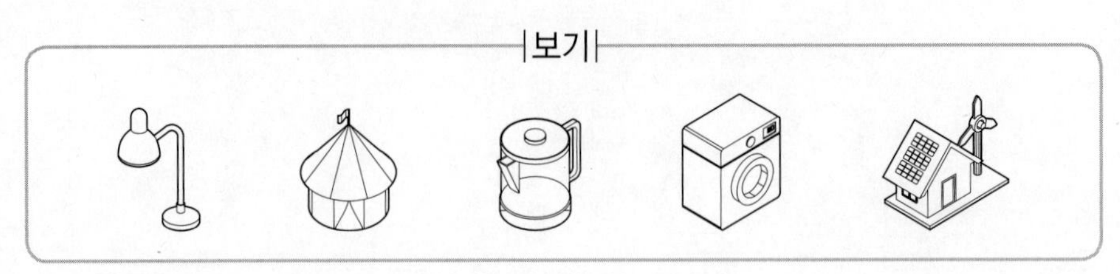

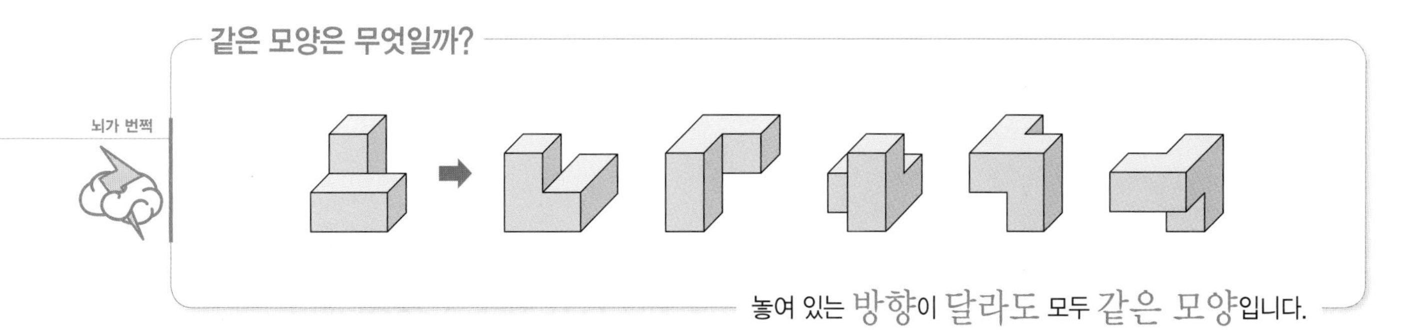

최상위 사고력

다른 모양 하나를 찾아 ○표 하시오.

(1)

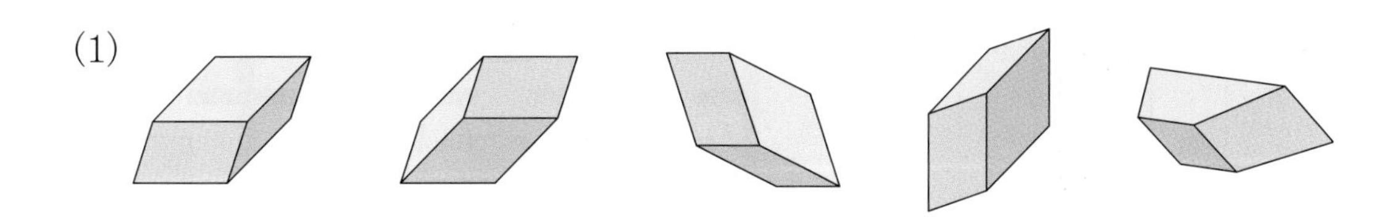

(2)

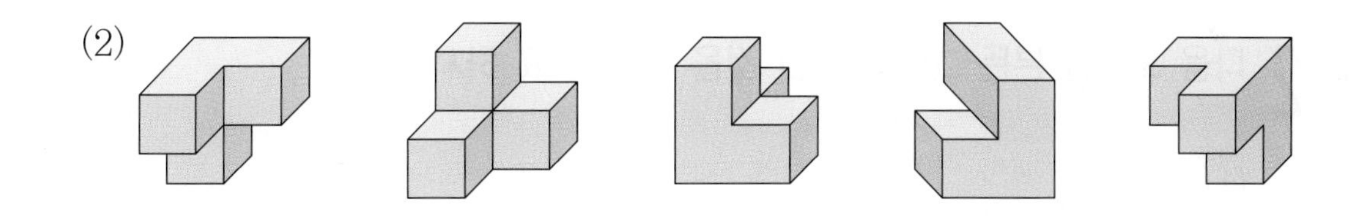

(3)

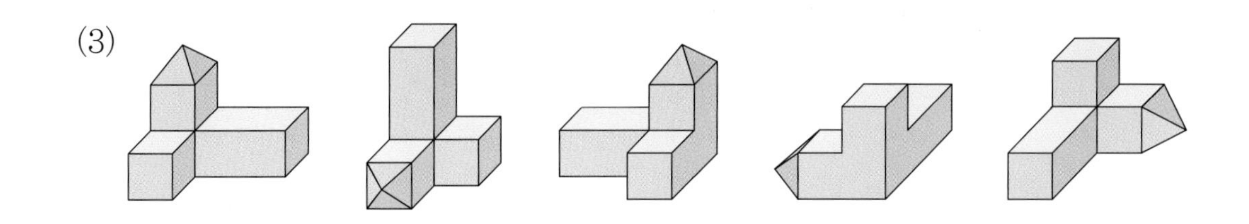

정답과 풀이 31쪽 ►

4-2. 모양 본뜨기

1 왼쪽 모양의 모든 면을 색종이로 붙이려고 합니다. 필요한 색종이가 있는 길을 따라 미로를 탈출하시오. (단, 한 번 지나간 길은 다시 지날 수 없습니다.)

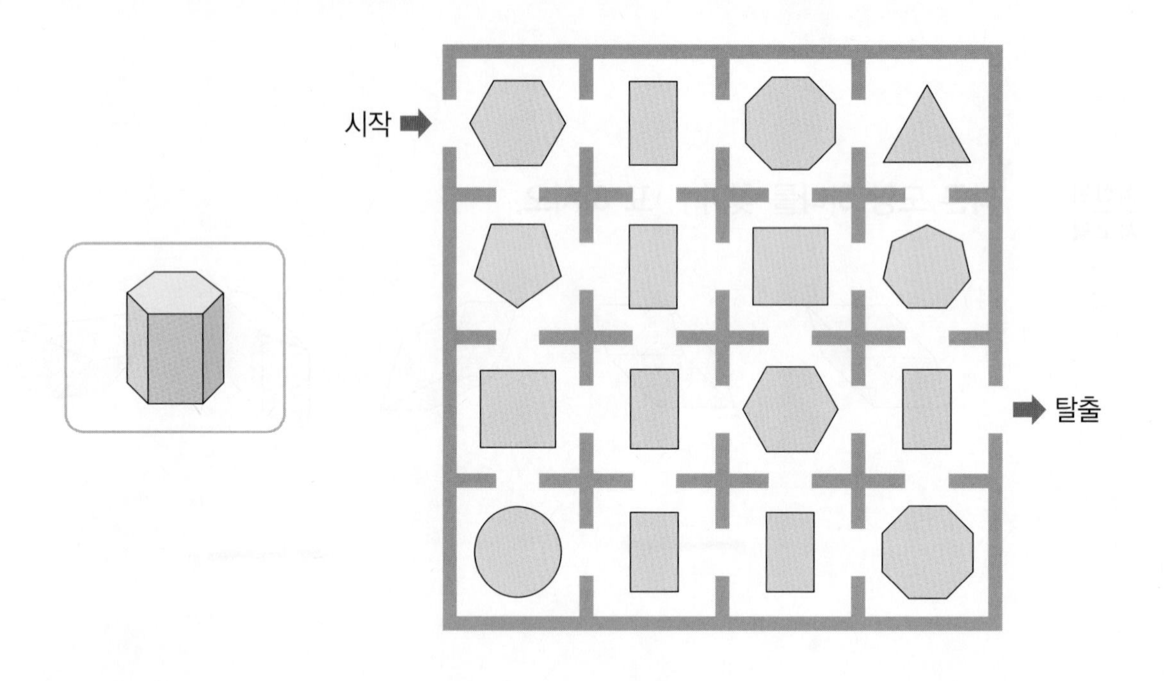

땀이 뻘뻘

2 다음 모양을 본뜬 그림이 아닌 것을 찾아 ○표 하시오.

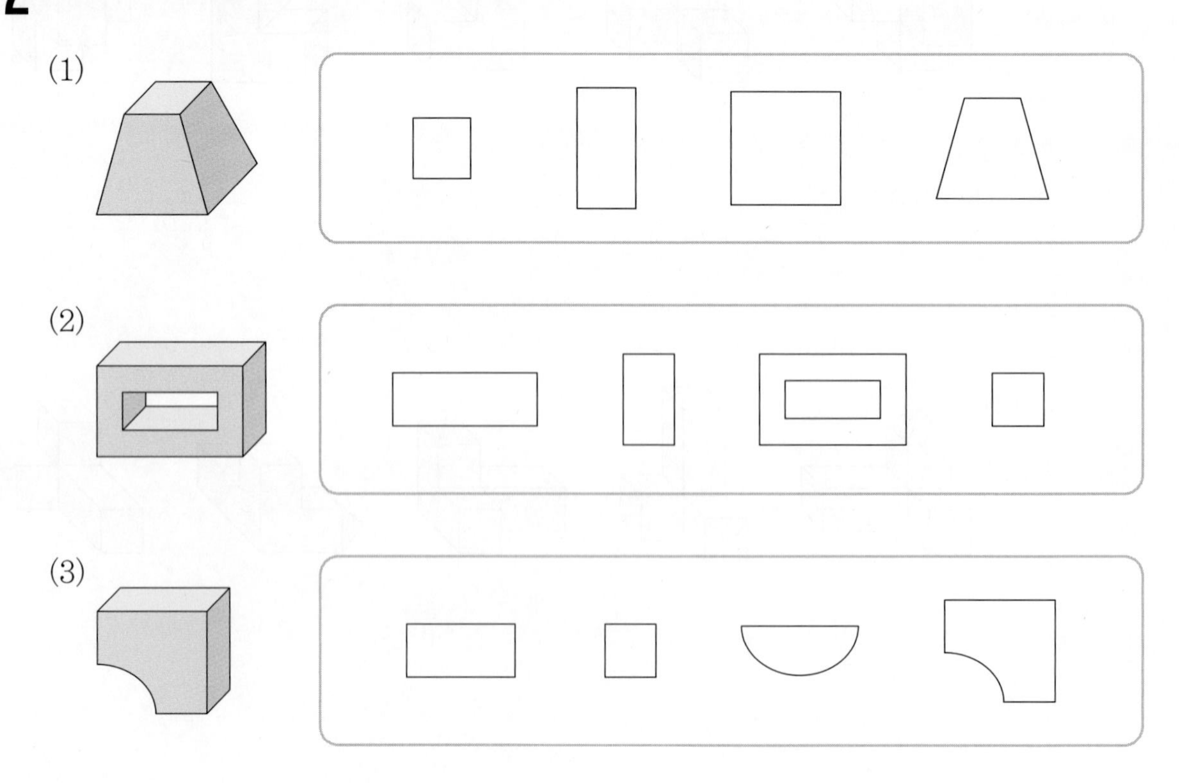

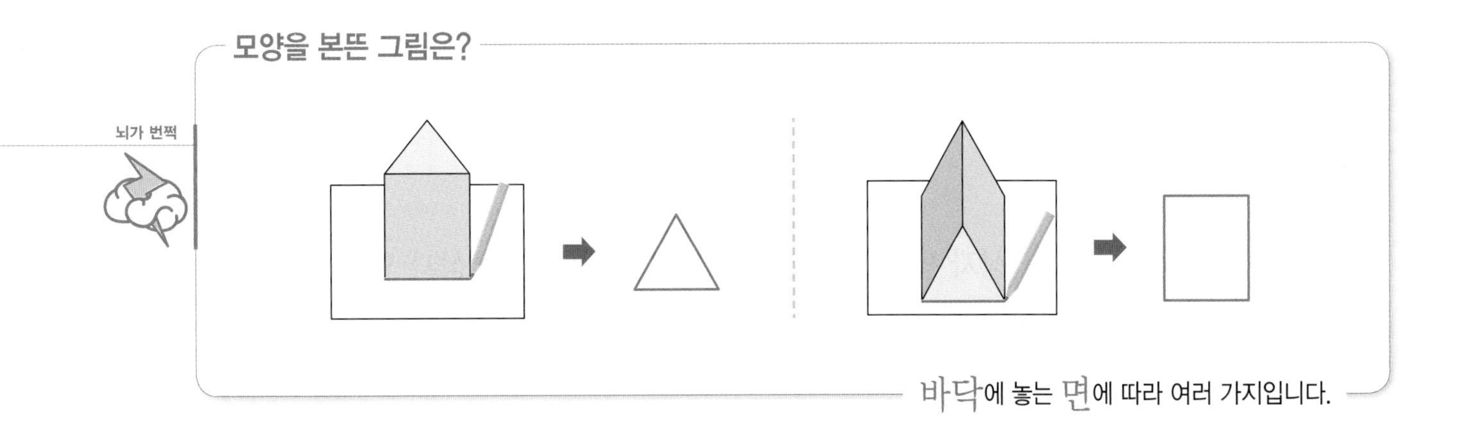

최상위 사고력

다음과 같은 상자에 색종이를 빈틈없이 붙이려고 합니다. 각 면에 색종이를 한 장씩만 붙인다면 색종이를 어떻게 잘라야 하는지 그리시오. (단, 색종이는 겹쳐서 붙이지 않습니다.)

정답과 풀이 32쪽 ►

4-3. 숨은 모양 찾기

1 다음은 민우가 상자 안을 들여다보고 그린 그림입니다. 상자 안에 들어 있는 모양을 모두 찾아 차례로 기호를 쓰시오.

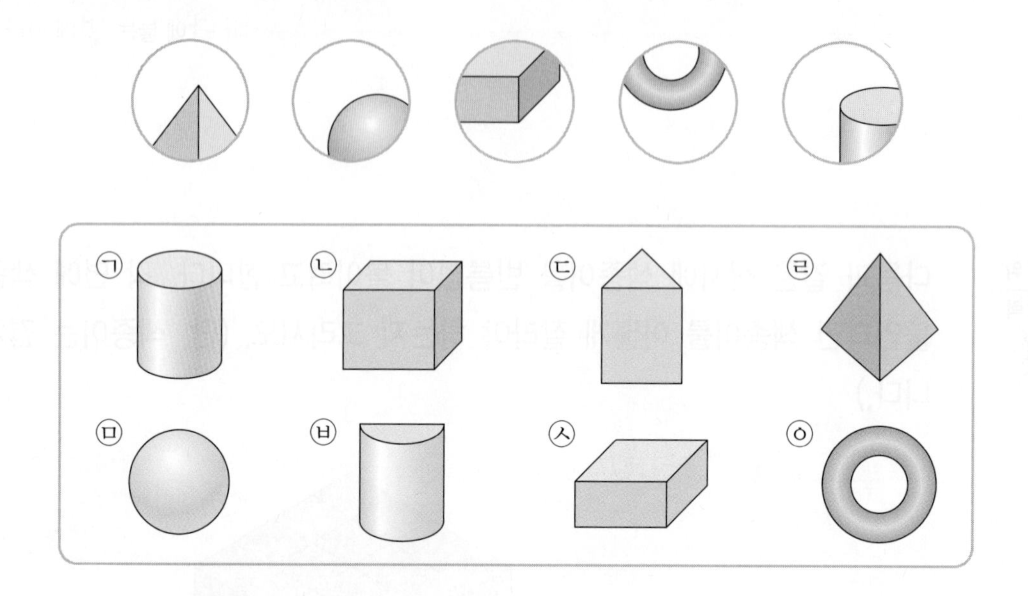

2 가려진 부분에 알맞은 모양을 찾아 ○표 하시오.

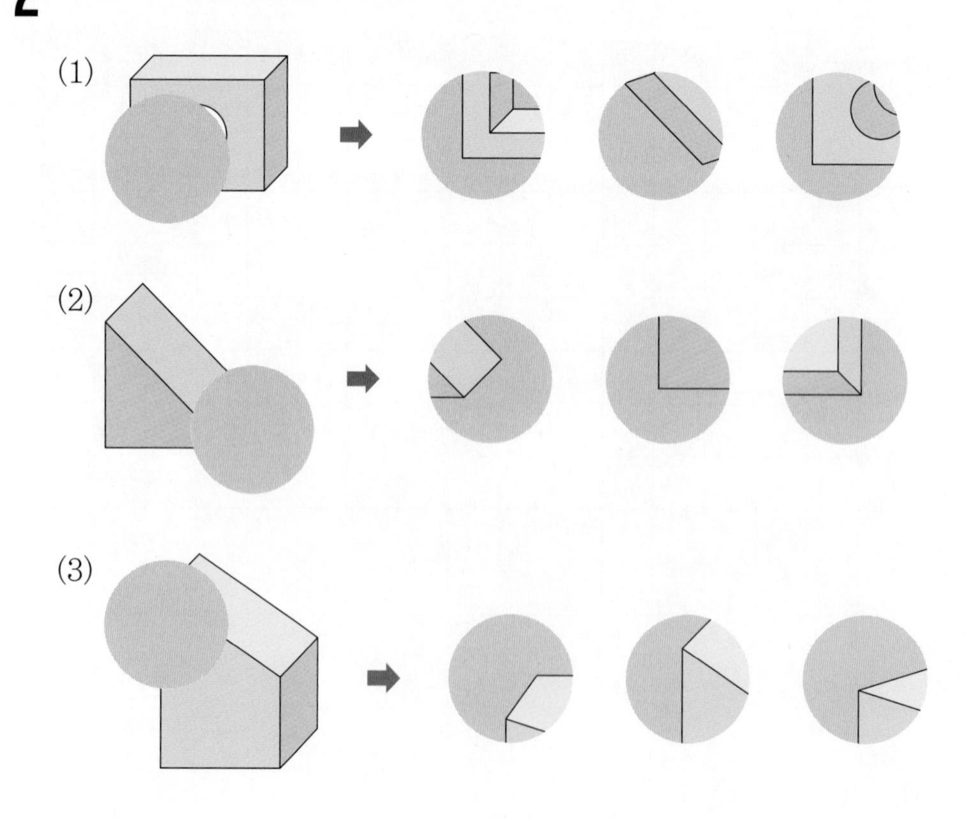

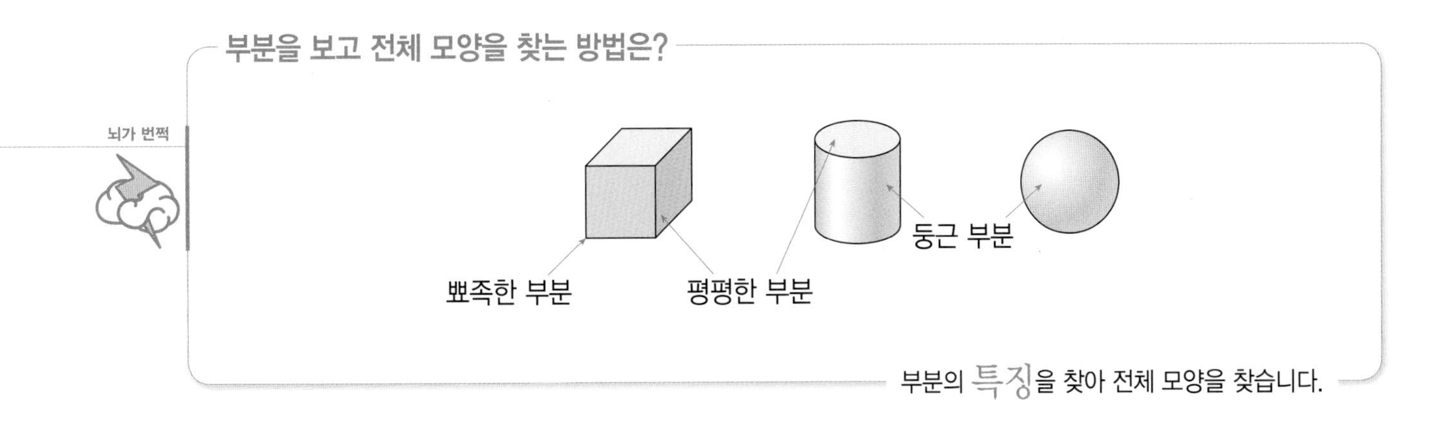

최상위 사고력

가려진 부분을 보고 찾을 수 없는 모양을 모두 찾아 기호를 쓰시오.

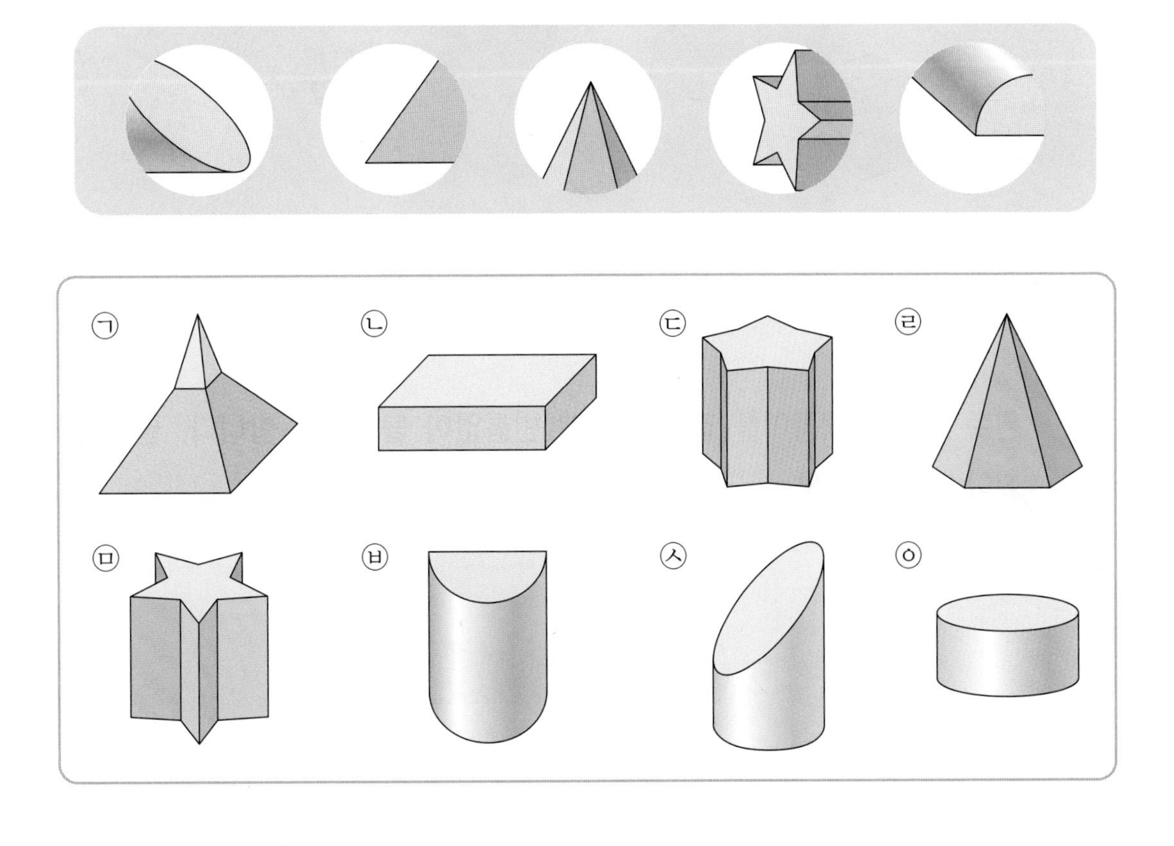

최상위 사고력

1 같은 모양끼리 짝지을 때 짝이 없는 것을 찾아 ○표 하시오.

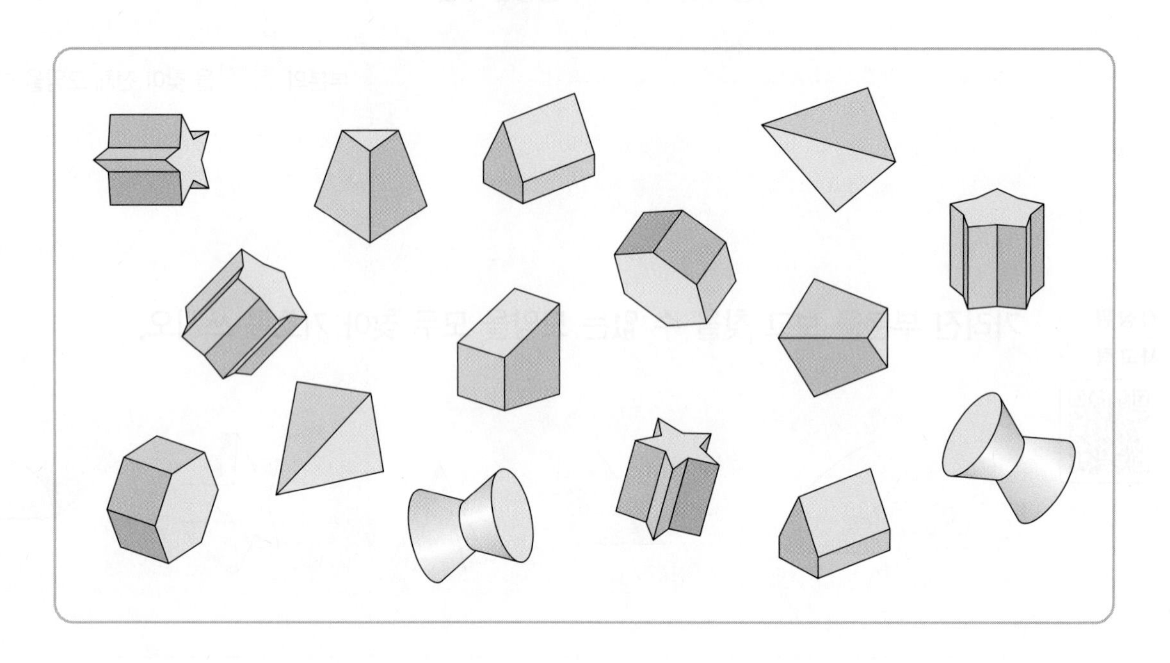

| 경시대회 기출 |

2 왼쪽 모양에 색종이를 겹치지 않게 빈틈없이 붙이려고 합니다. 필요한 색종이를 모두 찾아 ○표 하시오.

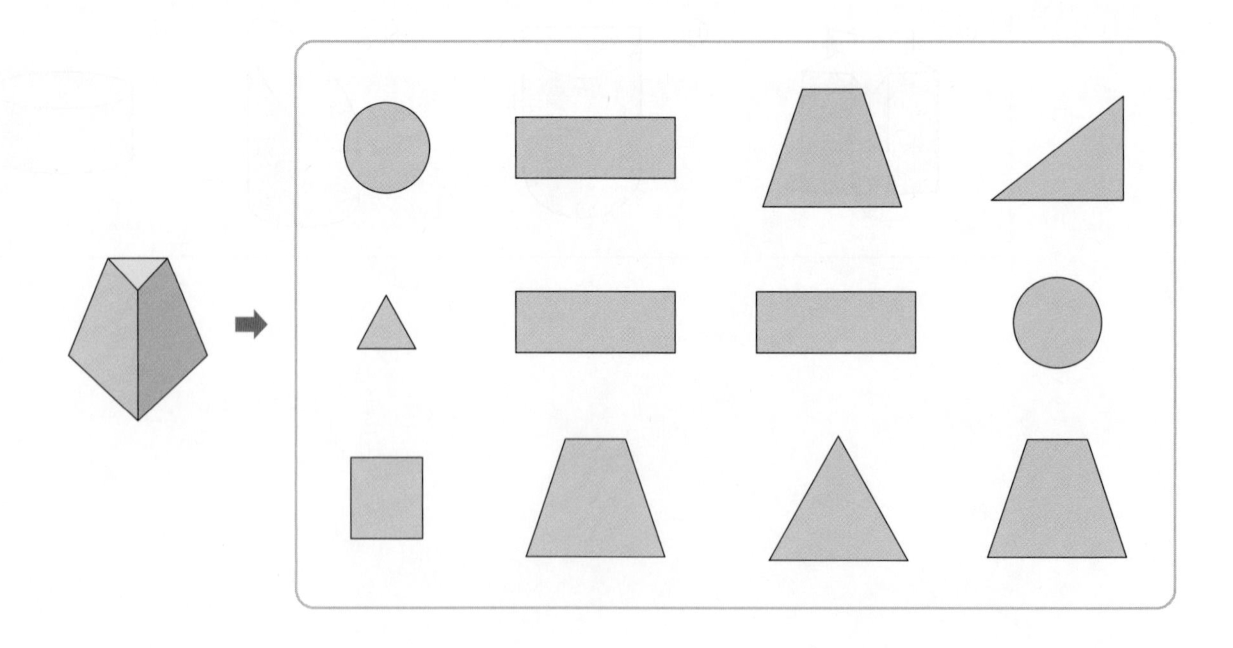

3 왼쪽 모양의 일부분의 모양이 아닌 것을 찾아 ○표 하시오.

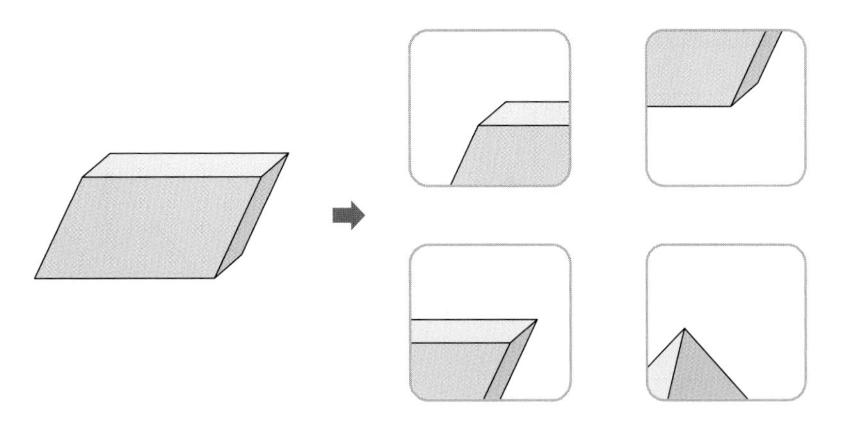

4 돋보기로 관찰한 모양은 무엇인지 찾아 기호를 쓰시오.

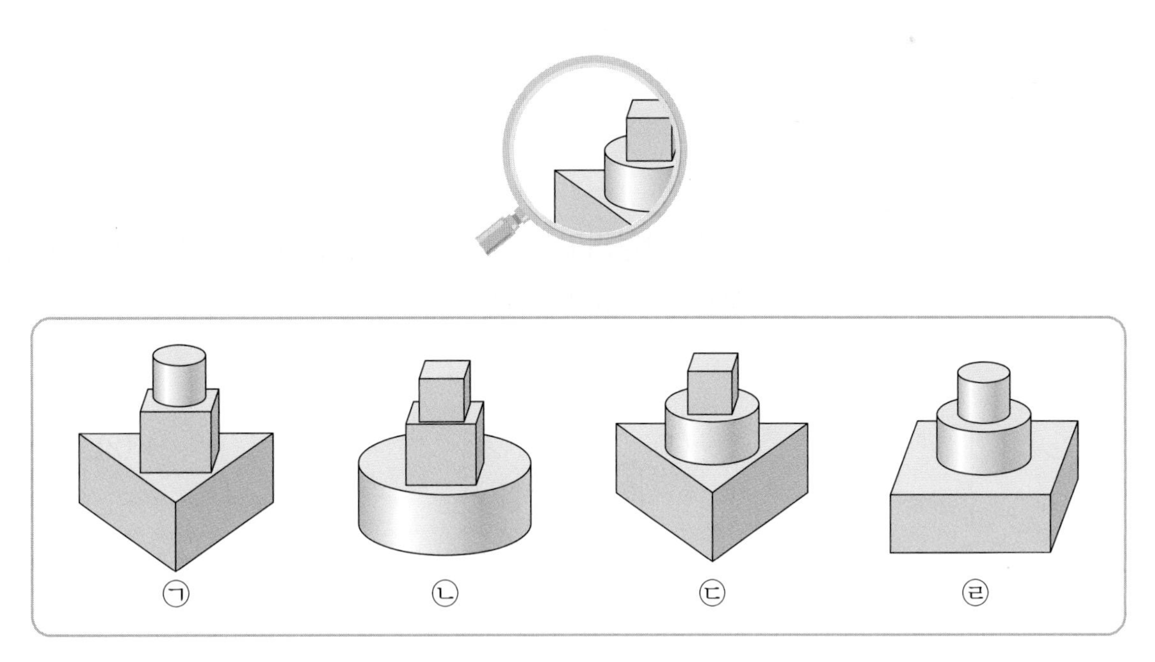

정답과 풀이 34쪽 ►

5-1. 그림자 찾기

1 |보기|와 같이 벽에 손전등을 비추었을 때 벽면에 생기는 그림자를 그리시오.

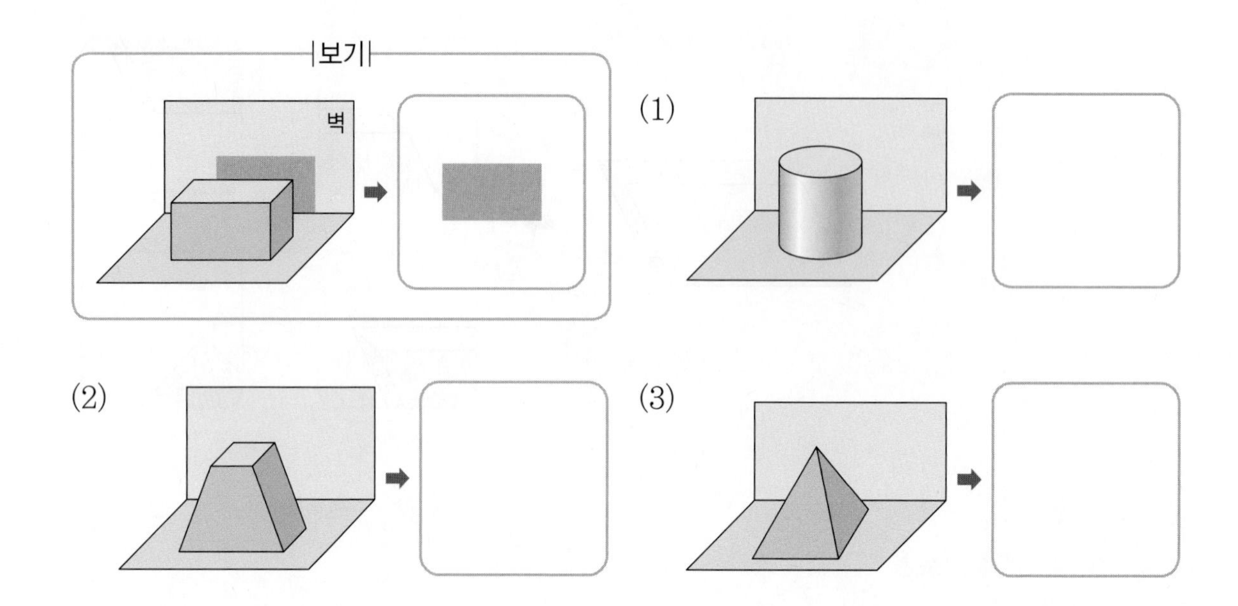

딱이 빨빨

2 다음과 같은 그림자를 만들려고 합니다. 어느 방향에서 빛을 비추어야 생기는 그림자인지 알맞은 화살표에 ○표 하시오.

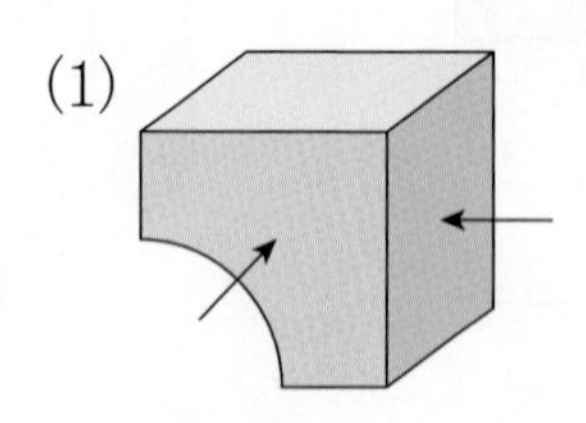

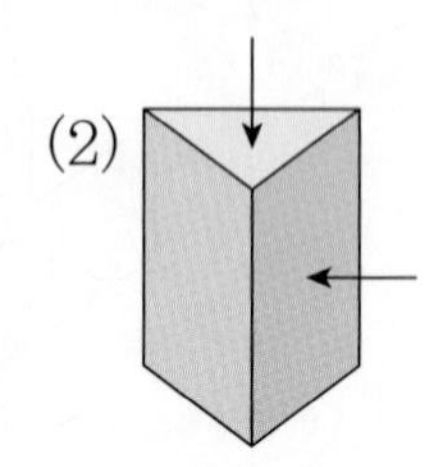

뇌가 번쩍

벽에 빛을 비추었을 때 그림자는?

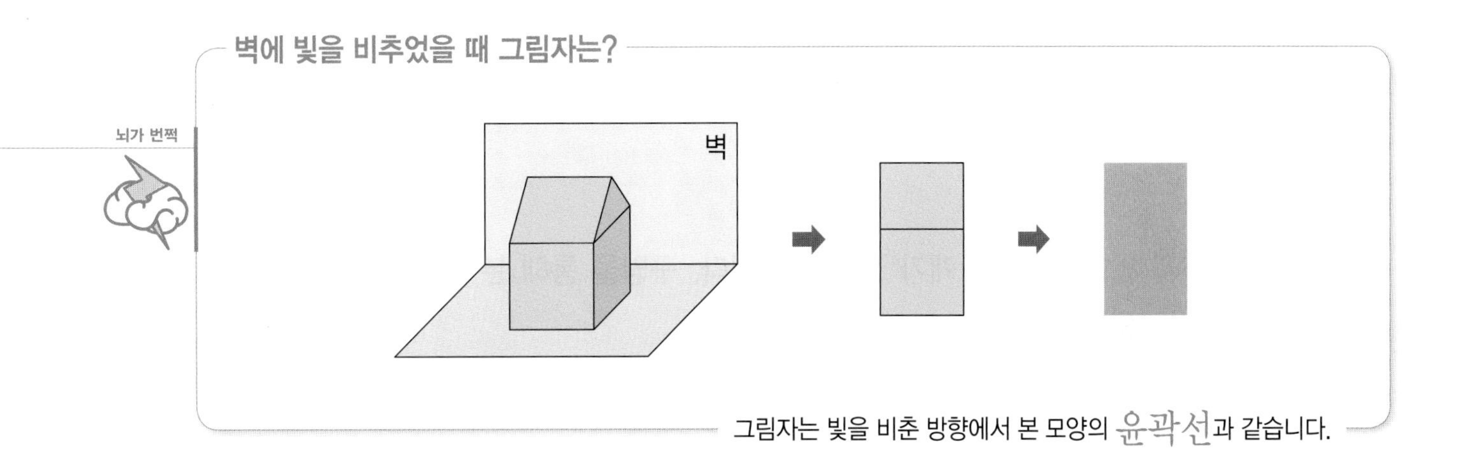

그림자는 빛을 비춘 방향에서 본 모양의 윤곽선과 같습니다.

최상위 사고력

▢, ▢ 모양에 빛을 비추었을 때 생기는 모양입니다. 어떤 모양의 그림자인지 찾아 ○표 하시오.

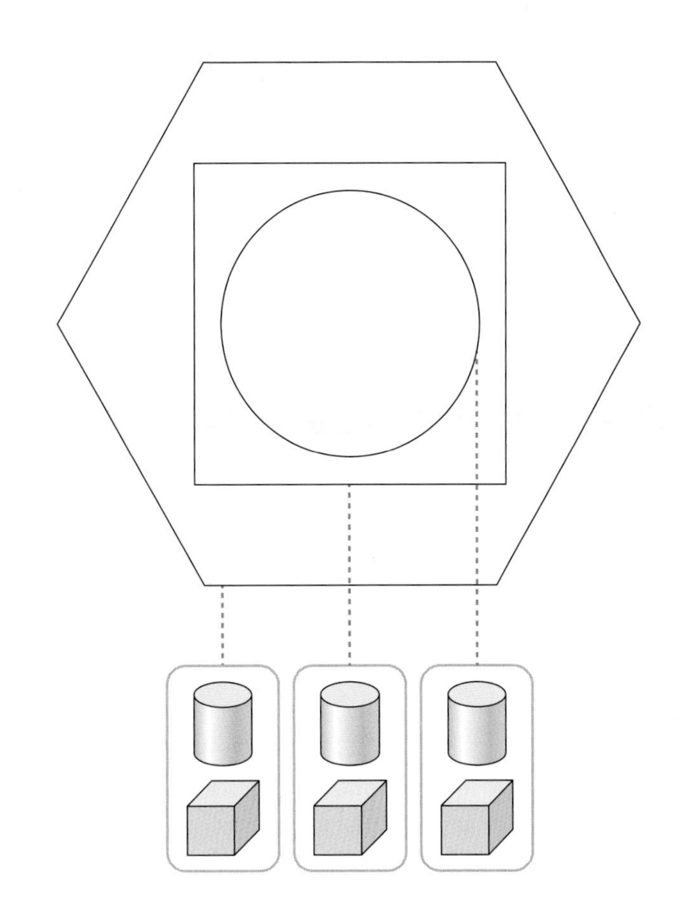

5-2. 두 방향에서 본 모양 찾기

1 상자 안에 물건 한 개가 들어 있습니다. 구멍을 통해 본 모양을 보고 상자 안에 들어 있는 물건을 찾아 ○표 하시오.

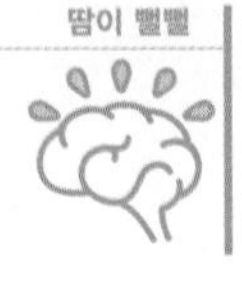

2 다음 모양을 위, 옆에서 본 모양을 각각 그리시오.

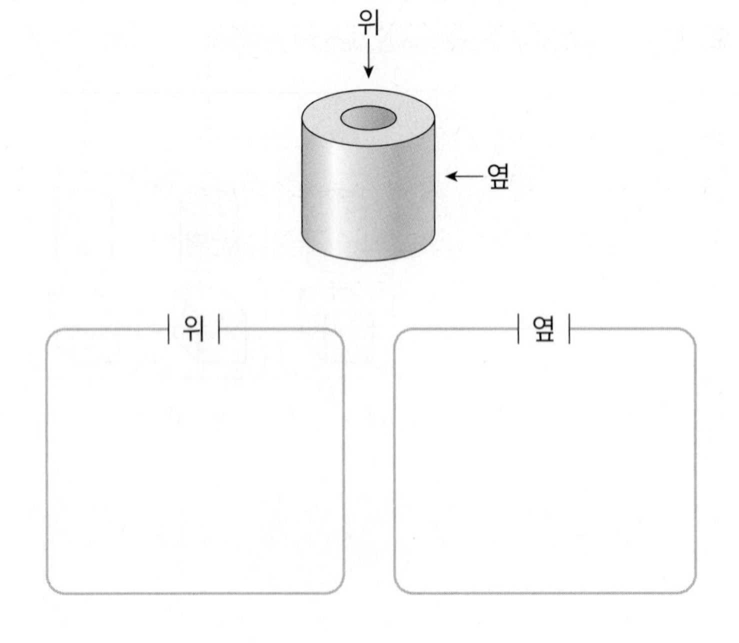

두 방향에서 본 그림을 보고 어떤 모양인지 찾는 방법은?

뇌가 번쩍

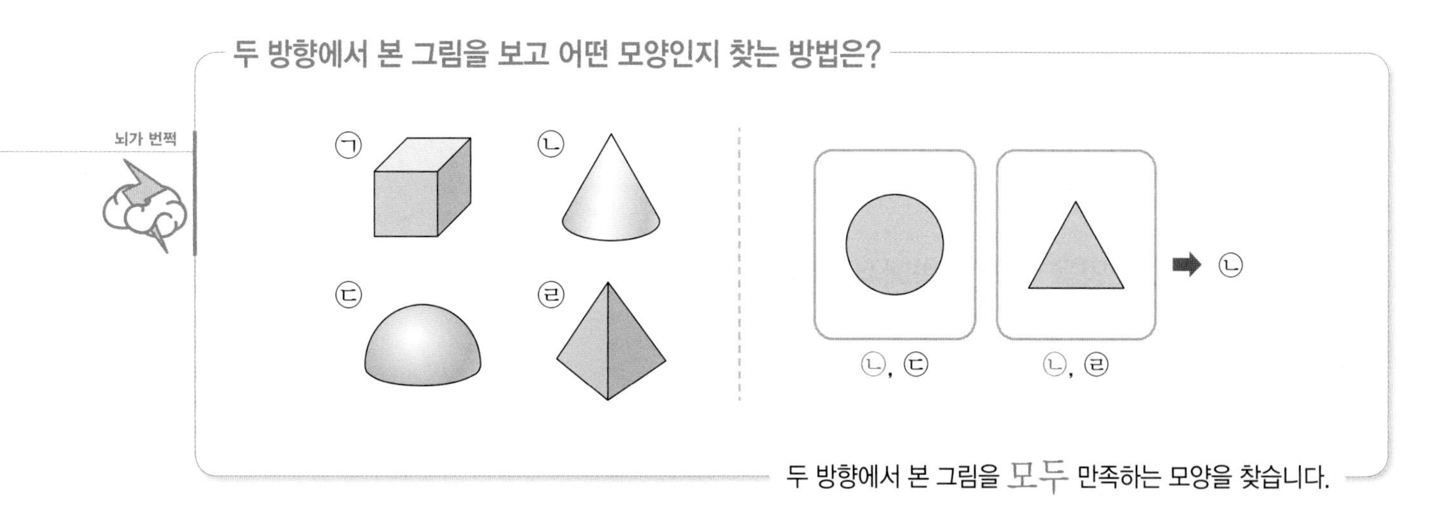

두 방향에서 본 그림을 모두 만족하는 모양을 찾습니다.

최상위 사고력

왼쪽 모양을 위에서 본 모양에 ○표, 옆에서 본 모양에 △표 하시오.

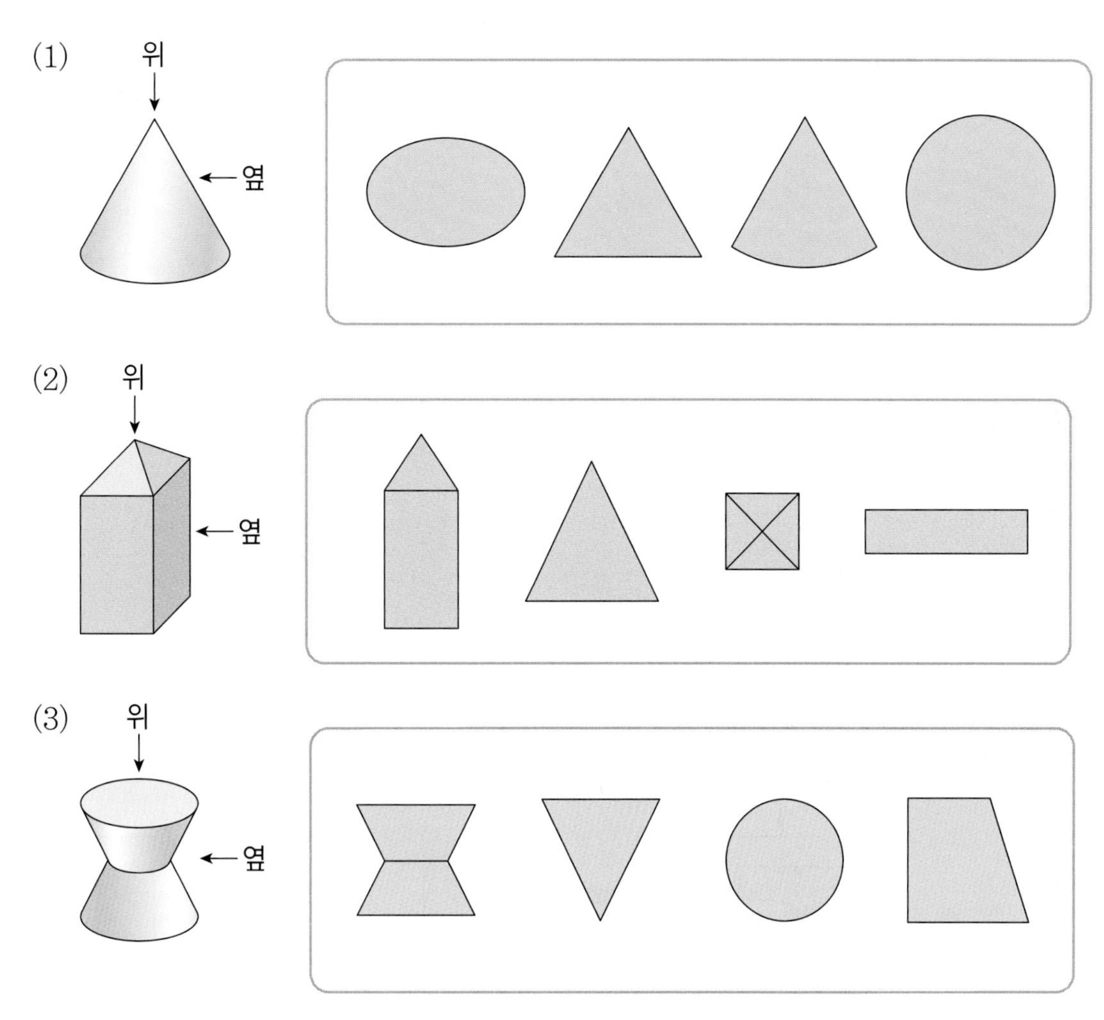

5-3. 위, 앞, 옆에서 본 모양 찾기

1 다음 모양을 여러 방향에서 관찰했을 때 볼 수 없는 모양을 찾아 기호를 쓰시오.

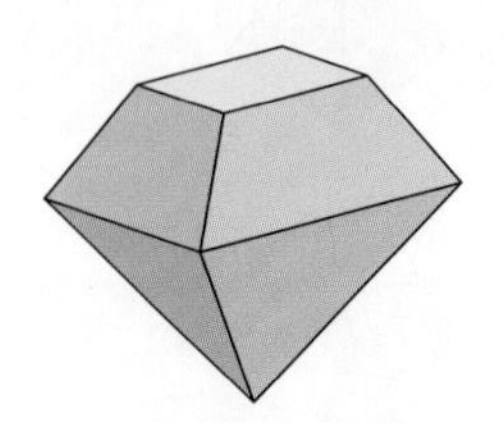

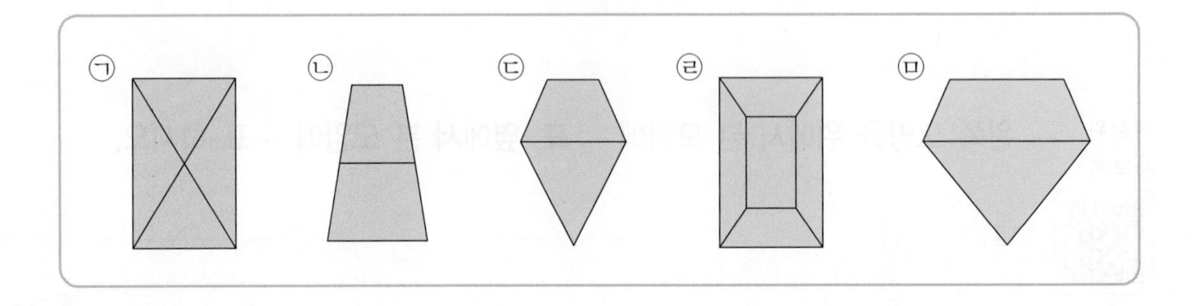

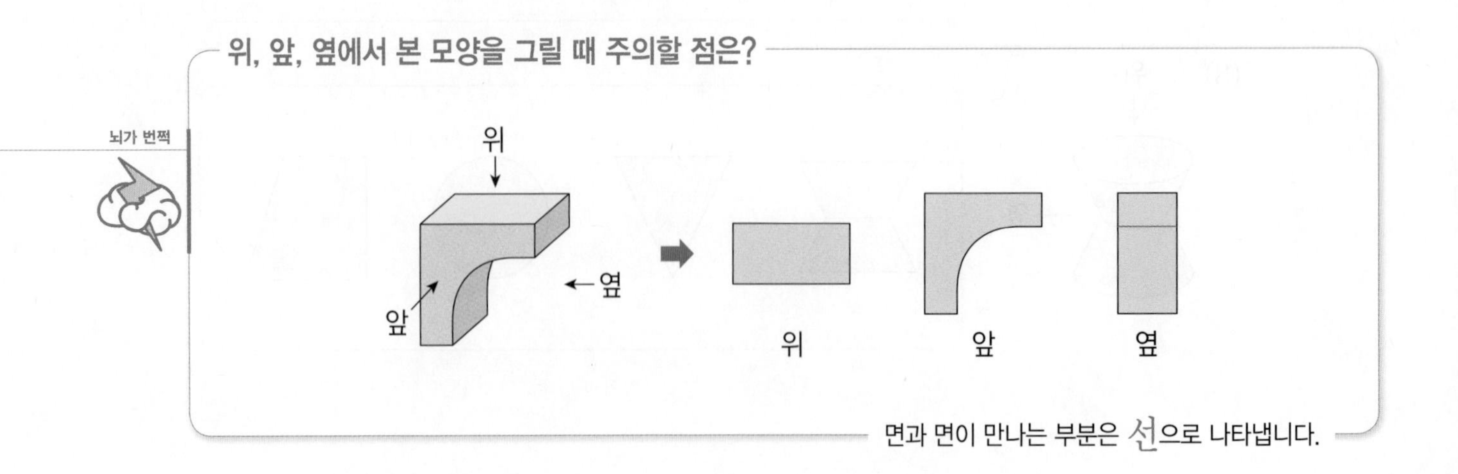

최상위 사고력 A

다음 모양을 위, 앞, 옆에서 본 모양을 각각 그리시오.

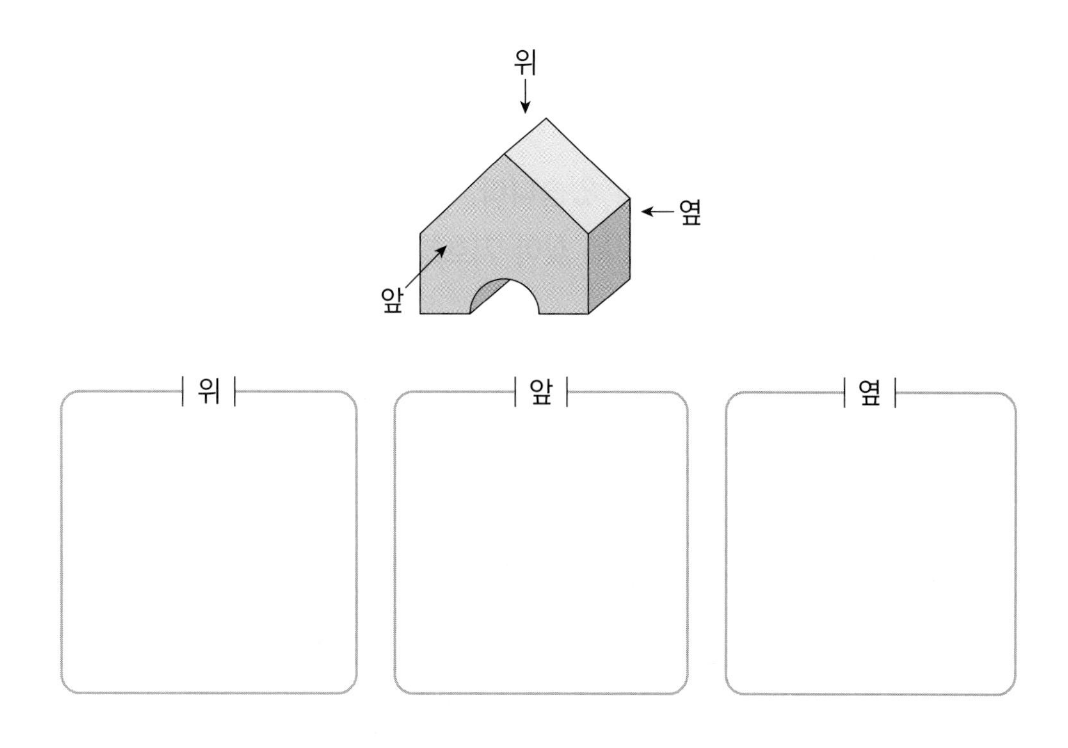

최상위 사고력 B

|보기| 중 2개로 만든 모양을 여러 방향에서 본 것입니다. 이 모양을 만드는 데 필요한 모양을 모두 찾아 기호를 쓰시오.

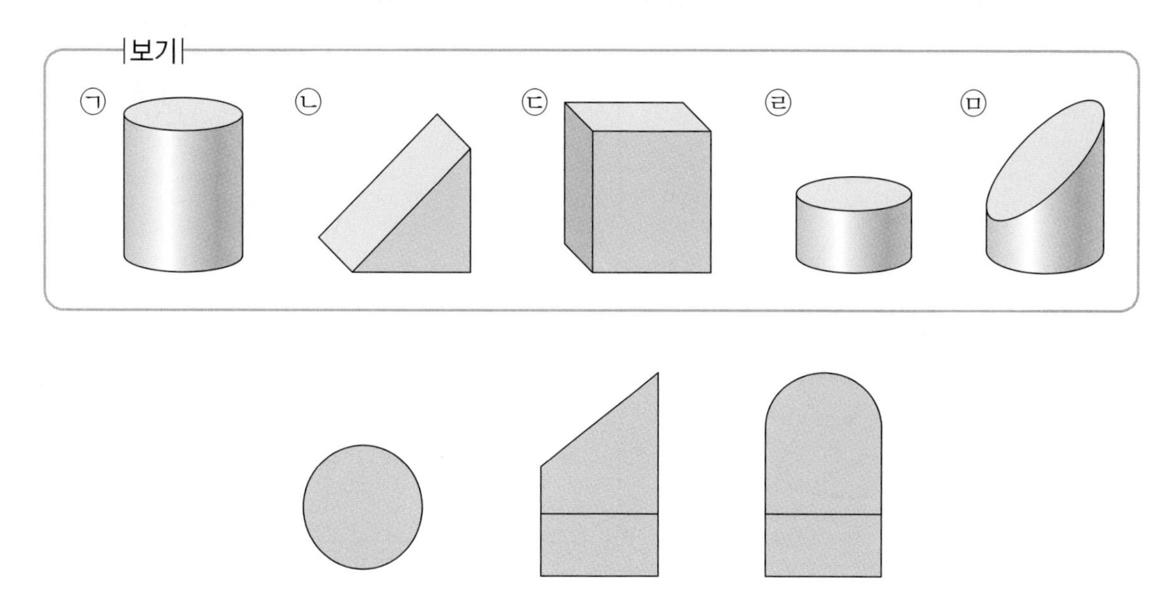

정답과 풀이 37쪽 ►

최상위 사고력

1 커튼 뒤에는 2개의 모양이 있습니다. 오른쪽과 같은 그림자를 만드는 데 필요한 모양을 모두 찾아 기호를 쓰시오.

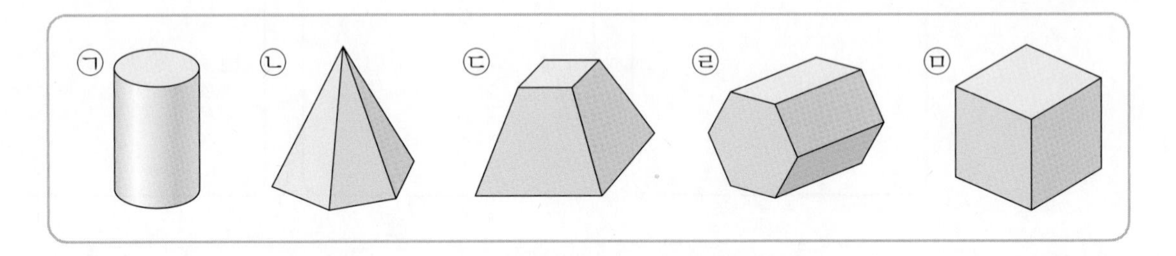

2 다음 모양을 위와 옆에서 본 모양을 각각 그리시오.

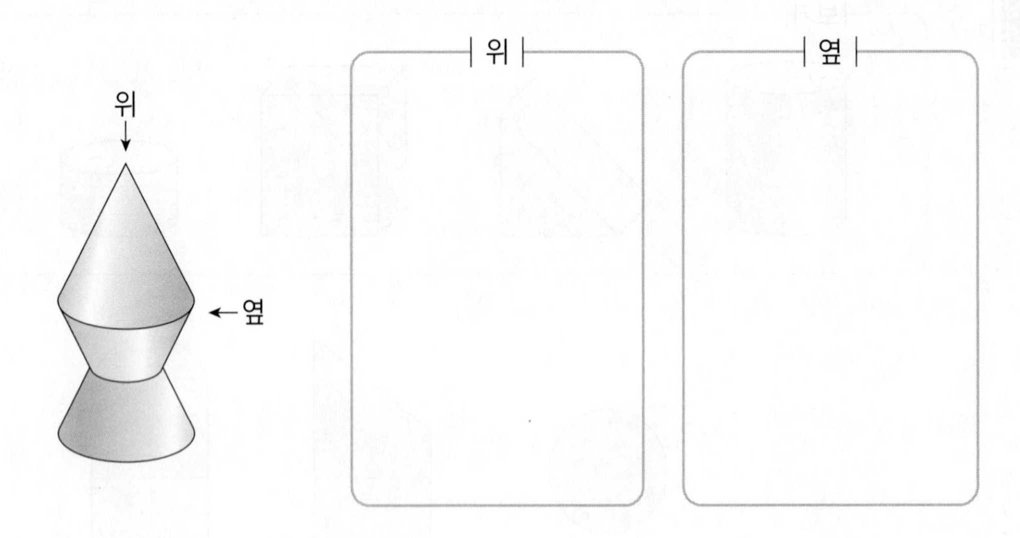

3

다음과 같이 벽에 손전등을 비추었을 때 벽면에 생기는 그림자를 그리시오.

(1)

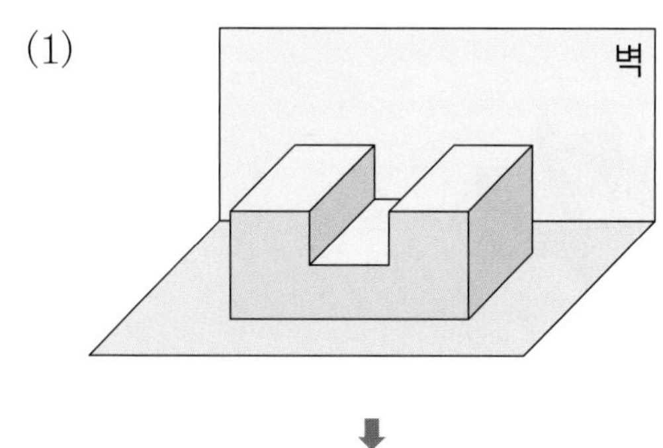

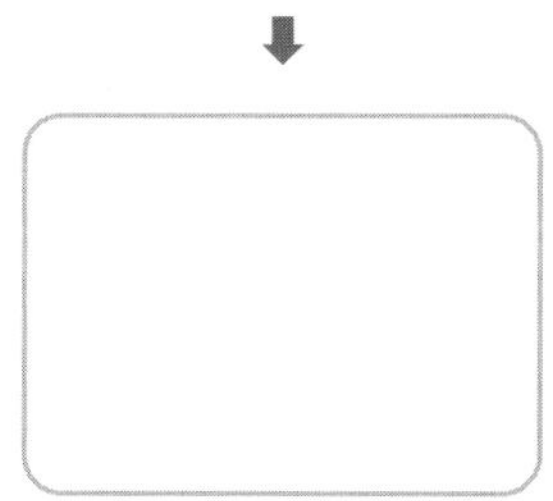

(2)

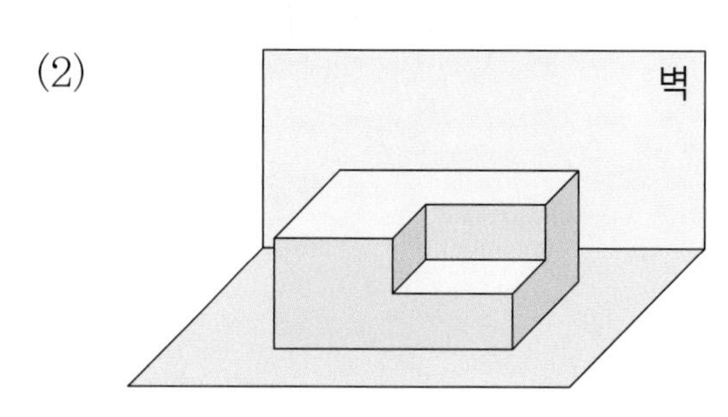

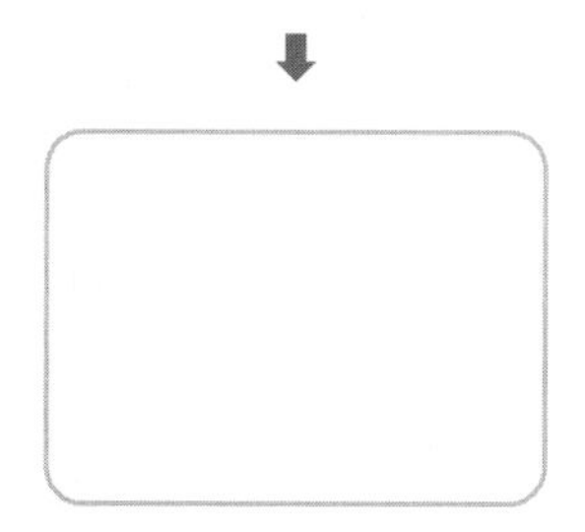

4

오른쪽 모양을 여러 방향에서 관찰했을 때 볼 수 있는 모양을 모두 찾아 기호를 쓰시오.

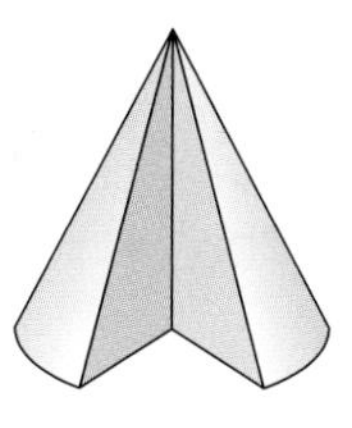

㉠ 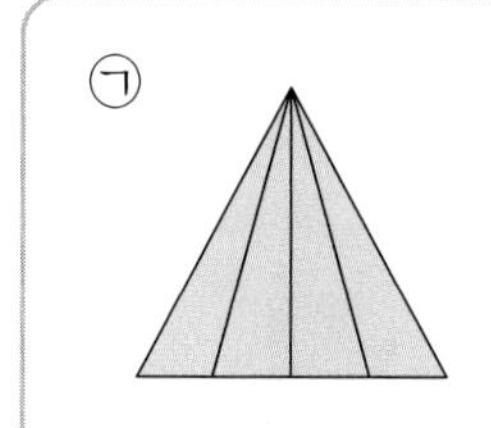 ㉡ 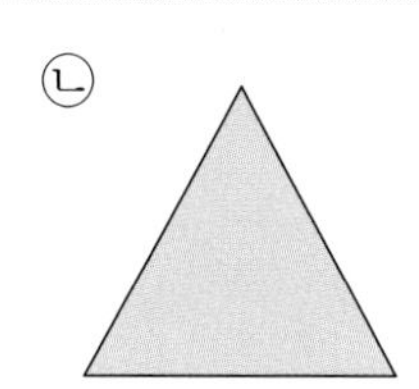 ㉢ 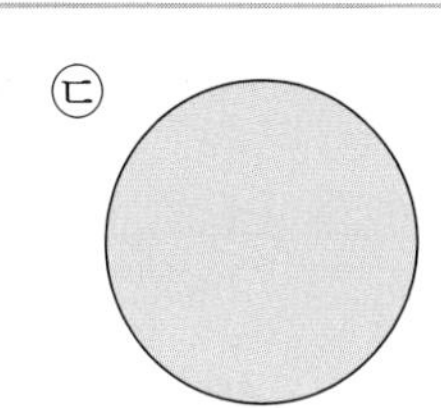 ㉣ 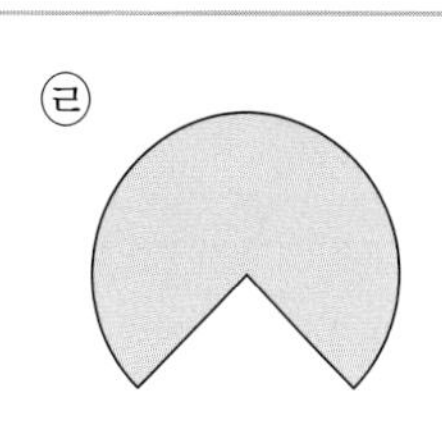 ㉤ 

정답과 풀이 38쪽 ►

6-1. 여러 가지 모양으로 쌓기

1 주어진 모양에 쌓기나무 한 개를 더 쌓아 여러 가지 모양을 만들었습니다. 새로 쌓은 쌓기나무를 찾아 ○표 하시오.

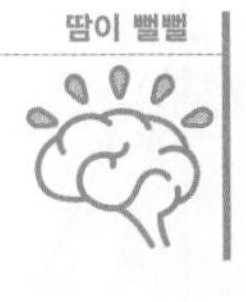

2 주어진 모양에서 쌓기나무 한 개를 옮겨 만들 수 없는 모양을 찾아 기호를 쓰시오.
(단, 주어진 모양은 돌리지 않습니다.)

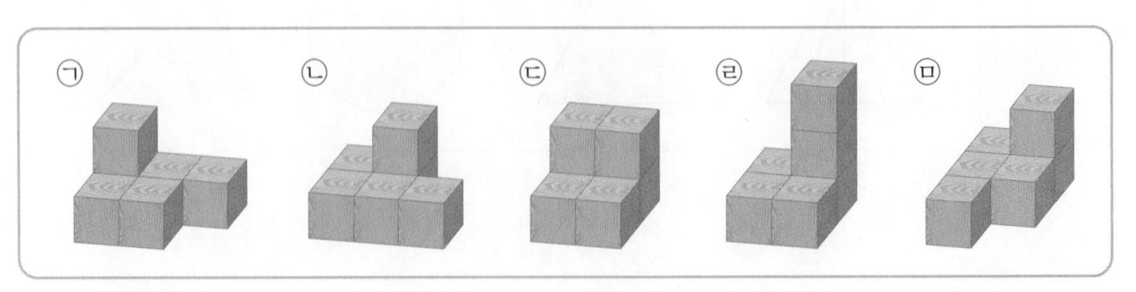

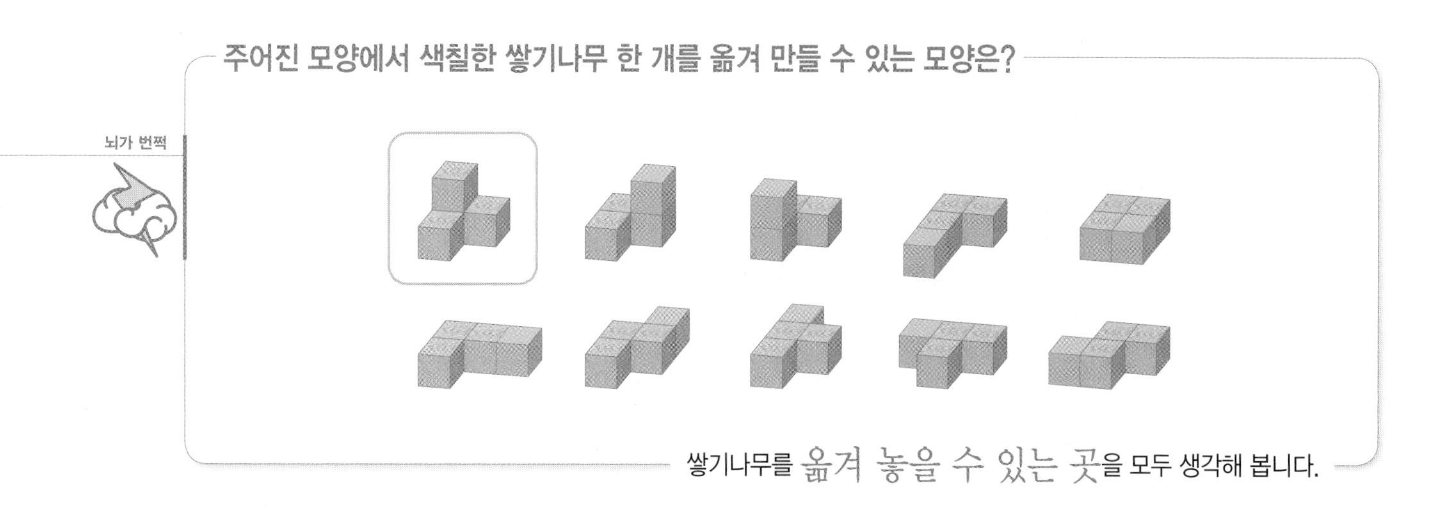

최상위 사고력

주어진 모양에 쌓기나무 몇 개를 더 쌓아 만든 모양이 아닌 것을 찾아 기호를 쓰시오.

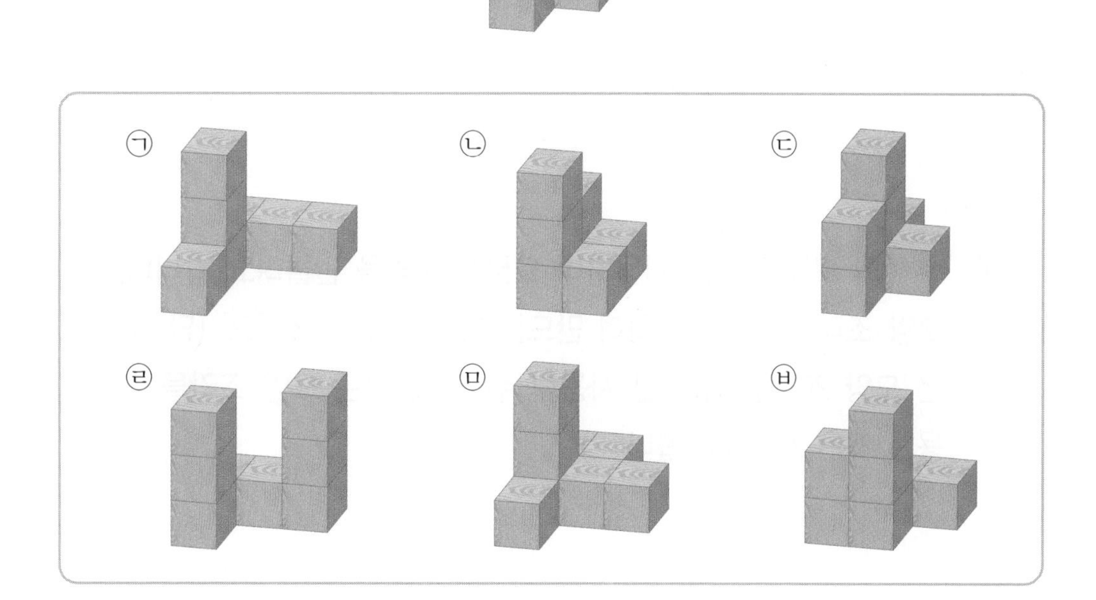

정답과 풀이 39쪽 ►

6-2. 모양 자르고 합치기

1 오른쪽의 조각 중 왼쪽의 모양을 똑같이 만드는 데 필요 없는 조각에 ○표 하시오.

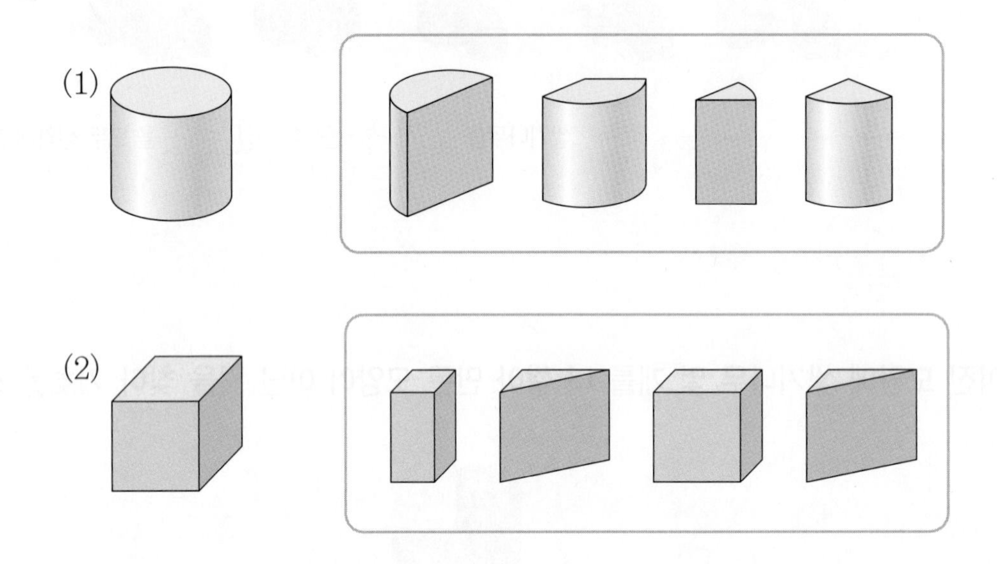

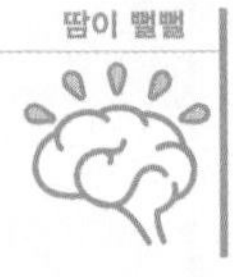

2 |보기|의 모양 조각을 사용하여 오른쪽 모양을 만들려고 합니다. 모양 조각 3개를 사용하여 만드는 방법을 모두 쓰시오. (단, 같은 모양 조각을 여러 번 사용할 수 있고, 같은 모양 조각을 사용한 것은 1가지로 봅니다.)

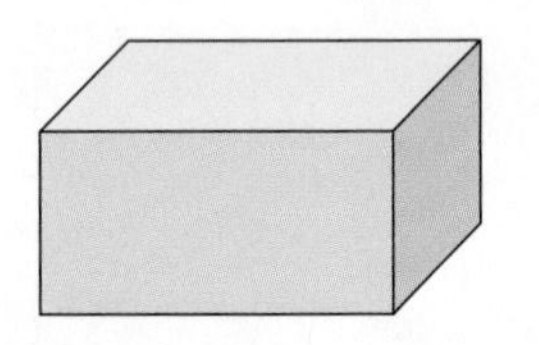

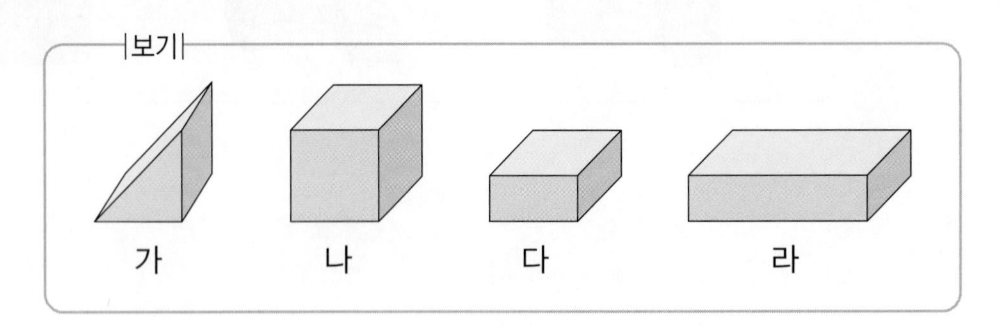

뇌가 번쩍

모양을 만드는 데 필요한 조각을 어떻게 찾을까?

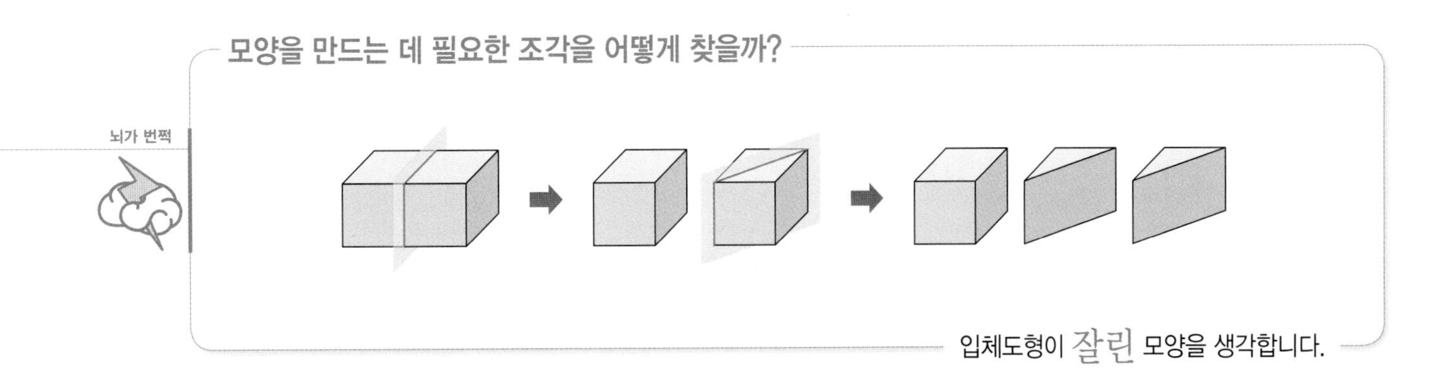

입체도형이 잘린 모양을 생각합니다.

최상위 사고력

왼쪽 모양을 한 번씩 잘랐을 때 나온 조각이 아닌 것을 모두 찾아 ○표 하시오.

(1)

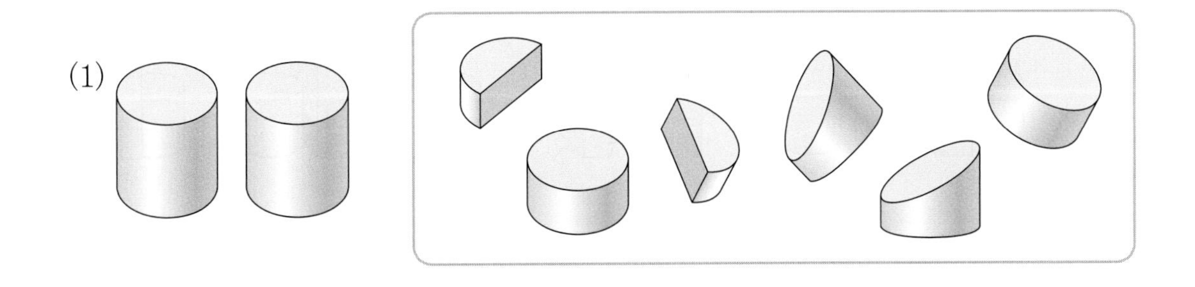

(2)

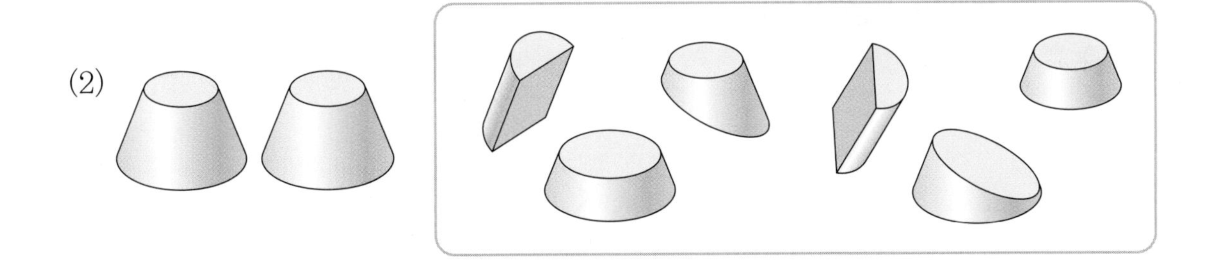

(3)

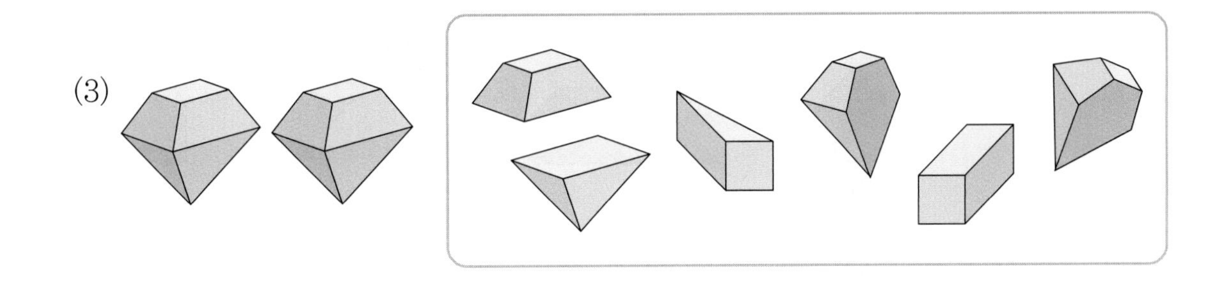

6-3. 조각 찾기

1 다음 조각을 모두 사용하여 만든 모양을 찾아 ○표 하시오.

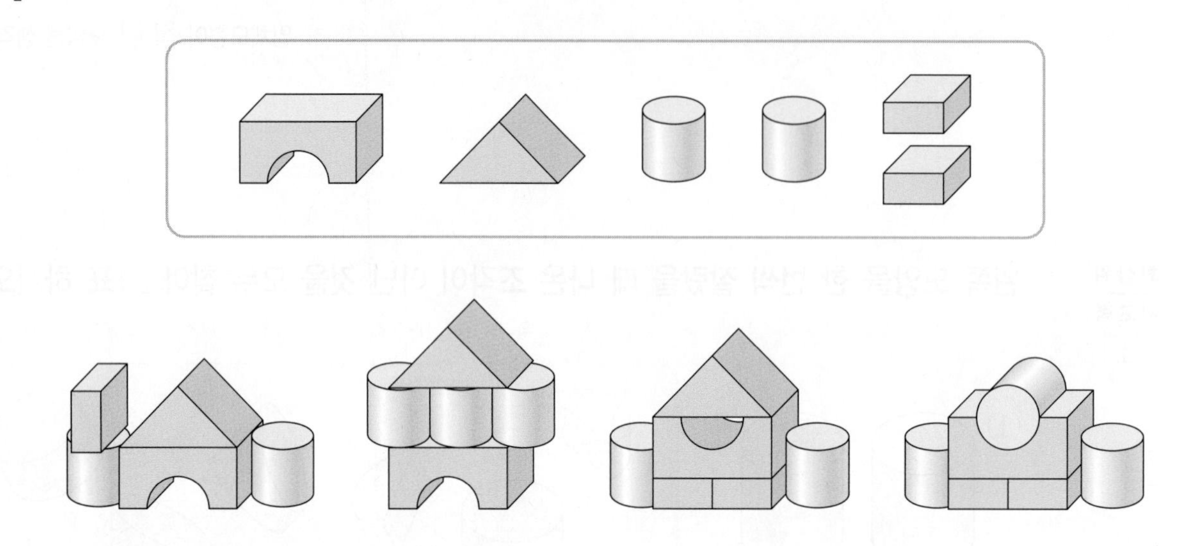

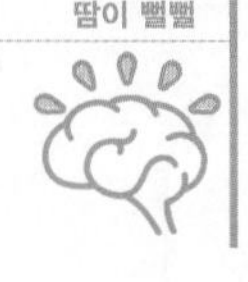

2 주어진 모양을 만드는 데 필요 없는 조각을 찾아 기호를 쓰시오. (단, 조각은 모두 한 번씩만 사용합니다.)

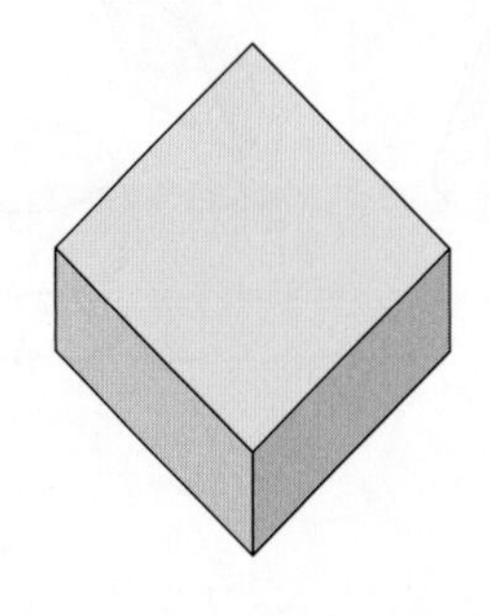

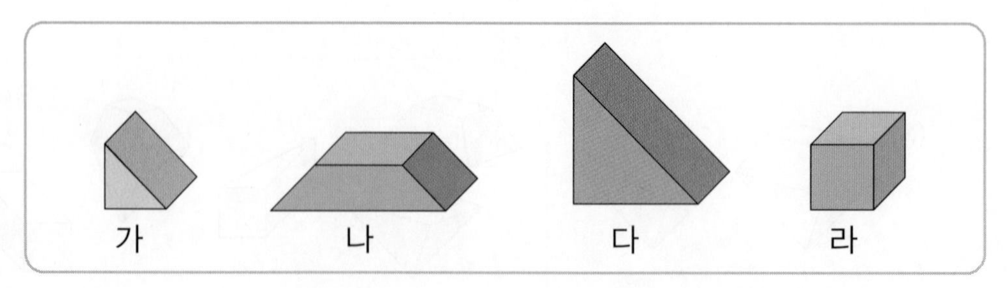

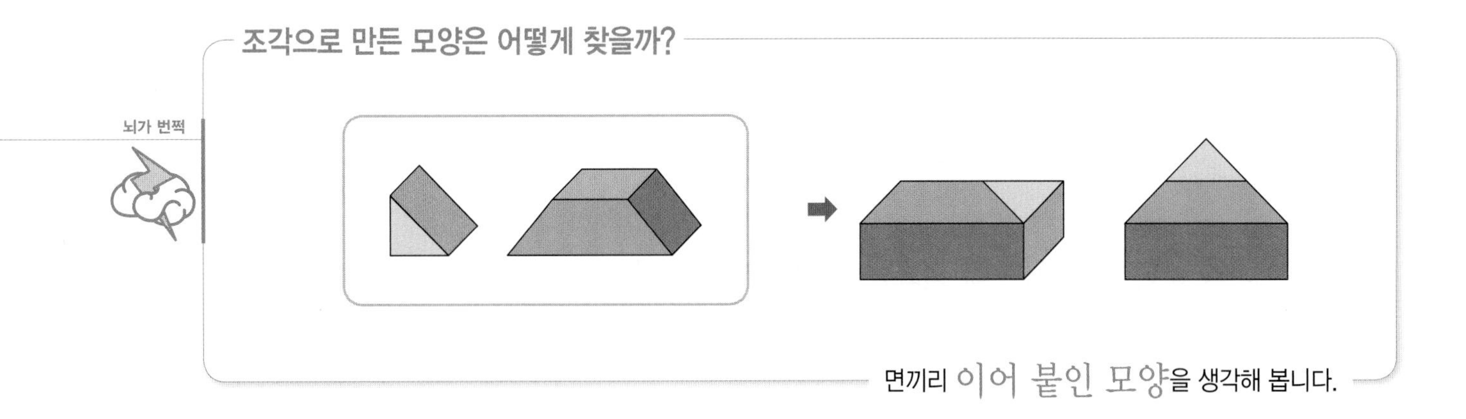

최상위 사고력

다음 조각을 모두 한 번씩만 사용하여 만들 수 없는 모양을 찾아 ○표 하시오.

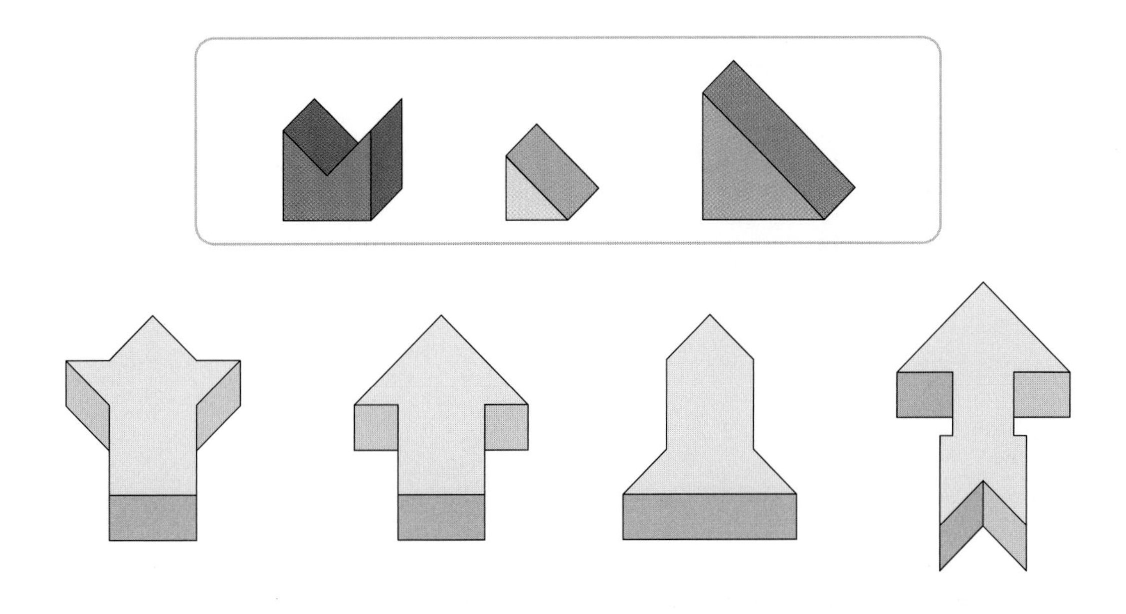

정답과 풀이 41쪽 ►

1 왼쪽 모양을 만드는 데 필요한 조각을 찾아 이으시오.

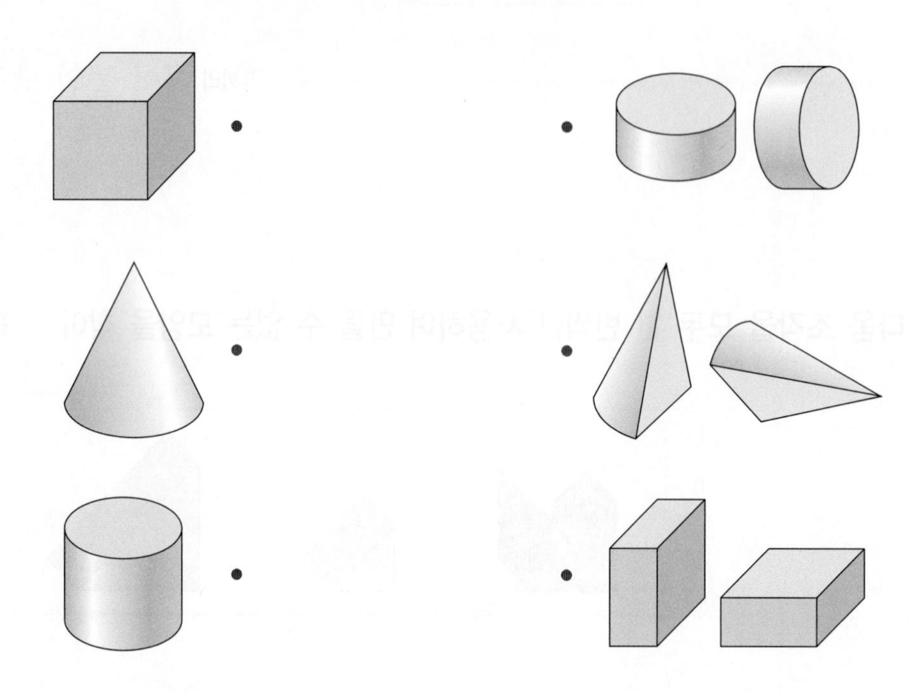

| 경시대회 기출 |

2 오른쪽 모양에 쌓기나무 몇 개를 더 쌓아 만든 모양이 아닌 것을 찾아 기호를 쓰시오.

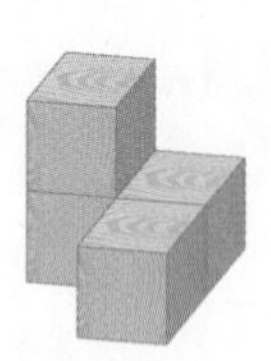

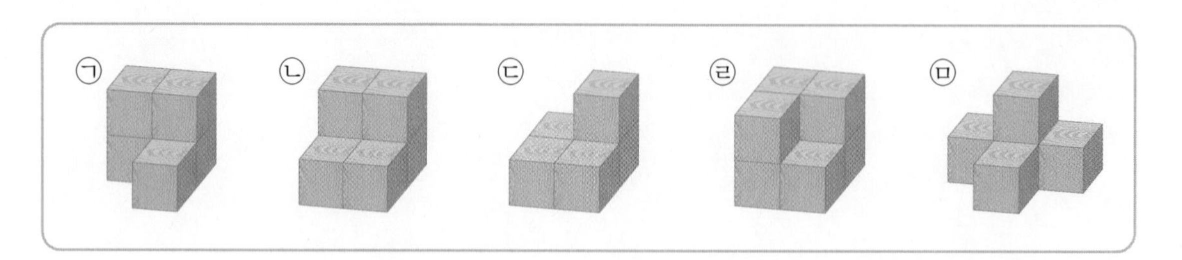

3

문제풀이

|보기|와 같이 모양을 같은 조각 2개로 자르려고 합니다. 자르는 방법을 선으로 나타내시오.

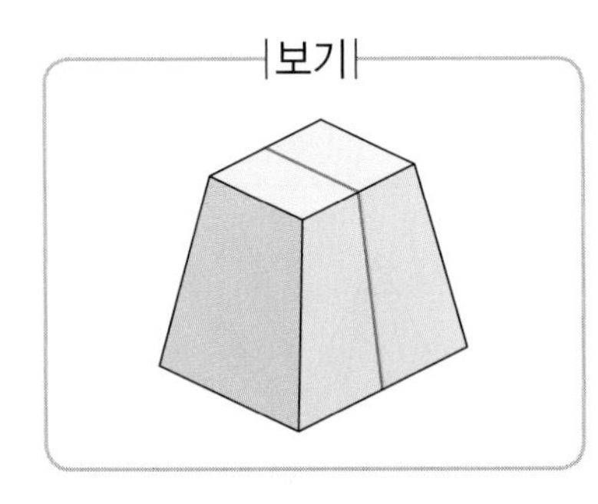

(1)

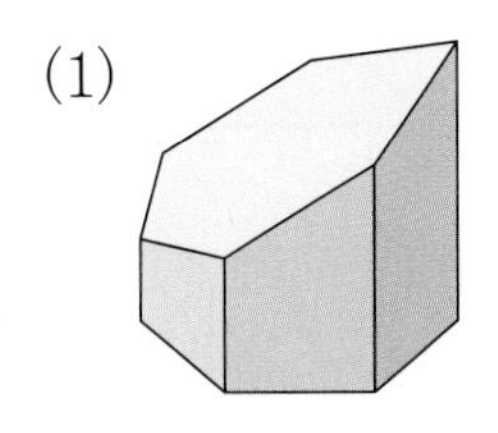

(2)

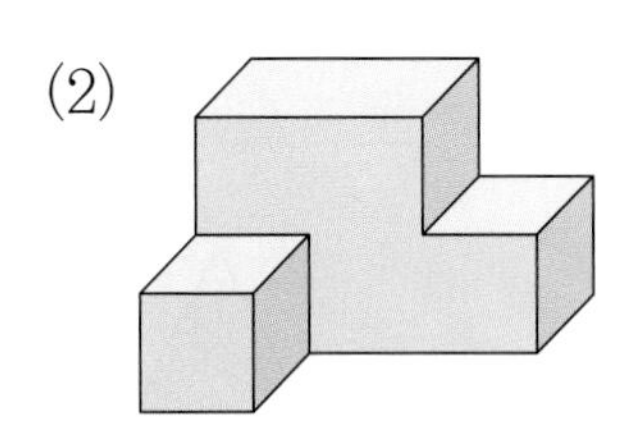

4

왼쪽 모양을 만드는 데 필요한 조각을 모두 찾아 ○표 하시오.

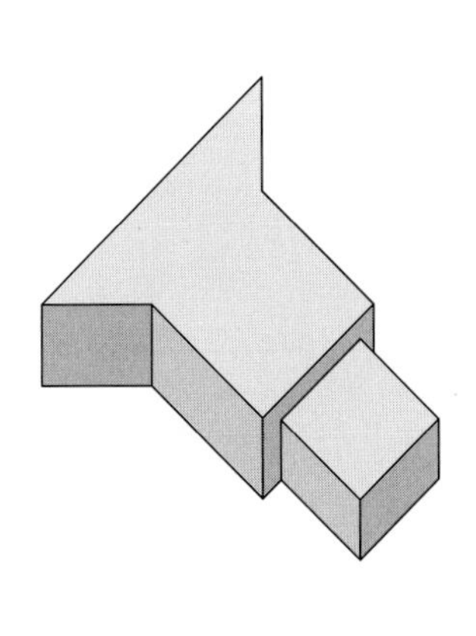

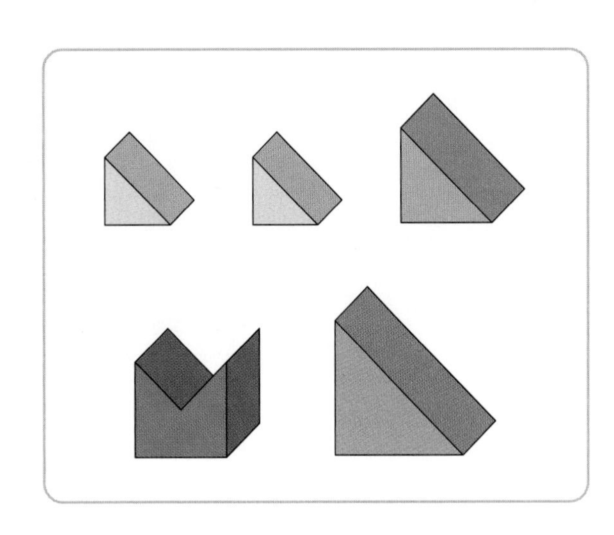

정답과 풀이 42쪽 ►

1 부분을 보고 전체 모양을 찾아 ○표 하시오.

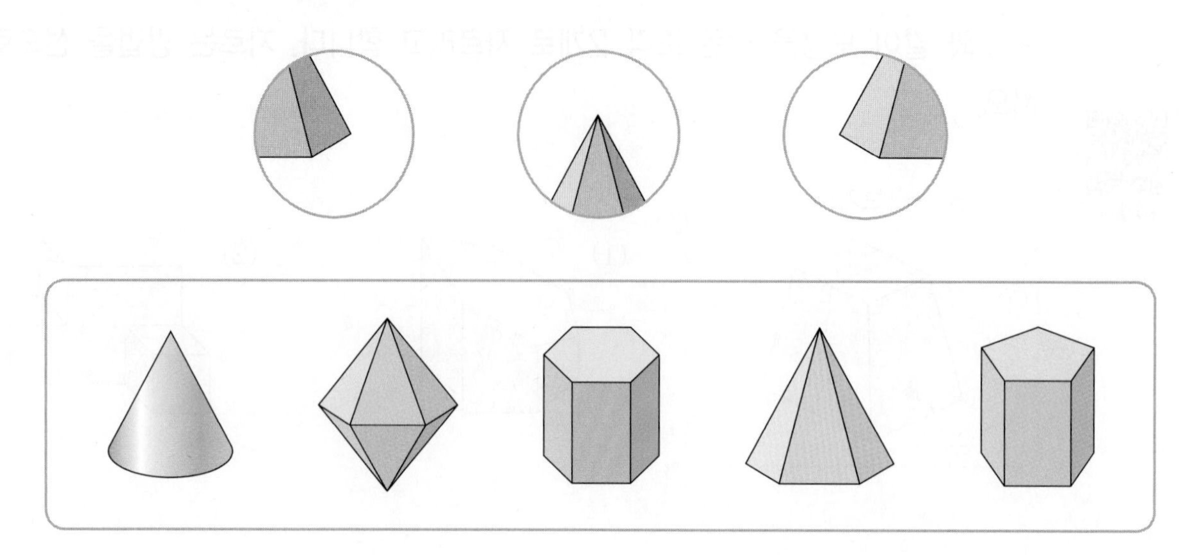

2 다음과 같은 모양에 색종이를 빈틈없이 붙이려고 합니다. 각 면에 색종이를 한 장씩만 붙인다면 색종이를 어떻게 잘라야 하는지 그리시오. (단, 색종이는 겹쳐서 붙이지 않습니다.)

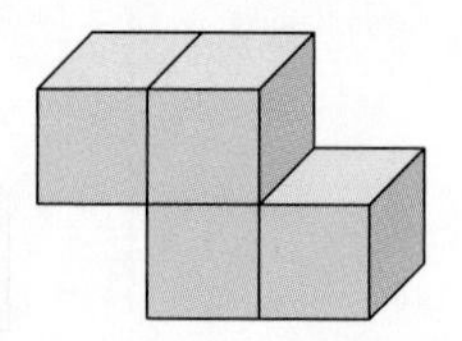

3 다음 2가지 조각만을 사용하여 만들 수 없는 모양을 찾아 기호를 쓰시오. (단, 같은 조각을 여러 번 사용할 수 있습니다.)

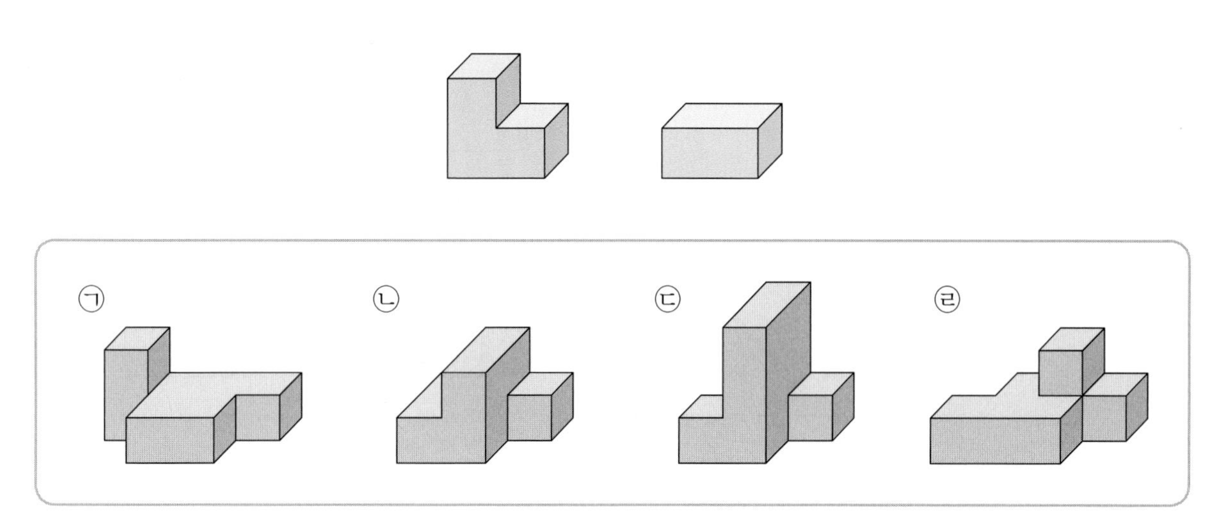

4 다음 모양을 만드는 데 필요 없는 조각을 찾아 기호를 쓰시오.

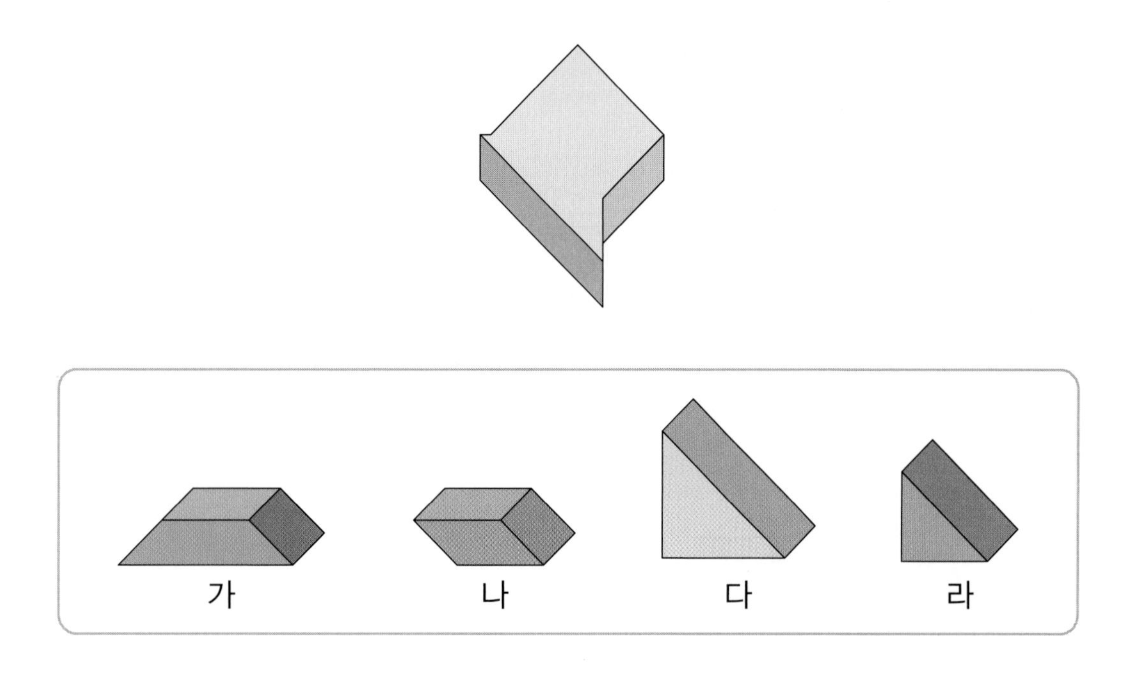

5 다음과 같은 모양을 만들려고 합니다. 필요한 조각을 찾아 기호를 쓰시오.

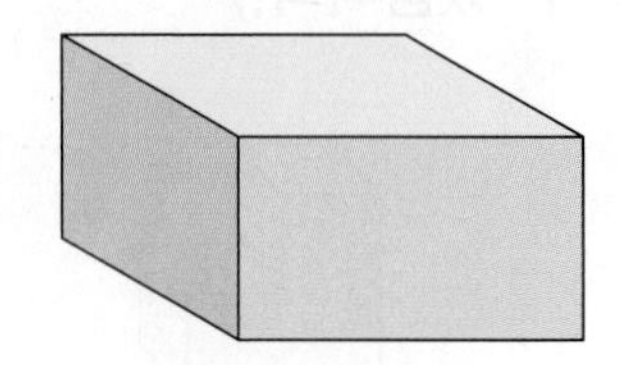

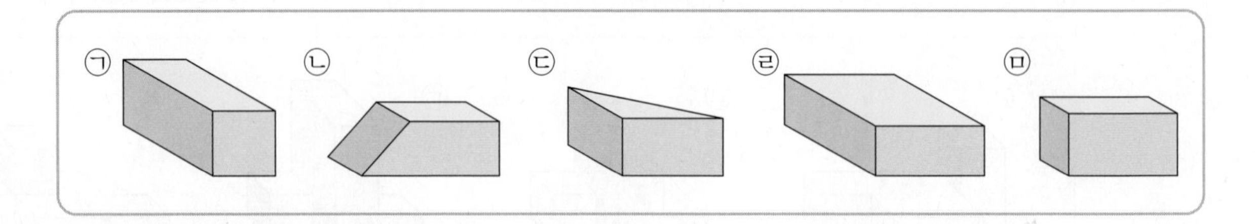

(1)

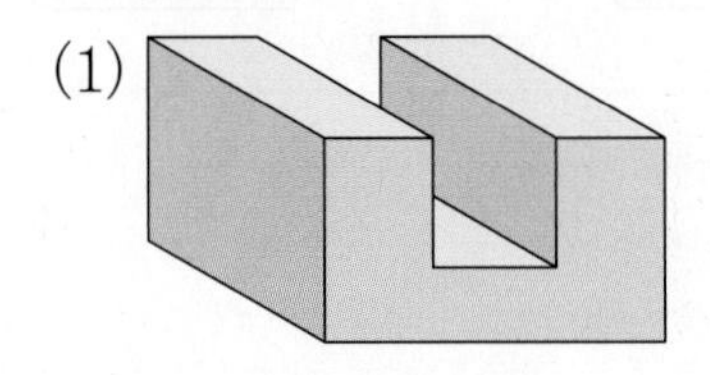

(2)

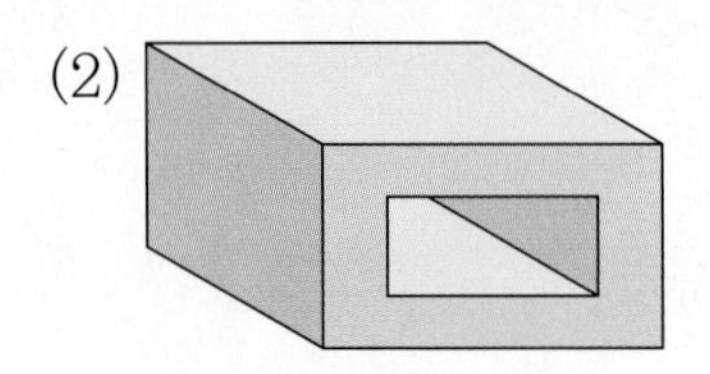

(3)

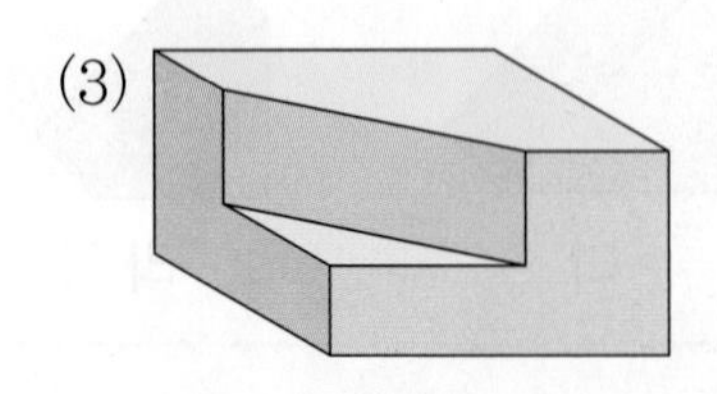

정답과 풀이 43쪽 ►

연산

7-1. 모으기, 가르기의 가짓수

• 0을 모으거나 0으로 가르는 경우는 생각하지 않습니다.

1 서로 다른 두 수 ㉠과 ㉡을 모으기 하여 7이 되는 경우는 모두 몇 가지인지 구하시오. (단, 0은 사용하지 않습니다.)

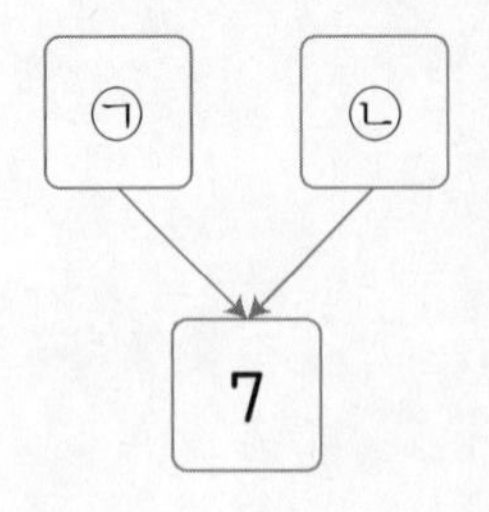

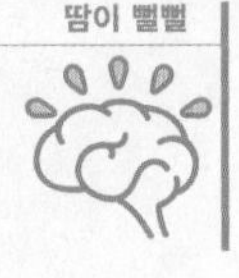

2 9를 두 수 ㉠과 ㉡으로 가르기 할 때, ㉠이 ㉡보다 큰 경우는 모두 몇 가지인지 구하시오. (단, 0은 사용하지 않습니다.)

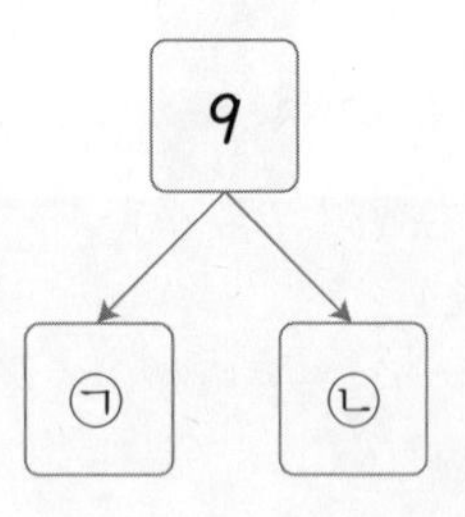

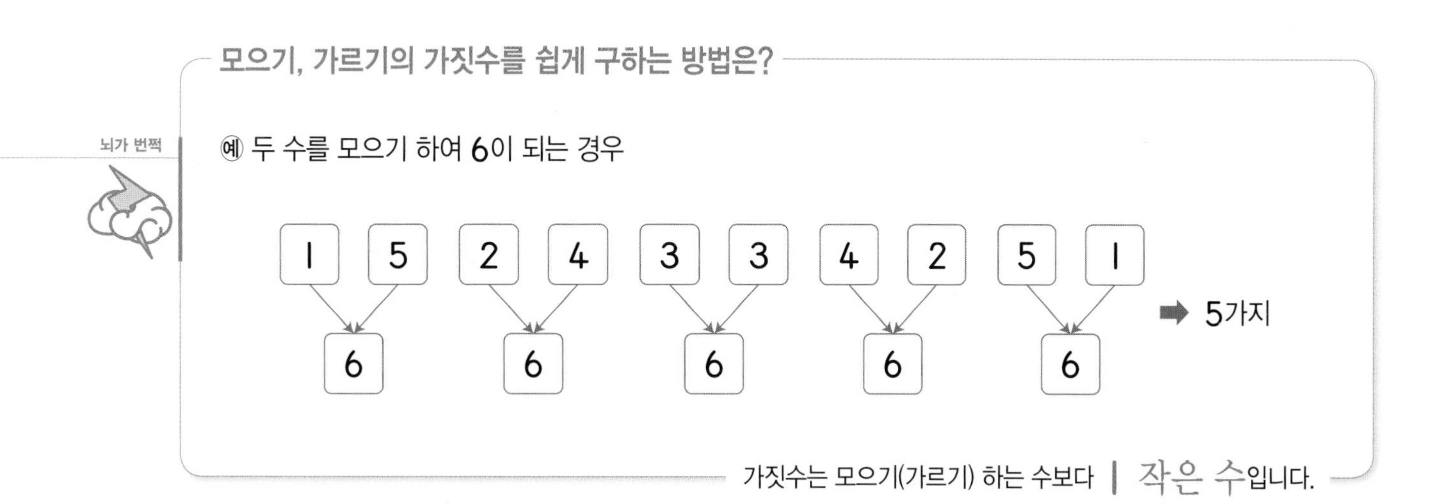

최상위 사고력 다음과 같이 모으기와 가르기를 할 수 있는 방법은 모두 몇 가지인지 구하시오. (단, 0은 사용하지 않습니다.)

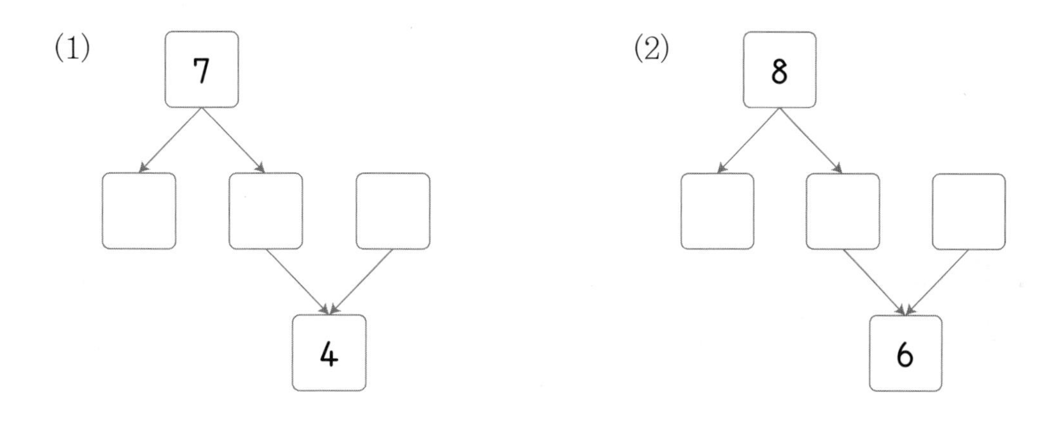

7-2. 모으기 가르기 퍼즐

1 수를 모으거나 가른 것입니다. 빈칸에 알맞은 수를 써넣으시오.

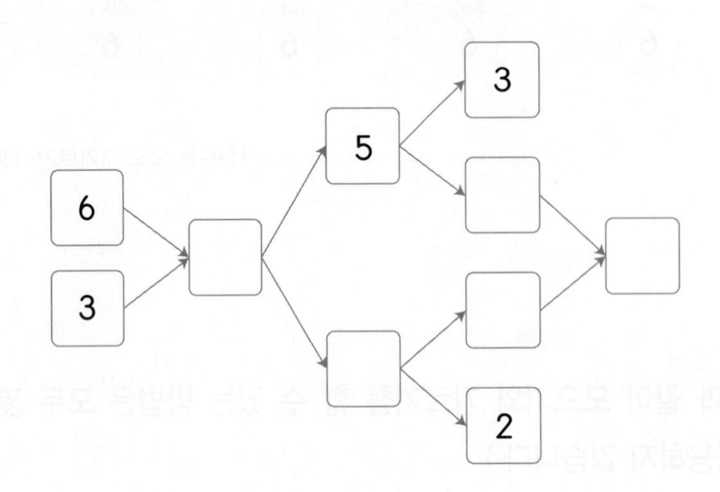

땀이 뻘뻘

2 수를 모으거나 가른 것입니다. 빈칸에 모두 다른 수가 들어가도록 알맞은 수를 써넣으시오.

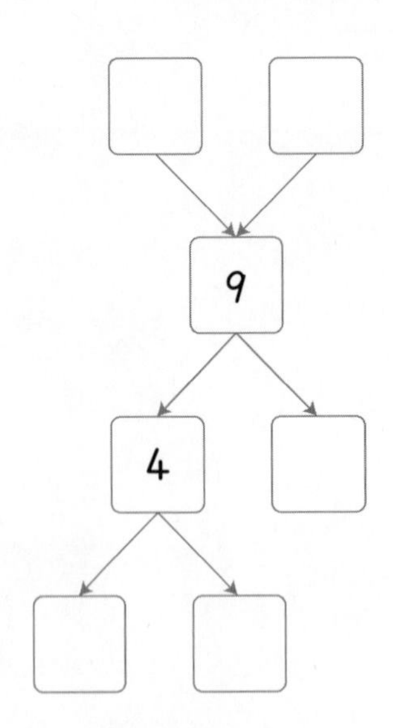

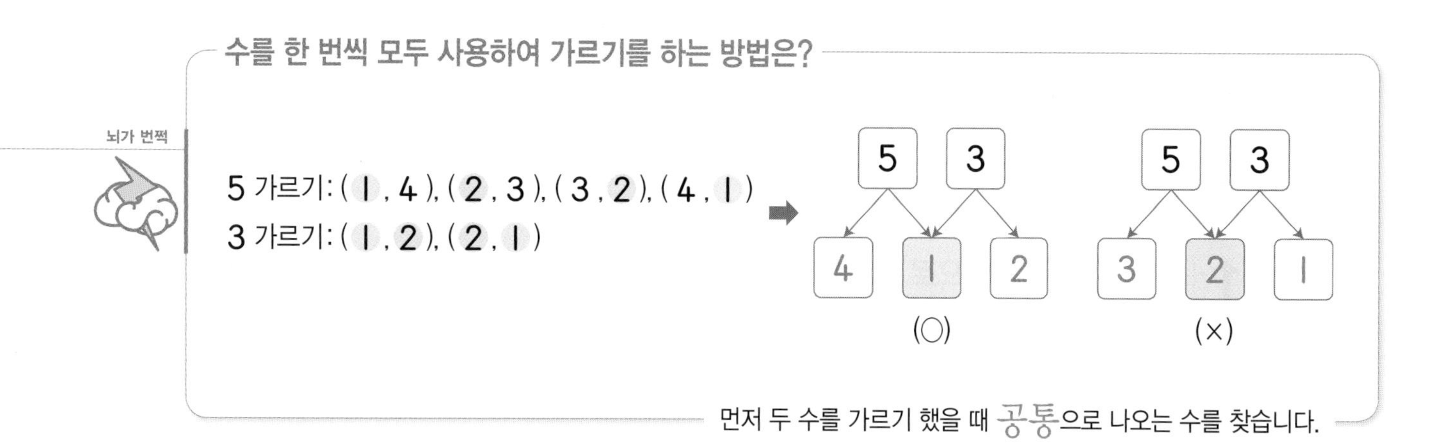

최상위 사고력

다음과 같이 세 수를 가르기 할 때, ★과 ♥에 알맞은 수를 구하시오. (단, 같은 모양은 같은 수를 나타냅니다.)

(1)

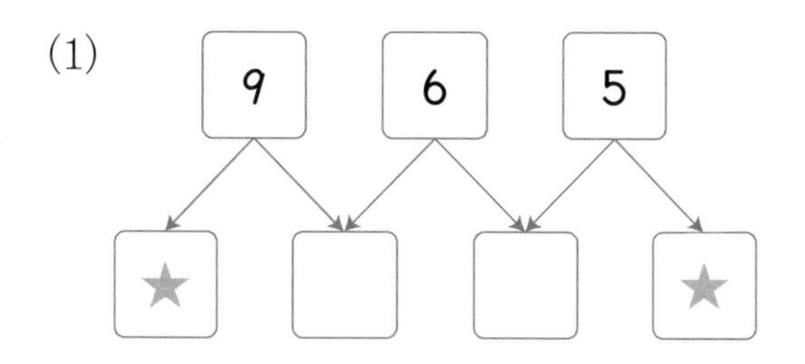

(2)

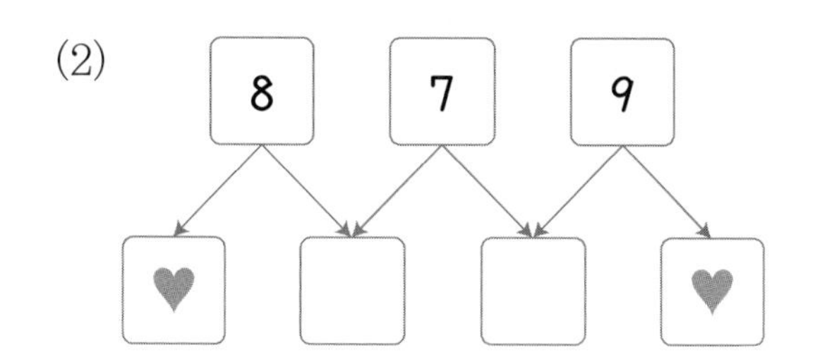

정답과 풀이 46쪽 ►

7-3. 수 쌓기 퍼즐

1 |보기|와 같은 방법으로 수 쌓기 퍼즐을 완성하시오. (단, 0은 사용하지 않습니다.)

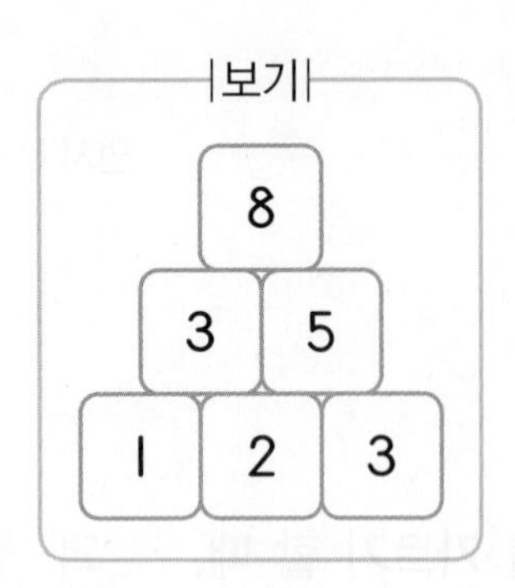

(1)

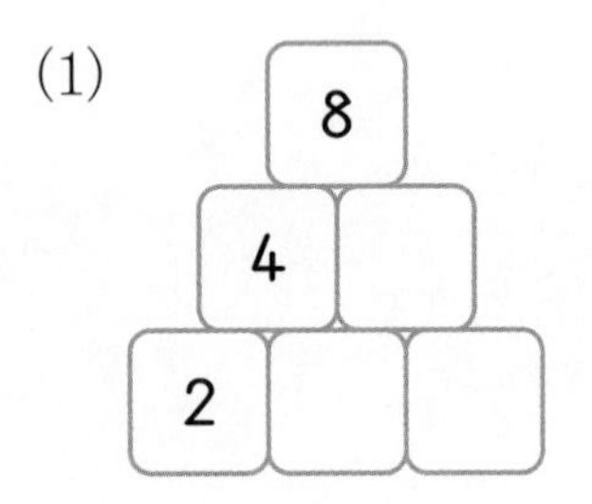

(2)

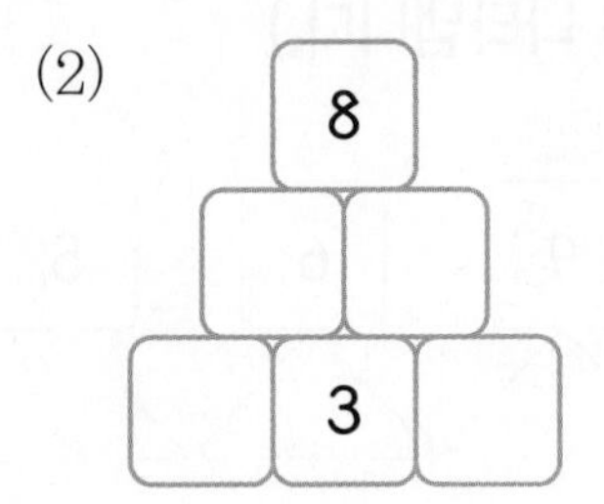

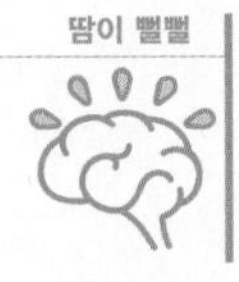

2 수 쌓기 퍼즐의 1층의 세 수가 1, 2, 3입니다. 3층의 수가 될 수 있는 수 중 가장 큰 수와 가장 작은 수를 각각 구하시오.

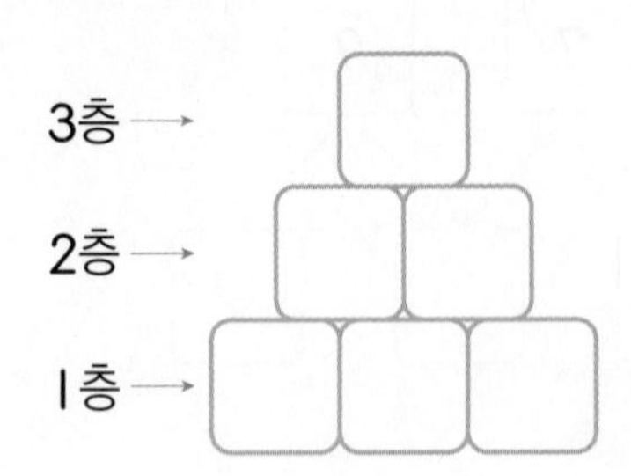

3층의 수를 가장 작게 또는 가장 크게 만드는 방법은?

1층의 수가 1, 2, 3일 때

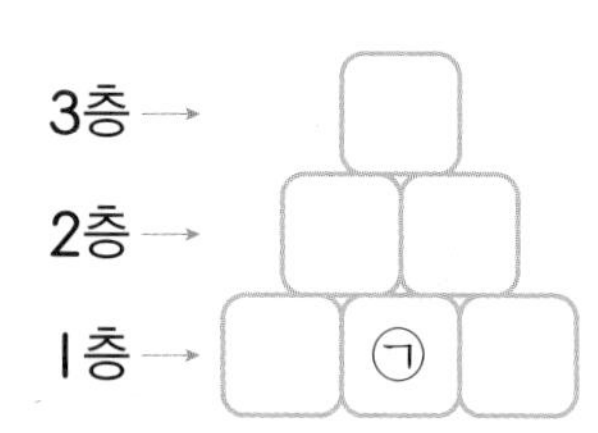

- 가장 작게 만드는 방법
  ➡ ㉠에 가장 작은 수 1을 써넣습니다.
  ①<2<3
- 가장 크게 만드는 방법
  ➡ ㉠에 가장 큰 수 3을 써넣습니다.
  1<2<③

수가 두 번씩 모아지는 칸부터 채웁니다.

최상위 사고력

빈칸에 서로 다른 수를 써넣어 수 쌓기 퍼즐을 완성하려고 합니다. 서로 다른 방법으로 수 쌓기 퍼즐을 완성하시오. (단, ㉠<㉡이고, 0은 사용하지 않습니다.)

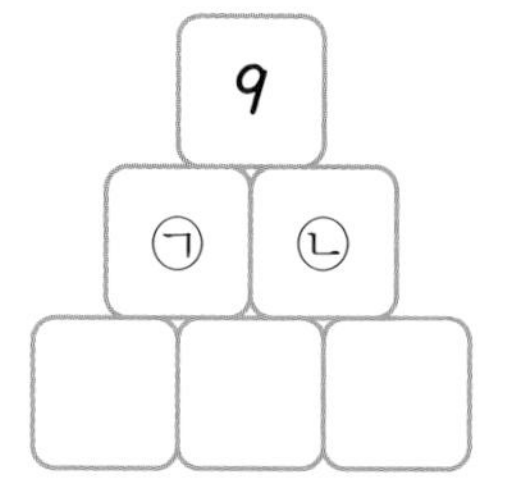

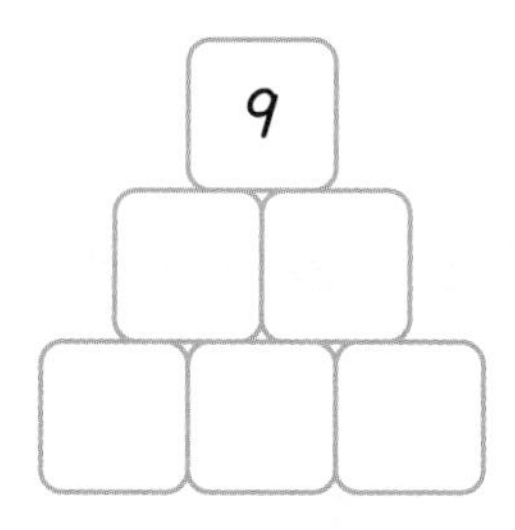

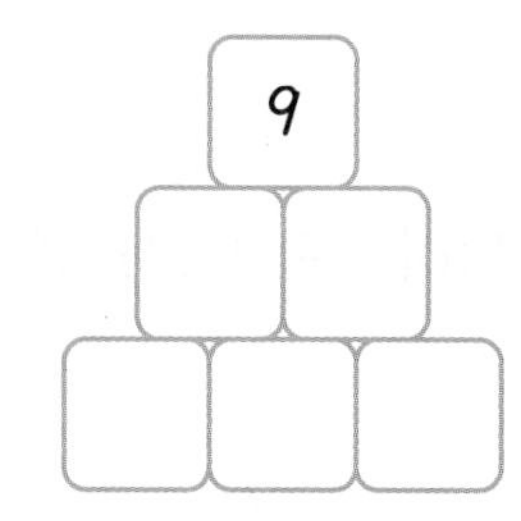

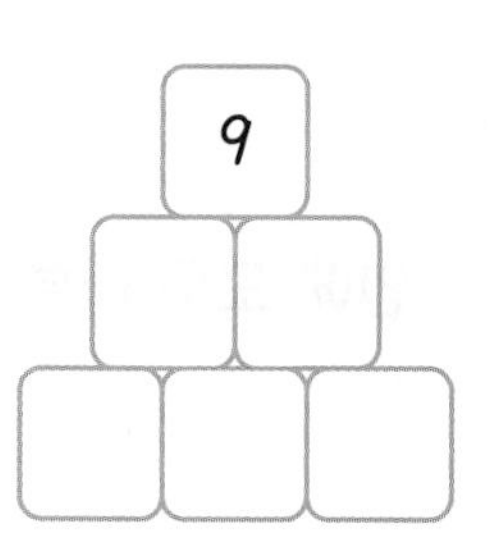

최상위 사고력

1 위치가 서로 바뀐 두 수를 찾아 ○표 하시오.

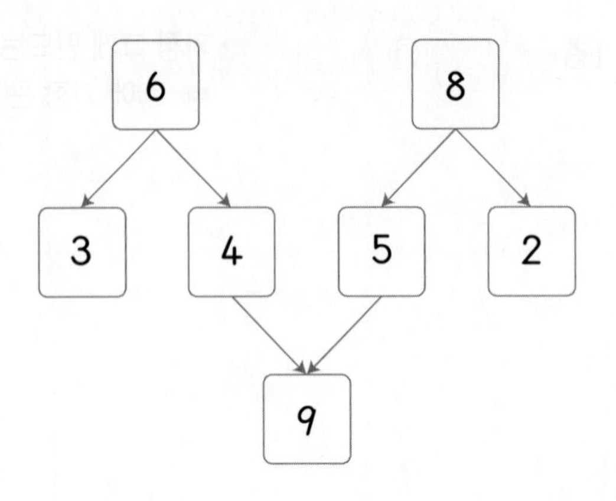

2 □ 안에 모두 다른 수가 들어가도록 빈칸에 알맞은 수를 써넣으시오.

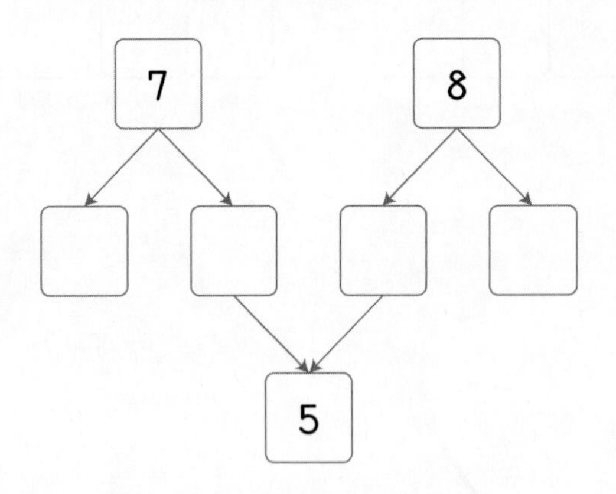

3

어떤 수만큼의 사탕을 도원이와 수지가 나누어 가질 수 있는 방법은 모두 6가지입니다. 수지가 도원이보다 사탕을 더 많이 가질 때, 수지가 가지는 사탕의 수는 몇 개가 될 수 있는지 모두 쓰시오. (단, 도원이와 수지는 사탕을 한 개씩은 가집니다.)

| 경시대회 기출 |

4

문제풀이

1부터 9까지의 수를 사용하여 수 쌓기 퍼즐을 완성하려고 합니다. ㉠으로 알맞은 수를 모두 구하시오.

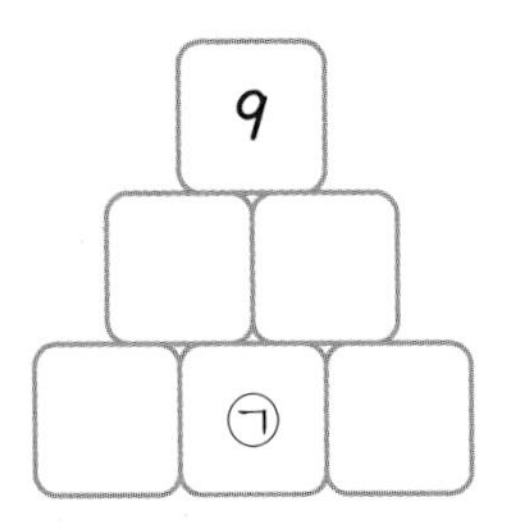

TIP 1부터 9까지의 수를 한 번씩만 사용하라는 조건은 주어지지 않았습니다.

8-1. 두 수의 계산

1 다음 수 카드 중 2장을 사용하여 오른쪽과 같은 뺄셈식을 만들 때, 계산 결과가 6이 되는 식을 모두 쓰시오.

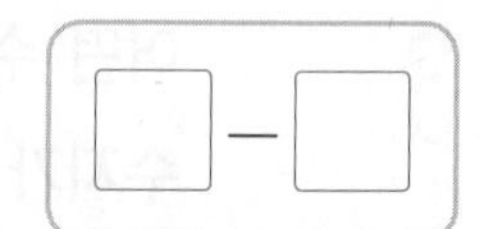

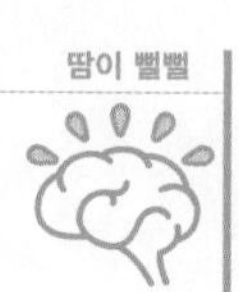

2 빈칸에 1부터 8까지의 수를 한 번씩 모두 써넣어 4개의 식을 완성하시오.

□－□＝1　　□－□＝2

□－□＝3　　□－□＝4

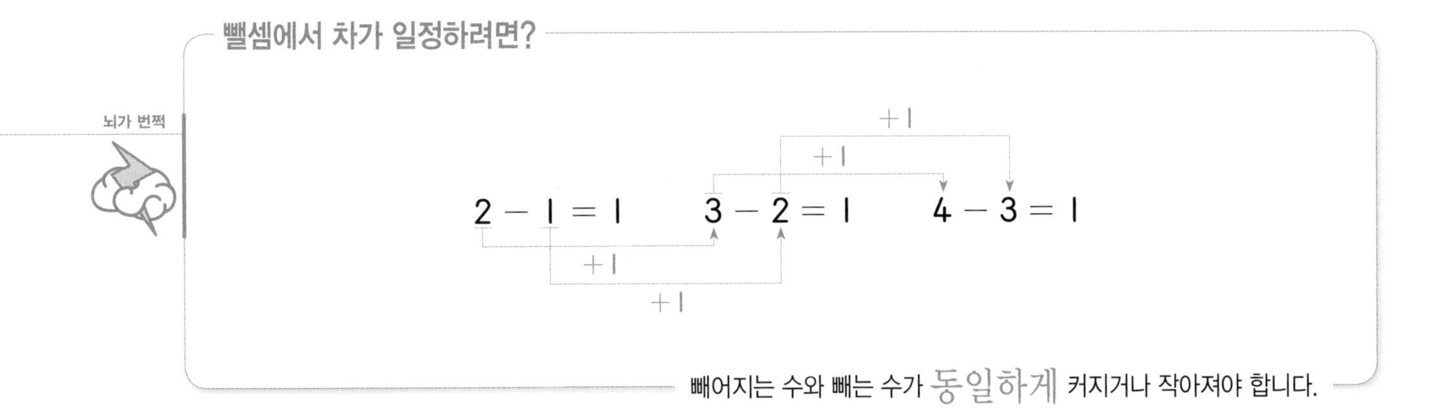

최상위 사고력

서로 다른 수 카드 3장 중 2장을 골라 만들 수 있는 덧셈식 또는 뺄셈식을 모두 찾았더니 계산 결과가 다음과 같았습니다. 나머지 수 카드 2장에 적힌 수를 각각 구하시오. (단, 수 카드에 적힌 수는 한 자리 수입니다.)

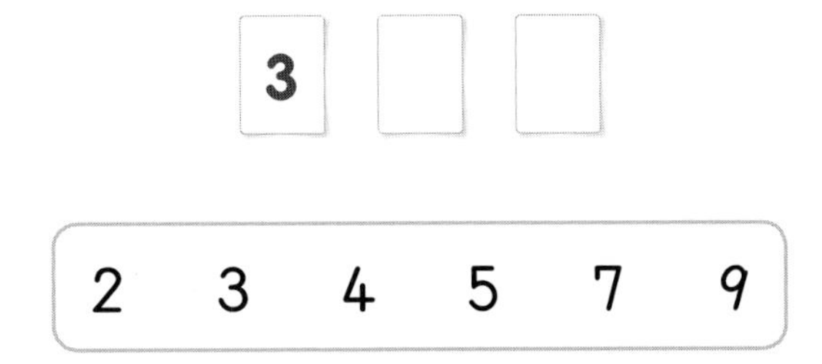

정답과 풀이 52쪽 ►

8-2. 세 수의 계산

1 2부터 5까지의 수를 한 번씩 모두 사용하여 다음과 같은 식을 만들려고 합니다. 만들 수 있는 식을 모두 쓰시오. (단, ㉠<㉡입니다.)

㉠ + ㉡ − □ = □

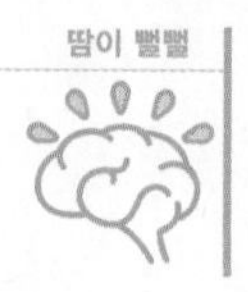

2 1부터 8까지의 수를 한 번씩 모두 사용하여 두 식을 완성하시오.

□ + □ − □ = □

□ + □ − □ = □

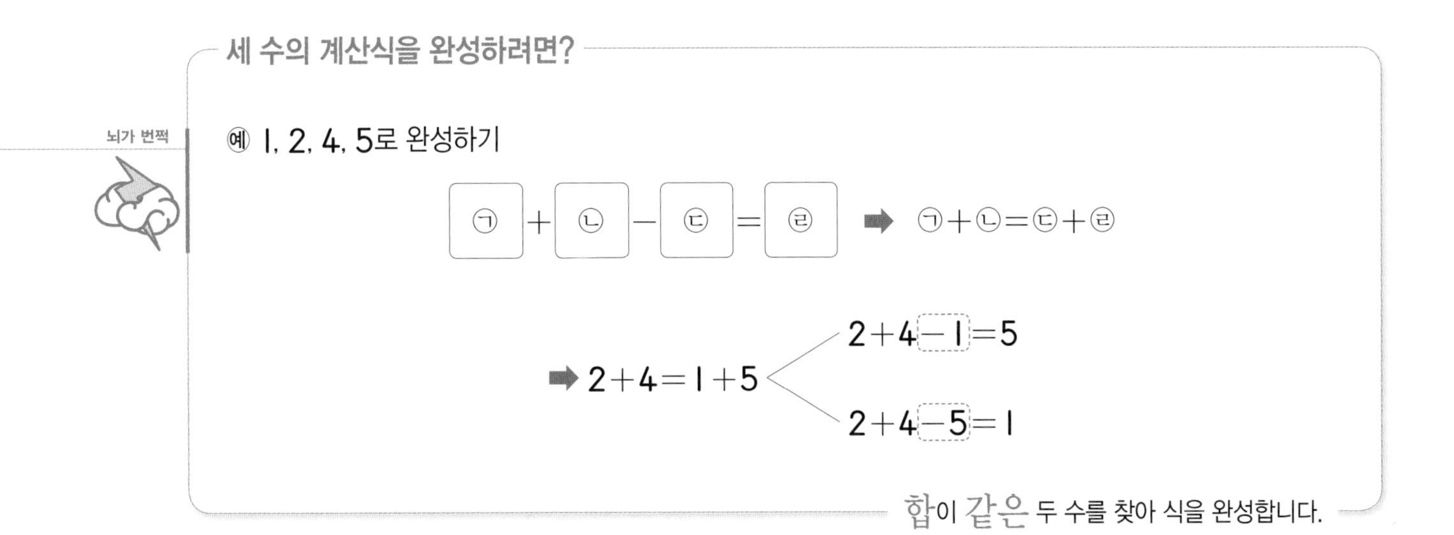

최상위 사고력

1부터 5까지의 수 중 세 수를 한 번씩 사용하여 다음 식을 완성하는 방법은 모두 몇 가지인지 구하시오. (단, ㉠<㉡입니다.)

㉠ + ㉡ − □ = 4

8-3. 모양이 나타내는 수

1 다음 식에서 같은 모양은 같은 수를, 다른 모양은 다른 수를 나타냅니다. ♣, ★, ♥이 나타내는 수를 각각 구하시오.

♣+♣+♣=9
♣+★+★=5
♣+♥+★=6

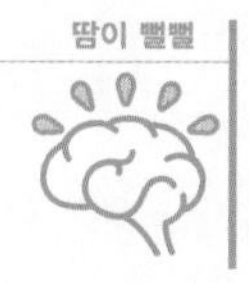

2 사각형 밖에 있는 수는 그 줄에 있는 수의 합입니다. 같은 모양은 같은 수를, 다른 모양은 다른 수를 나타낼 때, 빈칸에 알맞은 수를 써넣으시오.

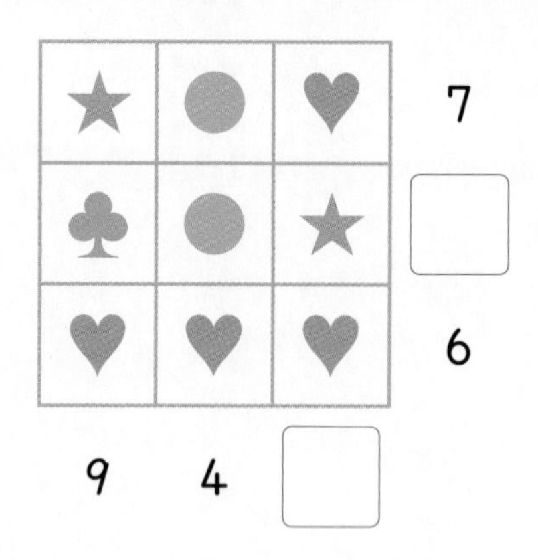

식이 여러 개 있을 때 모양이 나타내는 수를 구하는 방법은?

뇌가 번쩍

같은 모양이 있을 때	겹쳐지는 식이 있을 때
●+●=2 ➡ ●=1	♥+★=6, ♥+★+★=8 (♥+★=6) ➡ ★=2 (8−6=2)

같은 모양이 있는 식이나 겹쳐지는 두 식을 이용합니다.

최상위 사고력 사각형 밖에 있는 수는 그 줄에 있는 수의 합입니다. 같은 모양은 같은 수를, 다른 모양은 다른 수를 나타낼 때, ♣, ♥, ●, ★이 나타내는 수를 각각 구하시오.

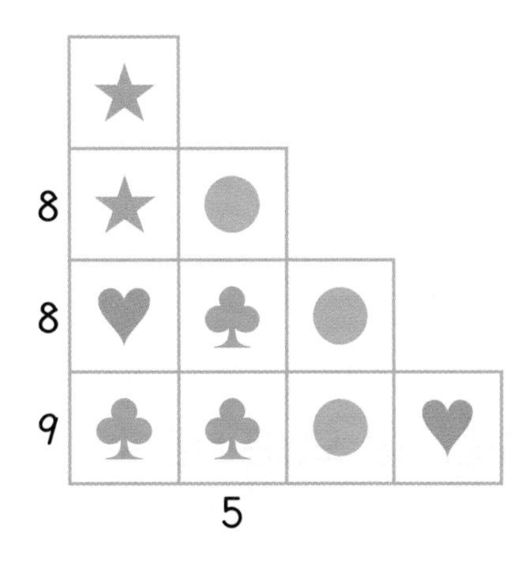

정답과 풀이 54쪽 ►

1 2부터 7까지의 수를 한 번씩 모두 사용하여 두 가지 방법으로 식을 완성하시오.

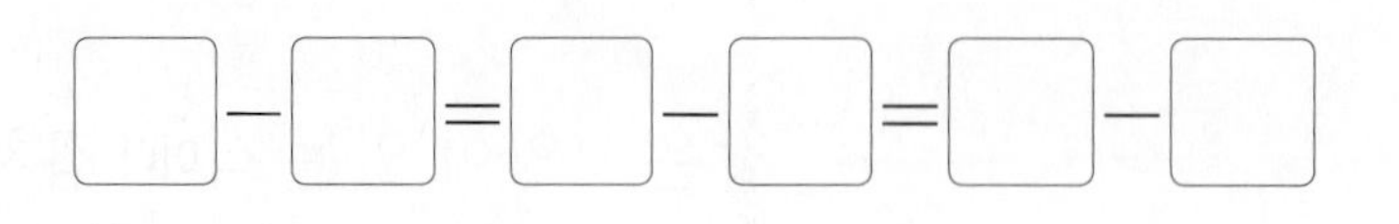

□－□＝□－□＝□－□

2 같은 모양은 같은 수를, 다른 모양은 다른 수를 나타냅니다. ♥, ●, ♣이 나타내는 수를 각각 구하시오.

♥＋●＝8
♥＋♣＝6
●＋♣＝4

3

I부터 9까지의 수 중 8개의 수를 한 번씩 사용하여 다음 식을 완성하시오.

$$\square + \square = \square$$
$$+ \qquad\qquad +$$
$$\square \qquad\qquad \square$$
$$\| \qquad\qquad \|$$
$$\square + \square = \square$$

4

문제풀이

같은 모양은 같은 수를, 다른 모양은 다른 수를 나타냅니다. ♣이 될 수 있는 수 중 가장 작은 수는 무엇입니까? (단, ♥, ●, ♣는 0이 아닌 한 자리 수입니다.)

● + ● = ♥

3 + ● + ♥ = ♣

정답과 풀이 55쪽 ►

9-1. 목표수

1 6장의 수 카드가 나란히 놓여 있습니다. 이웃한 수 카드의 수를 더하여 2부터 9까지의 수를 만드는 덧셈식을 쓰시오.

1 1 2 2 3 4

2	1+1
3	
4	
5	
6	1+1+2+2
7	
8	
9	

땅이 뺄뺄

2 3장의 수 카드 중 적어도 2장을 사용하여 덧셈식이나 뺄셈식을 만들려고 합니다. 계산 결과가 될 수 있는 한 자리 수를 모두 구하시오.

2 3 6

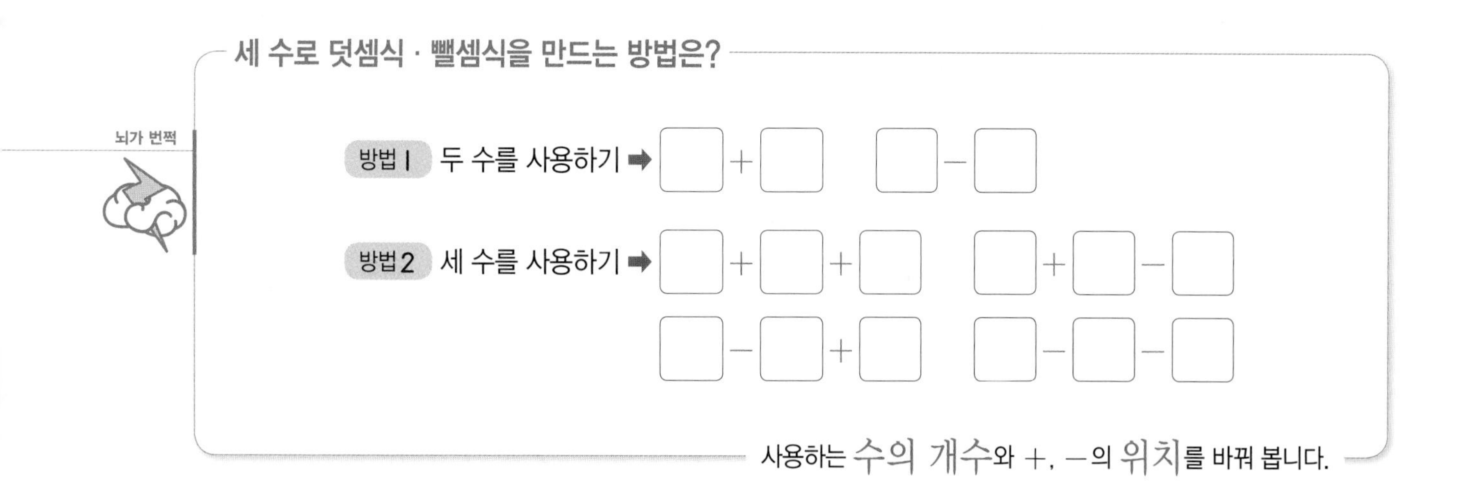

최상위 사고력

이웃한 수 카드의 수를 더하여 2부터 9까지의 수를 모두 만들 수 있도록 수 카드 사이에 **2** 하나를 더 놓으려고 합니다. **2** 를 놓을 수 없는 곳을 찾으시오.

9-2. 수 퍼즐

1 가로줄과 세로줄에 놓인 세 수의 합이 같도록 ✚ 모양으로 묶으려고 합니다. 알맞은 경우를 모두 찾아 묶으시오.

5	2	7	6	7	2	7	6
1	3	5	5	1	3	4	4
6	4	7	4	5	3	2	7
5	3	1	1	7	1	5	3
7	6	7	4	7	5	2	5

2 1부터 5까지의 수를 한 번씩 모두 써넣어 가로줄과 세로줄에 놓인 세 수의 합이 같도록 만들려고 합니다. 서로 다른 방법으로 빈칸에 알맞은 수를 써넣으시오.

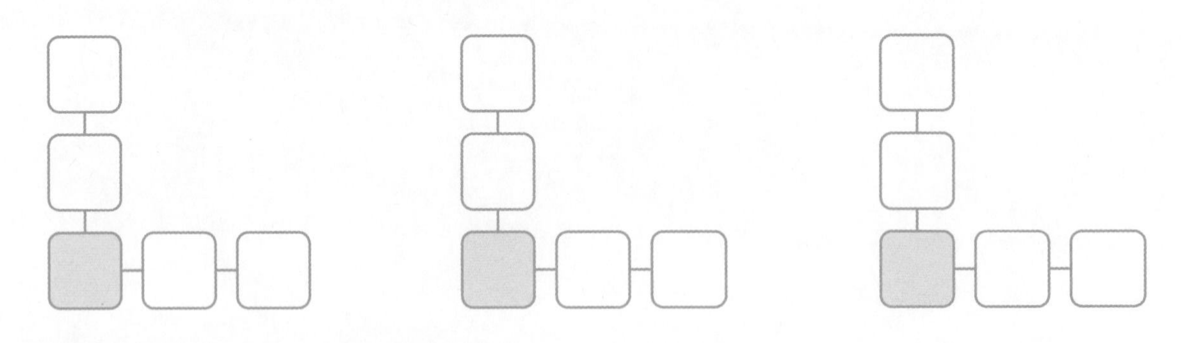

색칠된 칸에는 서로 다른 수를 써넣어야 합니다.

가로줄과 세로줄의 합을 같게 만드는 방법은?

두 수의 합이 같은 경우를 찾고

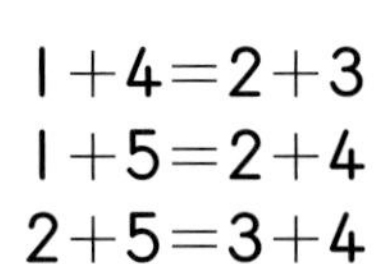

$1+4=2+3$
$1+5=2+4$
$2+5=3+4$

가로줄과 세로줄에 써넣습니다.
이때 공통된 칸에 남은 수를 써넣습니다.

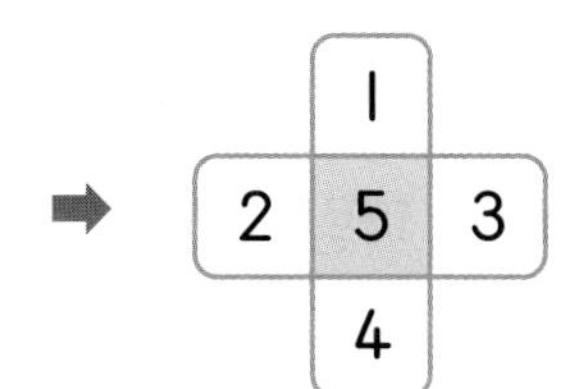

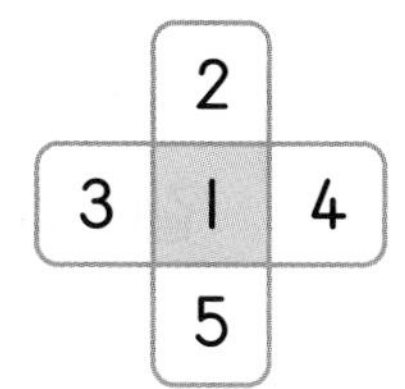

먼저 두 수의 합이 같은 경우를 찾습니다.

최상위 사고력

1부터 6까지의 수를 모두 써넣어 한 줄에 놓인 세 수의 합이 9가 되도록 만드시오.

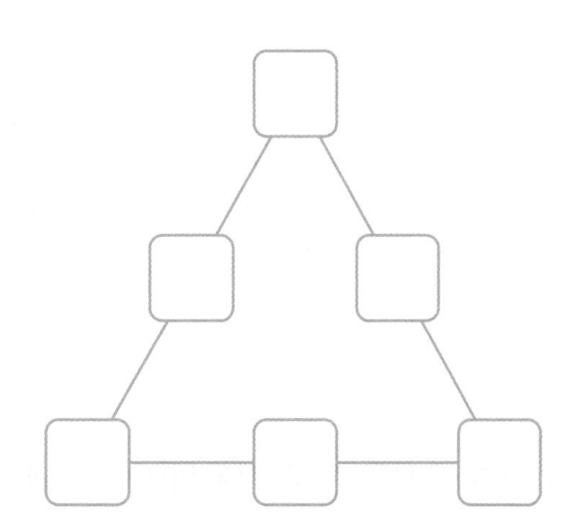

9-3. 덧셈과 뺄셈의 활용

1 다음과 같이 주머니에 사탕이 들어 있습니다. 두 주머니에 들어 있는 사탕 개수가 같아지려면 빨강 주머니에서 파랑 주머니로 옮겨야 하는 사탕은 몇 개입니까?

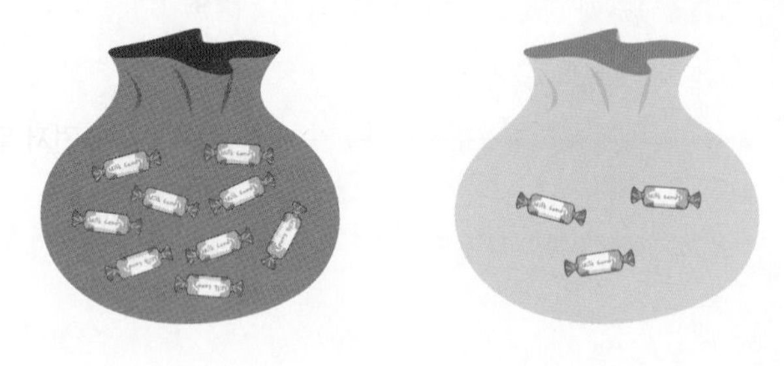

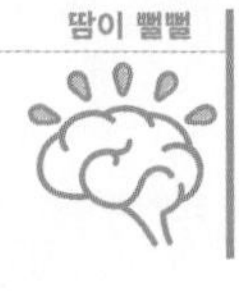

2 서로 다른 수 카드 3장을 모두 사용하여 다음과 같은 뺄셈식을 만들려고 합니다. 계산 결과가 2보다 작을 때, 뒤집힌 수 카드의 수가 될 수 있는 것을 모두 구하시오. (단, 수 카드에 적힌 수는 0이 아닌 서로 다른 수입니다.)

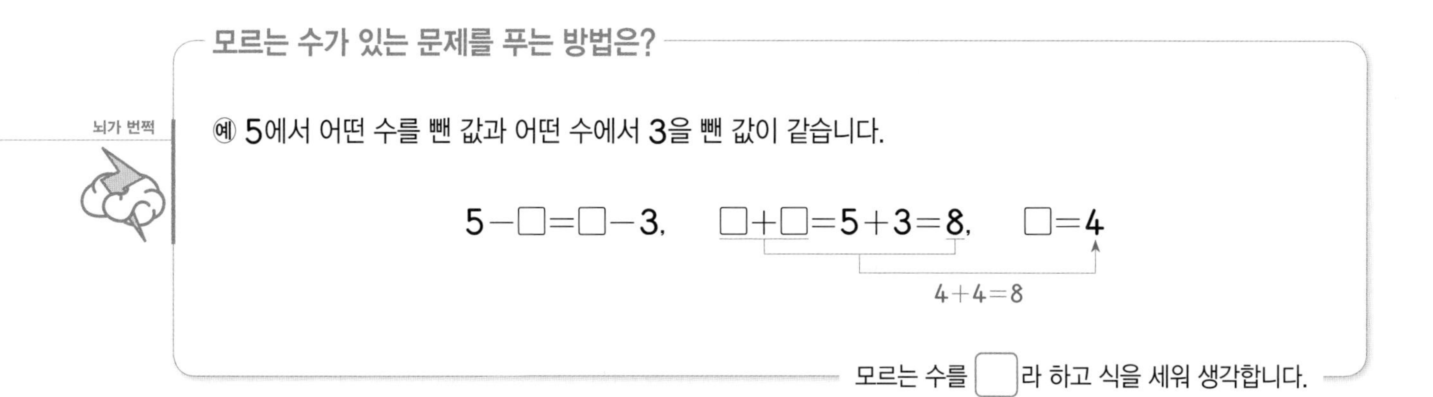

최상위 사고력

윤주와 도훈이가 가지고 있는 구슬은 모두 8개입니다. 윤주가 구슬 2개를 도훈이에게 주었더니 두 사람이 가진 구슬 개수가 같아졌다면 맨 처음 윤주가 가지고 있던 구슬은 몇 개입니까?

정답과 풀이 59쪽 ►

최상위 사고력

1 가로줄과 세로줄에 놓인 세 수의 합이 같도록 빈칸에 1, 2, 3, 4를 써넣으시오.

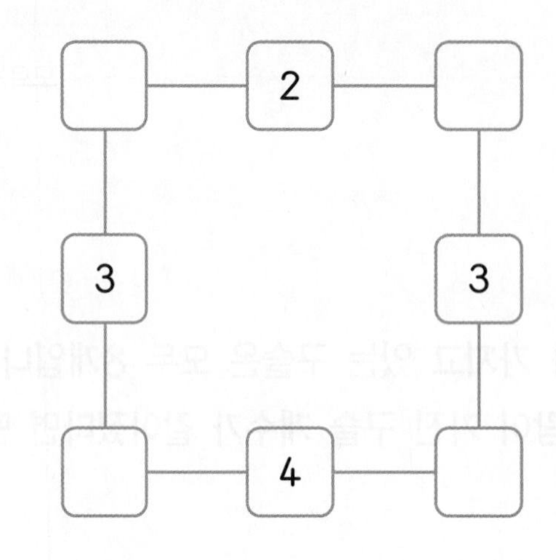

2 현지와 동생의 나이의 합은 9살이고, 차는 3살입니다. 현지의 나이는 몇 살입니까?

3 과녁에 화살을 3발 쏘아 맞힌 칸이 빨간색이면 점수를 더하고 파란색이면 점수를 뺍니다. 과녁의 알맞은 칸에 ╳표 하여 5점을 얻는 방법을 2가지로 나타내시오. (단, 빗나가는 화살은 없고 3발의 화살이 맞힌 칸은 서로 다릅니다.)

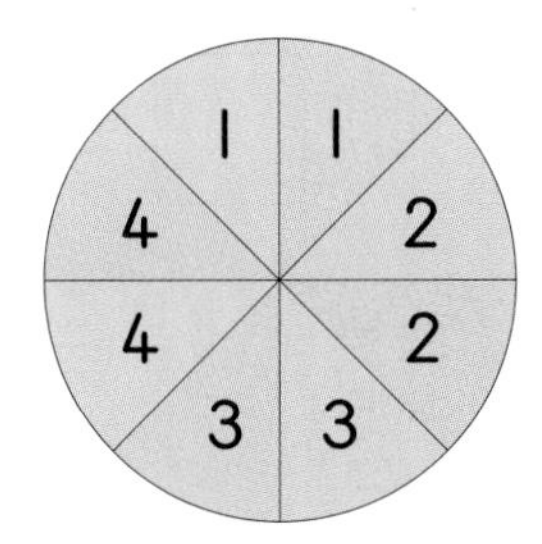

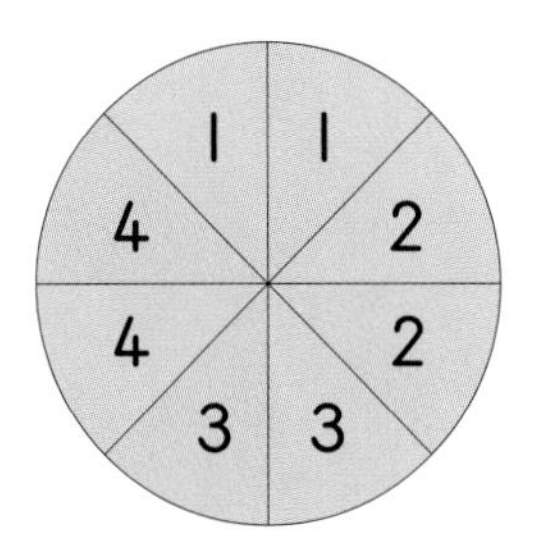

4 다음 수 카드 3장을 모두 사용하여 덧셈식이나 뺄셈식을 만들려고 합니다. 계산 결과로 1부터 9까지의 수가 최대한 많이 나오도록 할 때, 뒤집힌 수 카드의 수를 구하시오. (단, 수 카드의 수는 1부터 6까지이고, 3장의 수 카드의 수는 서로 다릅니다.)

문제풀이

1

정답과 풀이 60쪽 ►

1 수를 모으거나 가른 것입니다. 빈칸에 모두 다른 한 자리 수가 들어가도록 알맞은 수를 써넣으시오.

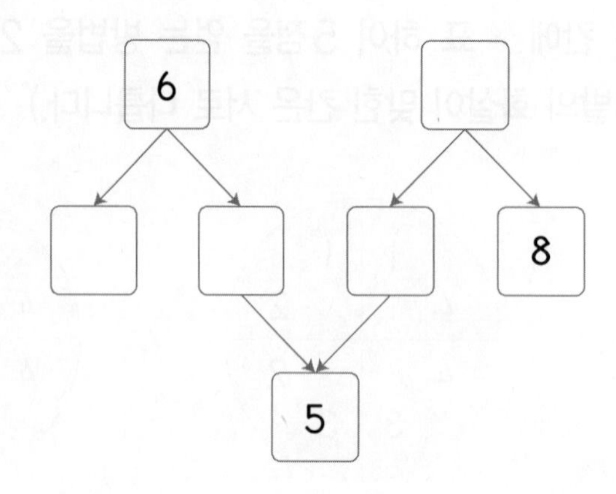

2 1이 적힌 공이 8개, 2가 적힌 공이 4개, 5가 적힌 공이 1개 있습니다. 공에 적힌 수의 합이 8이 되도록 공을 여러 개 고르는 방법은 모두 몇 가지입니까?

3 노란색 접시에 빵이 7개 놓여 있습니다. 노란색 접시에서 빵 2개를 파란색 접시로 옮기면 두 접시의 빵 개수가 같아집니다. 옮기기 전 파란색 접시에 놓여 있던 빵은 몇 개인지 구하시오.

4 |보기|와 같은 방법으로 5★6을 계산하시오.

|보기|

1★5=5−1+5=9

4★6=6−4+6=8

5 1부터 6까지의 수를 한 번씩 모두 사용하여 식을 완성하시오.

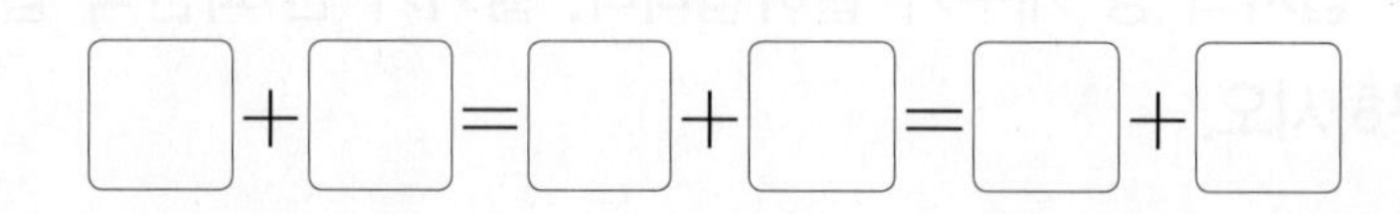

6 빈칸에 1, 2, 4, 6, 7 중 4개의 수를 사용하여 다음 식을 만들려고 합니다. 사용하지 않는 수는 무엇입니까?

$\square + \square - \square = \square$

정답과 풀이 61쪽 ►

측정

10-1. 길의 길이 비교

1 은지네 집에서 가장 가까운 곳에 사는 친구와 가장 먼 곳에 사는 친구의 이름을 차례로 쓰시오.

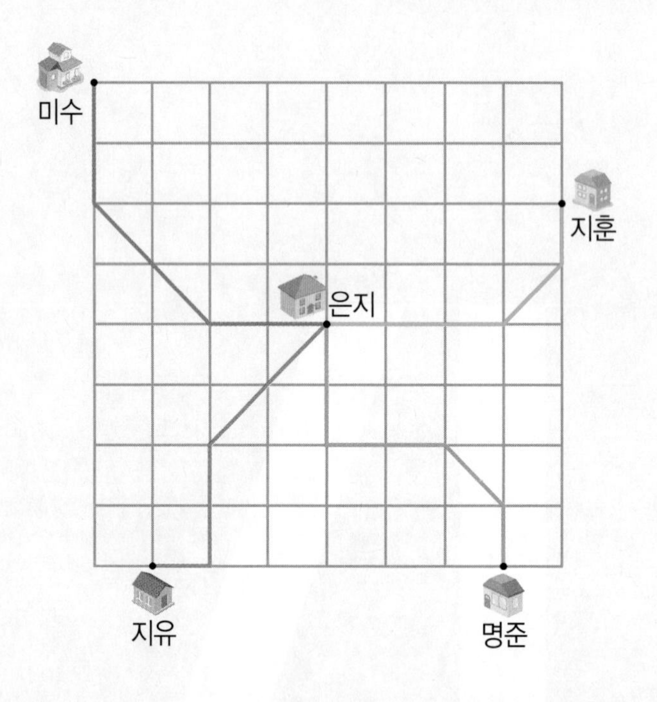

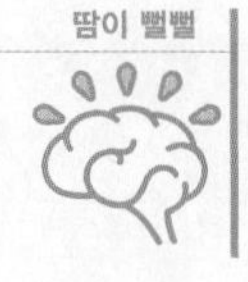

2 모눈 위로 그린 길 중 가장 긴 것의 기호를 쓰시오.

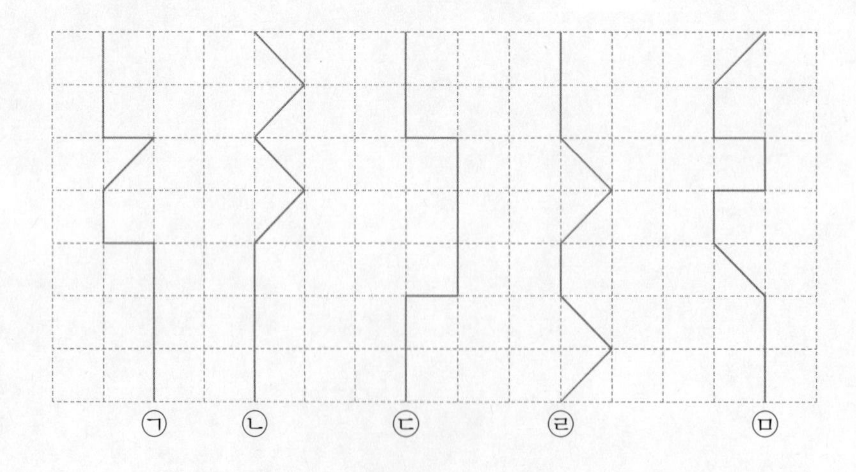

뇌가 번쩍

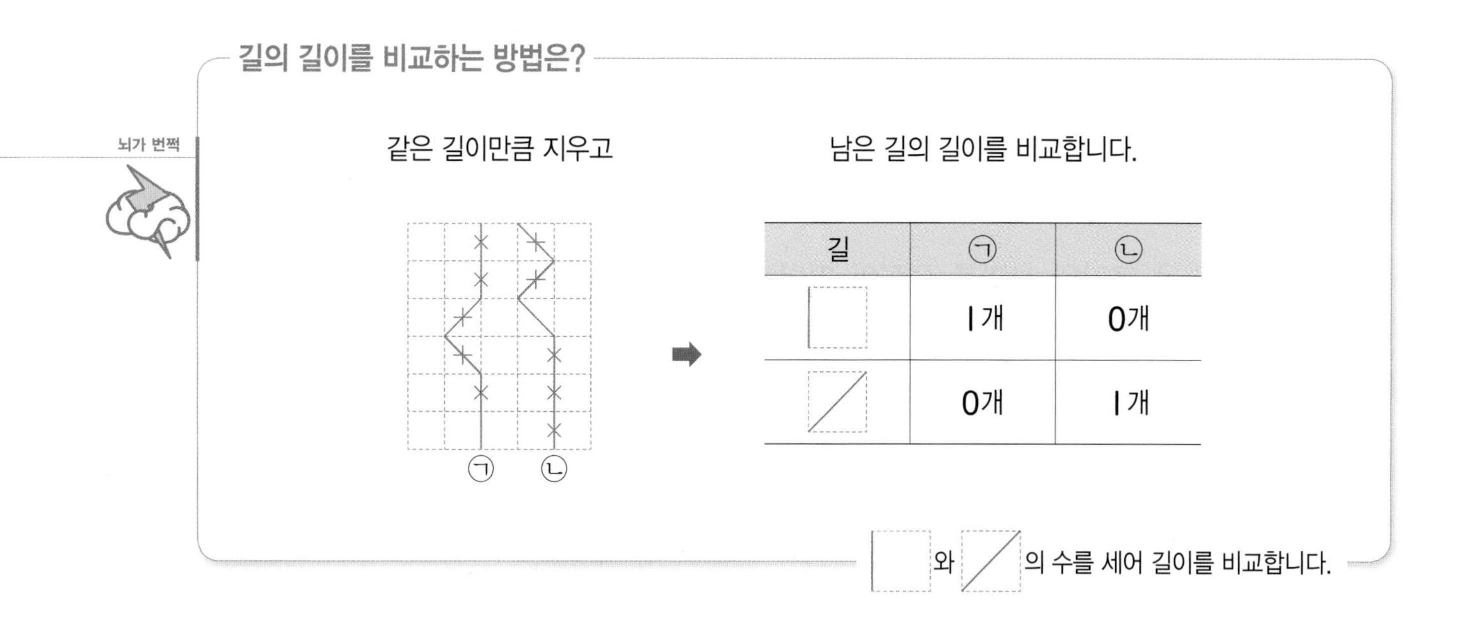

길	㉠	㉡
□	1개	0개
◪	0개	1개

최상위 사고력

|보기|**와 같이 천에 바느질을 하려고 합니다.** 가와 나 **중 사용한 실이 더 긴 것의 기호를 쓰시오.**

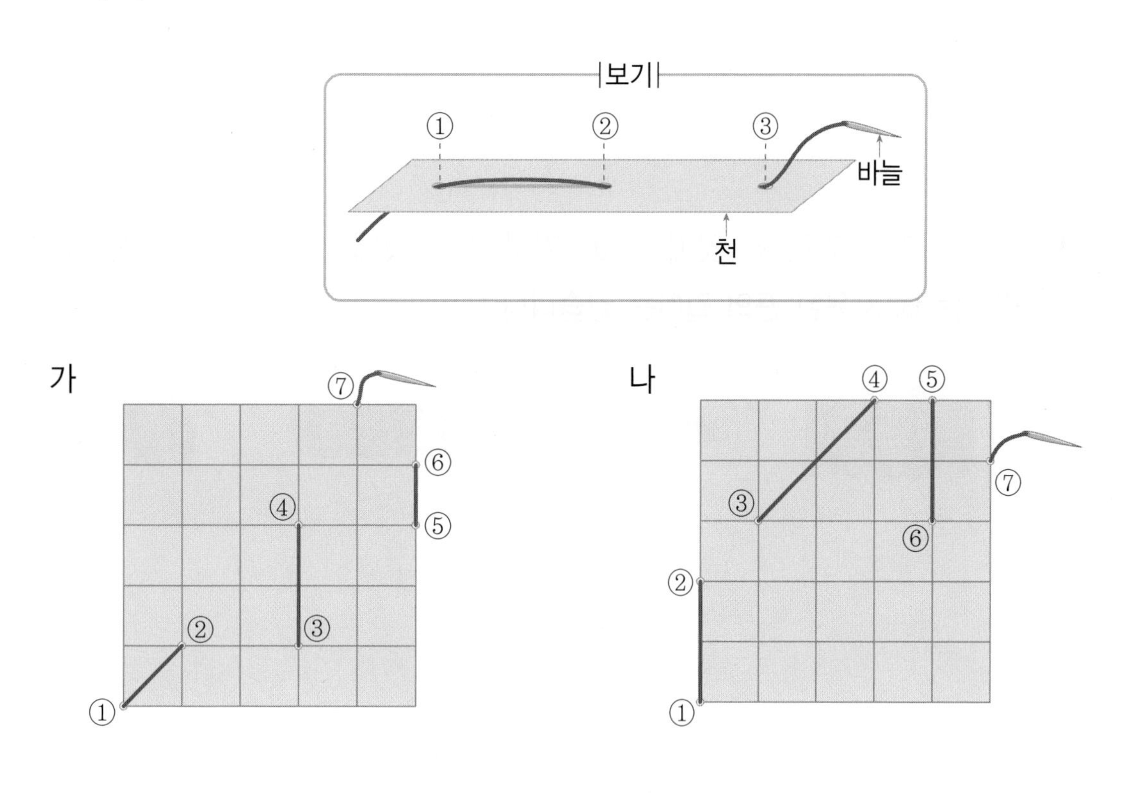

정답과 풀이 63쪽 ►

10-2. 꺾인 끈의 길이 비교

1 같은 크기의 사과를 껍질이 이어지도록 깎고 있습니다. 지금까지 깎은 껍질의 길이가 가장 긴 것부터 순서대로 기호를 쓰시오.

땀이 뻘뻘

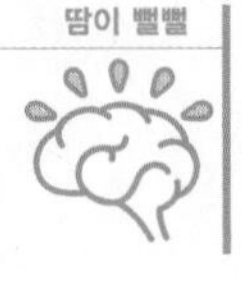

2 끈의 길이가 가장 긴 것에 ○표, 가장 짧은 것에 △표 하시오. (단, 리본 모양을 만드는 데 사용된 끈의 길이는 같습니다.)

꺾인 부분이 있는 것의 길이를 비교하는 방법은?

방법 1 높이 또는 굵기 비교하기

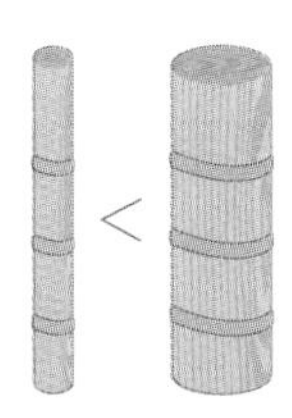

굵은 나무토막에 감은 끈의 길이가 더 깁니다.

방법 2 끈이 감긴 횟수 비교하기

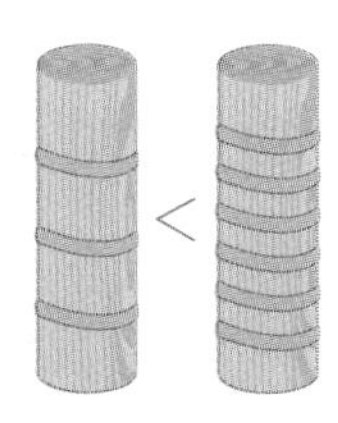

끈을 더 많이 감은 쪽의 길이가 더 깁니다.

나무토막의 굵기 또는 끈이 감긴 횟수를 비교합니다.

최상위 사고력

똑같은 상자를 3가지 방법으로 포장하였습니다. 사용된 끈의 길이가 긴 것부터 차례로 기호를 쓰시오.

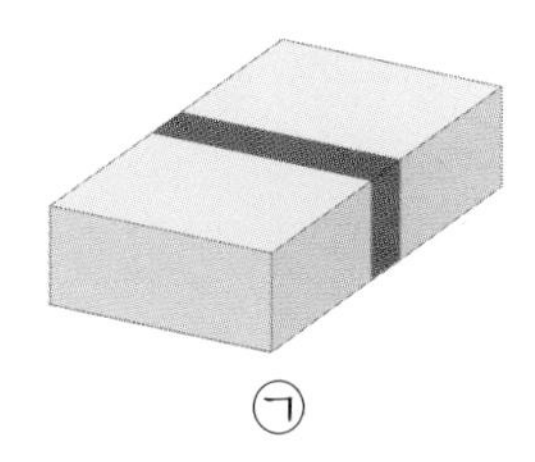

㉠

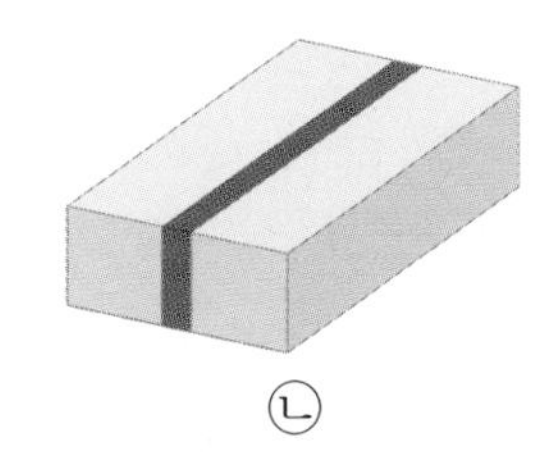

㉡

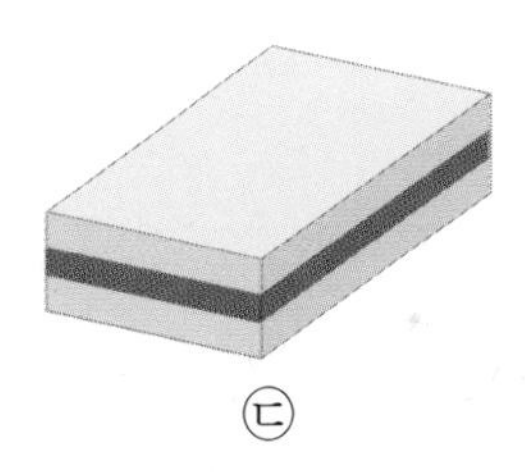

㉢

정답과 풀이 64쪽 ►

10-3. 가장 짧은 길의 가짓수

1 집에서 학교까지 가는 거리가 가장 짧은 길을 모두 그리시오.

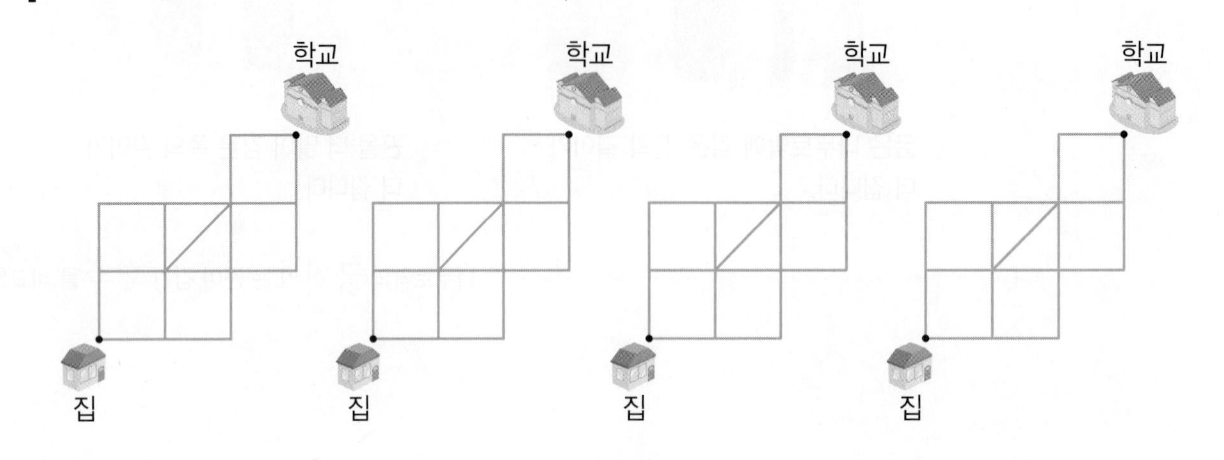

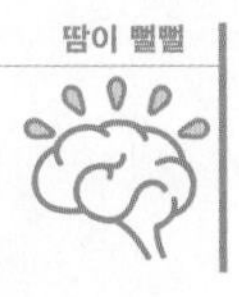

2 집에서 공원까지 가는 거리가 가장 짧은 길은 모두 몇 가지입니까?

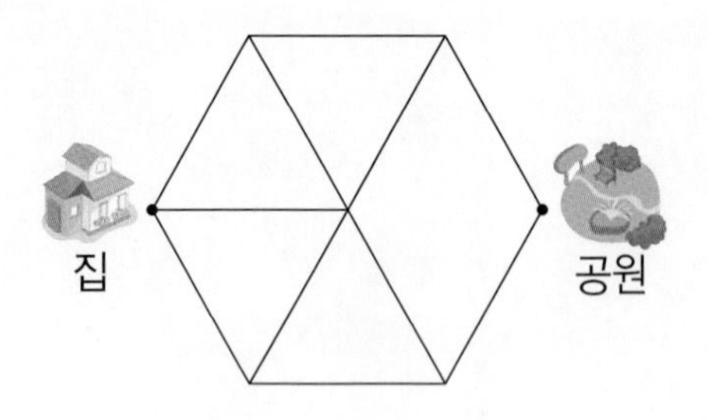

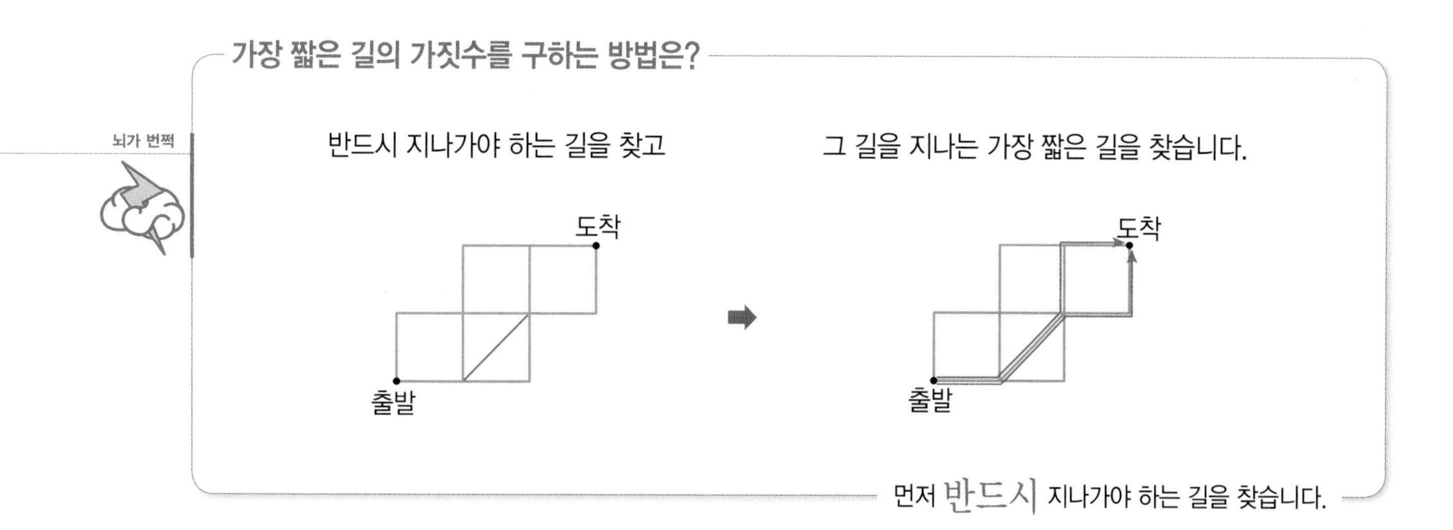

최상위 사고력

㉠에서 ㉡까지 가는 거리가 가장 짧은 길은 모두 몇 가지입니까?

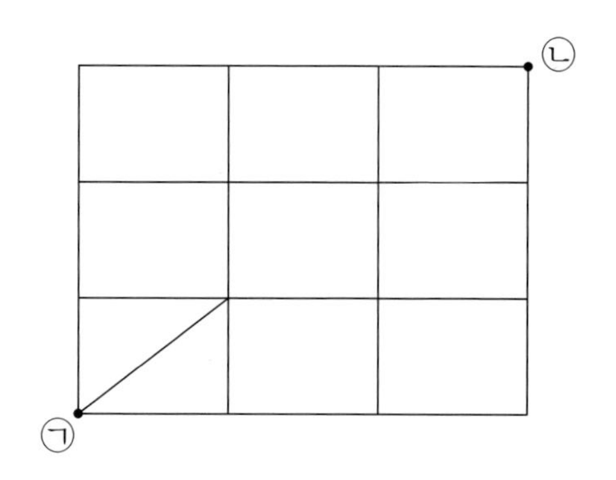

TIP □의 거리보다 ◸의 거리가 더 짧습니다.

최상위 사고력

1 집에서 출발하여 이동한 거리가 먼 자동차부터 차례로 기호를 쓰시오.

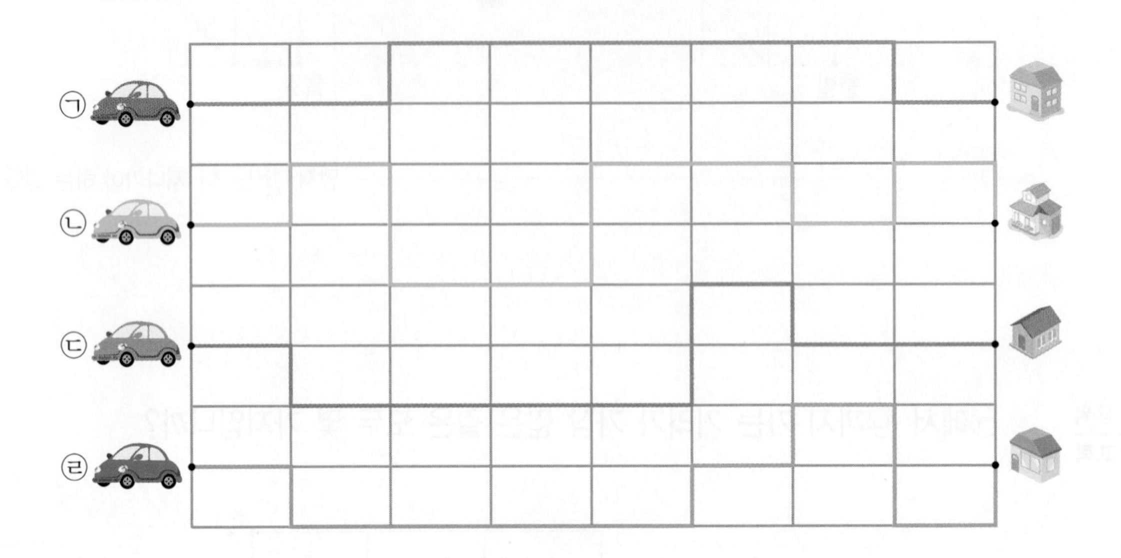

2 지민, 서윤, 상우, 은희는 자전거를 타고 자전거 바퀴가 10바퀴 돌 때까지 앞으로 나아갔습니다. 가장 멀리 간 사람부터 차례로 이름을 쓰시오. (단, 출발 위치는 모두 같습니다.)

3

학교에서 도서관과 은행을 차례로 지나 집에 가려고 합니다. 집까지 가는 거리가 가장 짧은 길은 모두 몇 가지입니까?

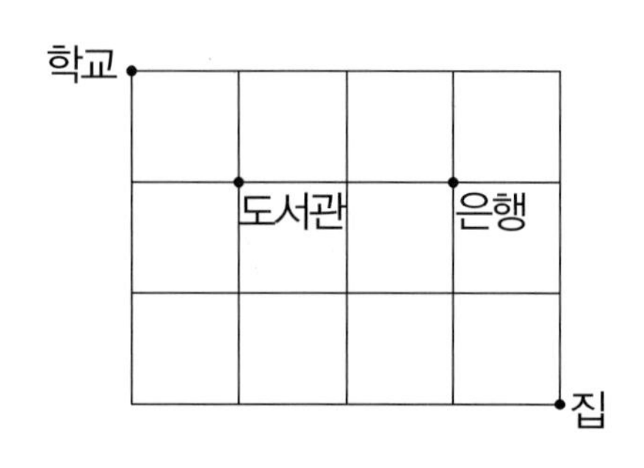

| 경시대회 기출 |

4

문제해결

친구들이 영화관에서 출발하여 가장 짧은 길을 따라 각자의 집에 도착하였습니다. 영화관에서 집까지 가는 거리가 가장 먼 사람은 누구입니까?

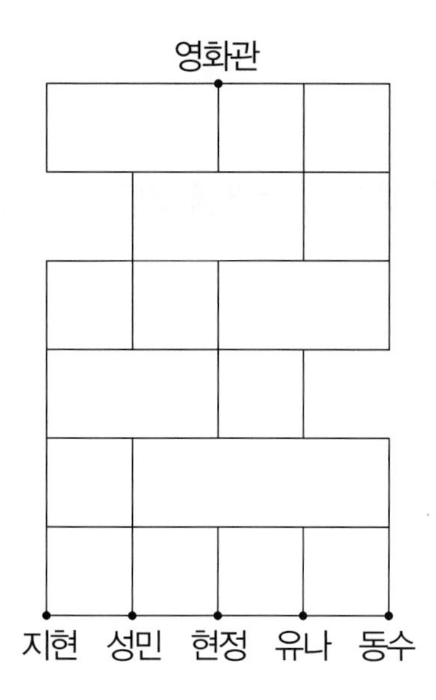

정답과 풀이 66쪽 ►

11-1. 무게 비교

1 성호, 민희, 현수, 정민이가 시소를 타고 있습니다. 무거운 사람부터 차례로 이름을 쓰시오.

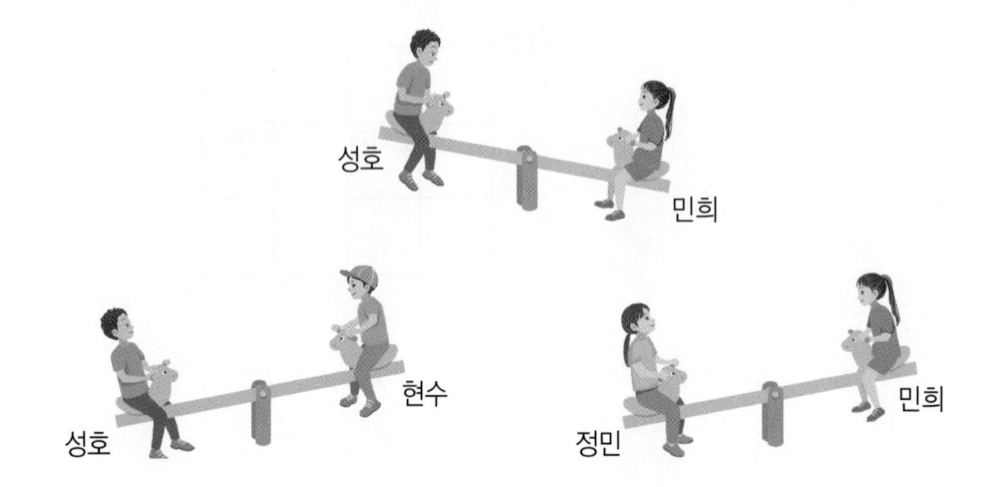

땀이 뻘뻘

2 오이, 감자, 당근, 배추의 무게를 비교한 것입니다. 가벼운 채소부터 차례로 쓰시오.

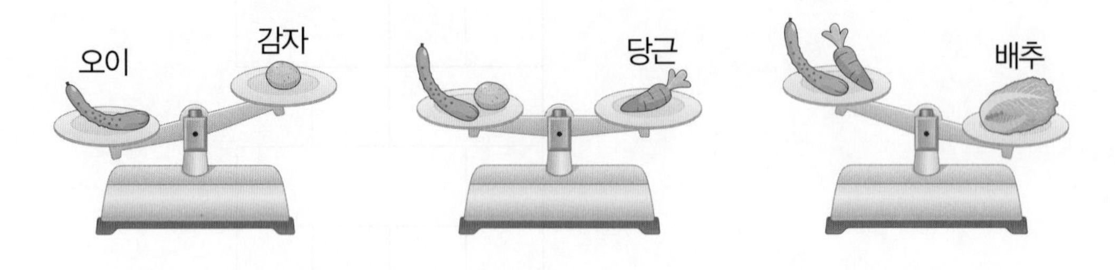

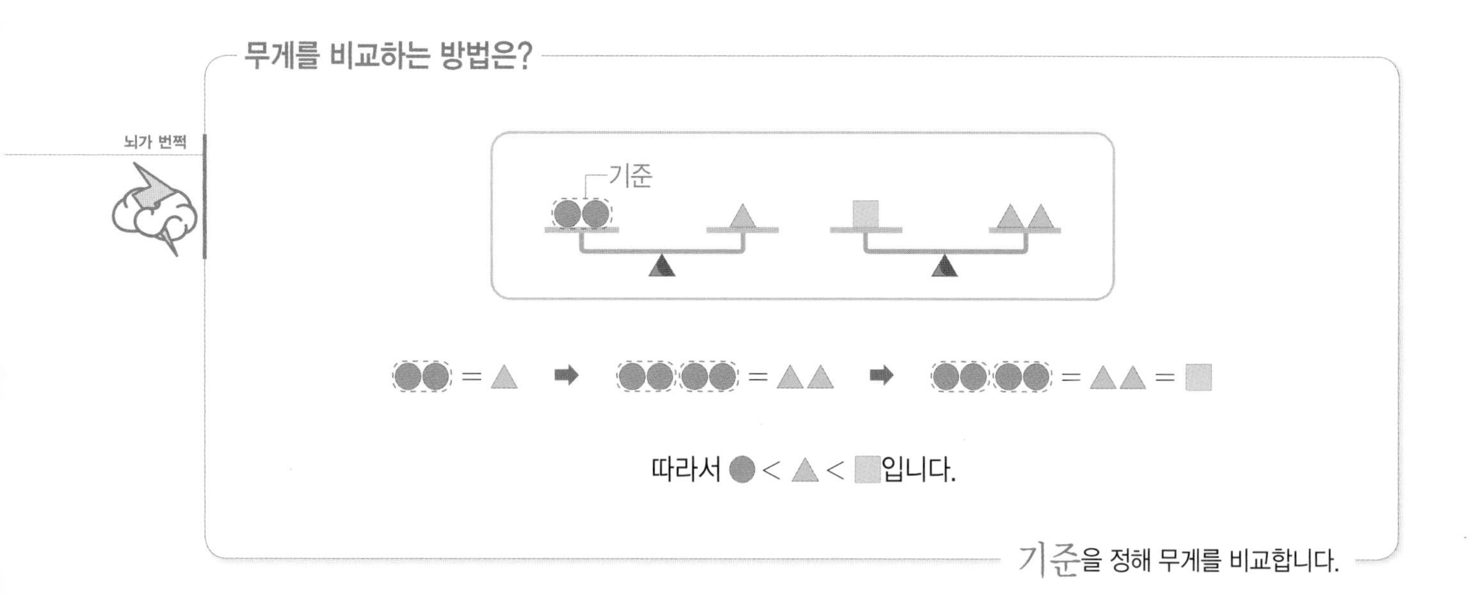

최상위 사고력 구슬 5개의 무게를 비교한 것입니다. 두 번째로 무거운 구슬의 기호를 쓰시오.

- 구슬 ㉠은 구슬 ㉤보다 가볍고 구슬 ㉢보다 무겁습니다.
- 구슬 ㉢은 구슬 ㉡보다 무겁습니다.
- 구슬 ㉣은 구슬 ㉡보다 가볍습니다.

11-2. 저울산

1 초록색 구슬 1개의 무게는 빨간색 구슬 몇 개의 무게와 같습니까?

어느 한쪽으로 기울지 않고 평평한 상태

2 다음과 같은 경우 저울이 수평을 이룬다고 합니다. 강아지 2마리의 무게는 토끼 2마리와 햄스터 몇 마리의 무게와 같습니까?

- 강아지 1마리와 토끼 2마리를 비교하는 경우
- 토끼 1마리와 햄스터 3마리를 비교하는 경우

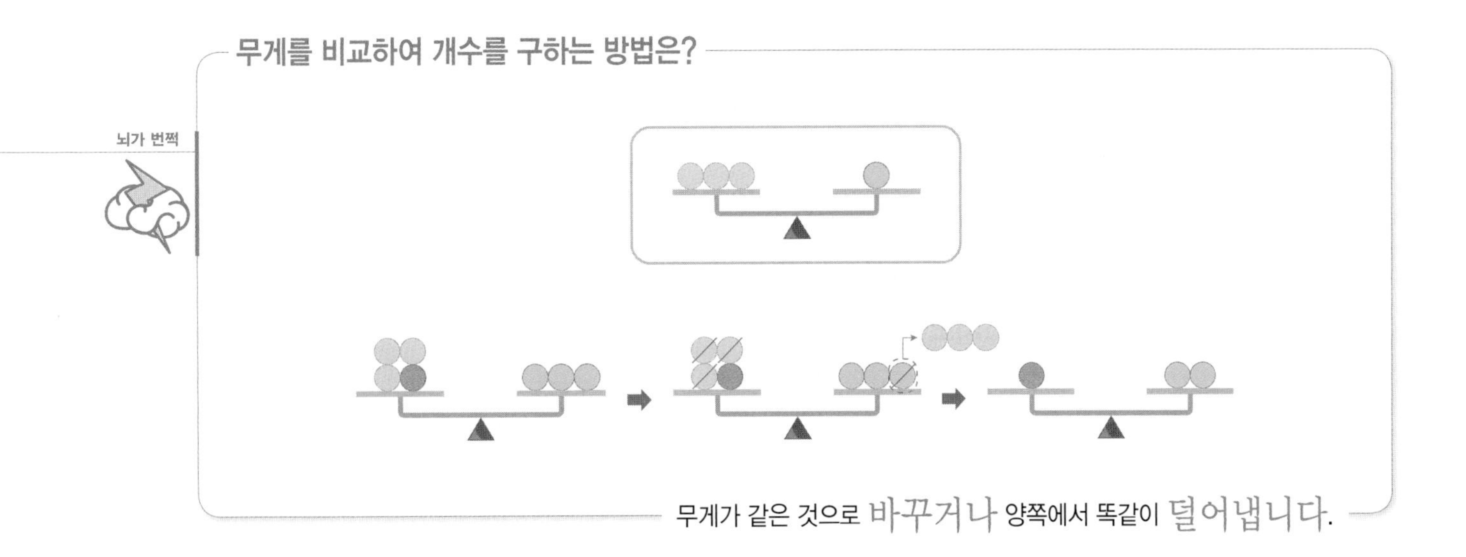

최상위 사고력

저울을 보고 빈 곳에 놓을 수 있는 사탕은 모두 몇 개인지 구하시오.

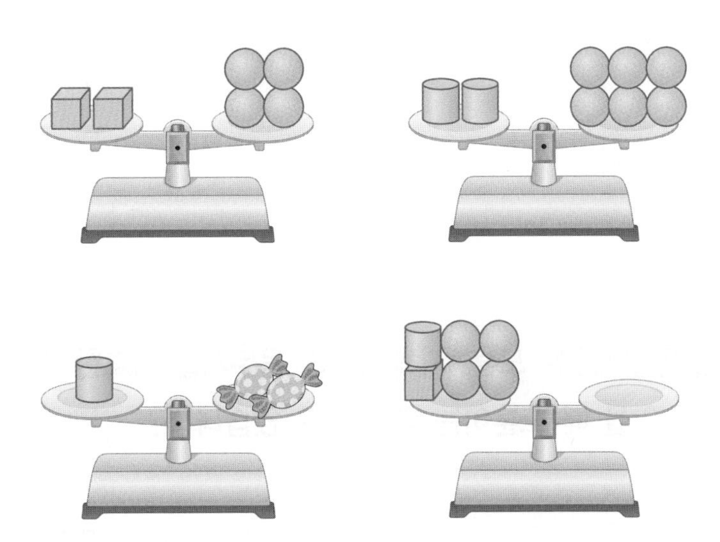

정답과 풀이 68쪽 ►

11-3. 키와 몸무게 비교하기

1 명주, 성주, 지원, 도경, 혜영 5명의 몸무게를 비교한 것입니다. 가장 무거운 사람부터 차례로 이름을 쓰시오.

- 명주는 성주보다 가볍습니다.
- 지원이보다 무거운 사람은 3명입니다.
- 도경이는 성주보다 무겁습니다.
- 혜영이는 지원이보다 가볍습니다.

땀이 뻘뻘

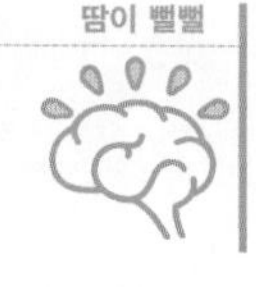

2 정현, 명호, 민주, 도훈, 지혜 5명의 몸무게를 비교한 것입니다. 가장 가벼운 사람부터 차례로 앉을 때 도훈이는 몇 번째로 앉습니까?

- 정현: 나보다 무거운 사람은 2명이야.
- 명호: 내가 가장 가벼워.
- 민주: 나보다 가벼운 사람은 1명 있어.
- 도훈: 나는 지혜보다는 가벼워.

뇌가 번쩍

친구들의 몸무게를 비교하는 방법은?

㉮ 은주네 모둠 5명 중 은주보다 가벼운 사람은 3명입니다.

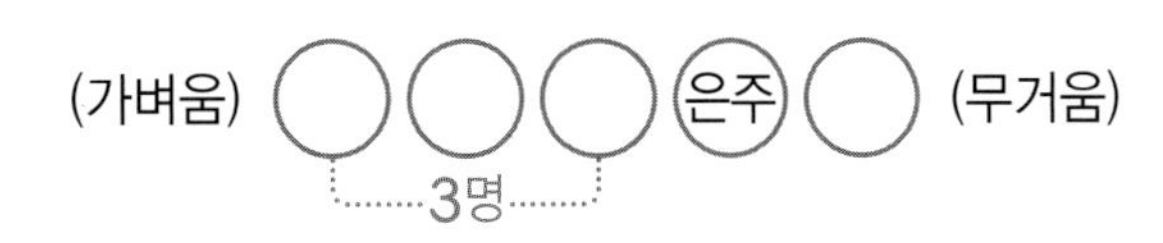

➡ 은주는 4번째로 가볍습니다.

그림으로 나타내어 비교합니다.

최상위 사고력

정미, 성호, 은희, 시우의 키와 몸무게를 비교한 것입니다. 키가 두 번째로 작은 사람의 몸무게는 몇 번째로 가볍습니까?

- 정미는 성호보다 키가 크고 몸무게는 가볍습니다.
- 시우는 성호보다 키가 작고 몸무게는 무겁습니다.
- 몸무게가 가장 무거운 사람은 시우입니다.
- 은희는 정미보다 키가 크고 몸무게는 가볍습니다.

정답과 풀이 69쪽 ►

최상위 사고력

1 현수, 재석, 정훈, 수지, 은미 5명의 몸무게를 비교한 것입니다. 가장 가벼운 사람은 누구입니까?

(현수)>(재석)　　(정훈)>(수지)　　(은미)<(재석)　　(현수)<(수지)

2 다음은 시장에서 파는 물건들의 가격을 비교한 것입니다. 사과를 한 개 살 수 있는 돈으로 새우는 모두 몇 마리 살 수 있습니까?

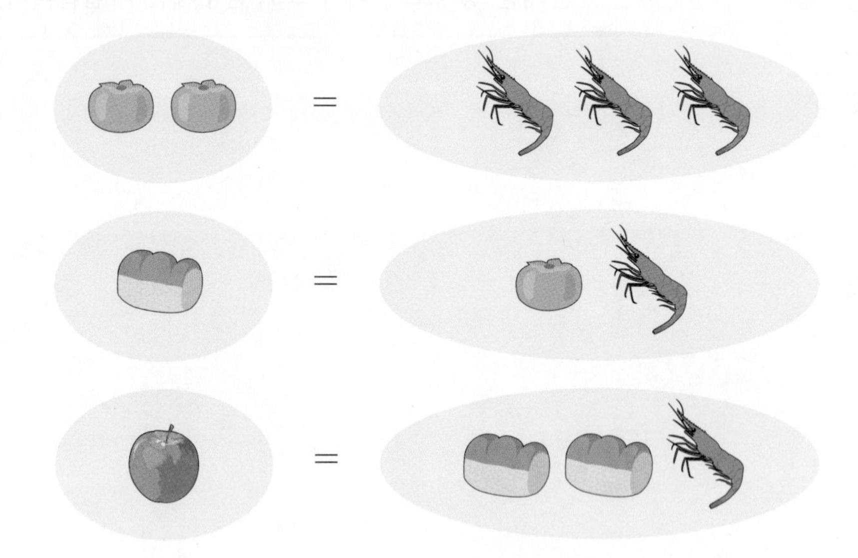

3 **5명의 친구들이 앞에서부터 차례로 줄을 서 있습니다. 줄을 선 순서대로 이름을 쓰시오.**

- 성민이 바로 뒤에는 예주가 서 있습니다.
- 지훈이 앞에는 세 명이 서 있습니다.
- 소미와 미현이 사이에 지훈이가 서 있습니다.
- 미현이 뒤에는 두 명이 서 있습니다.

4 **저울을 보고 빈 곳에 놓을 수 있는 ◯의 개수를 구하시오.**

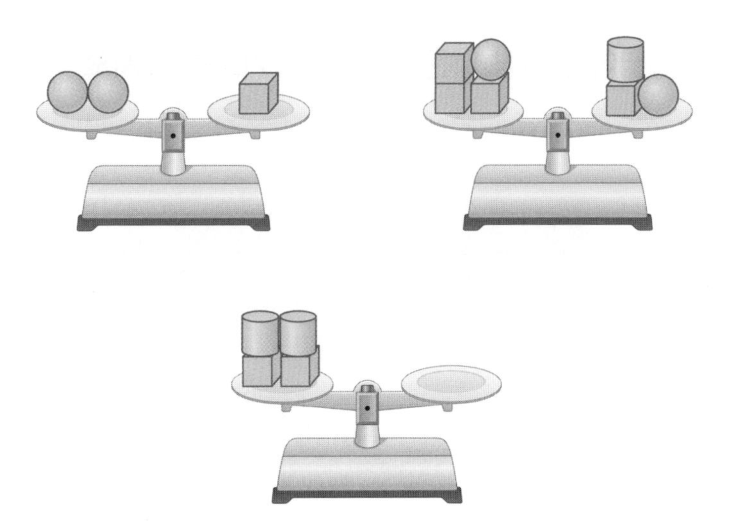

정답과 풀이 70쪽 ►

12-1. 넓이 비교

1 색칠한 부분의 넓이가 같은 것끼리 선으로 이으시오.

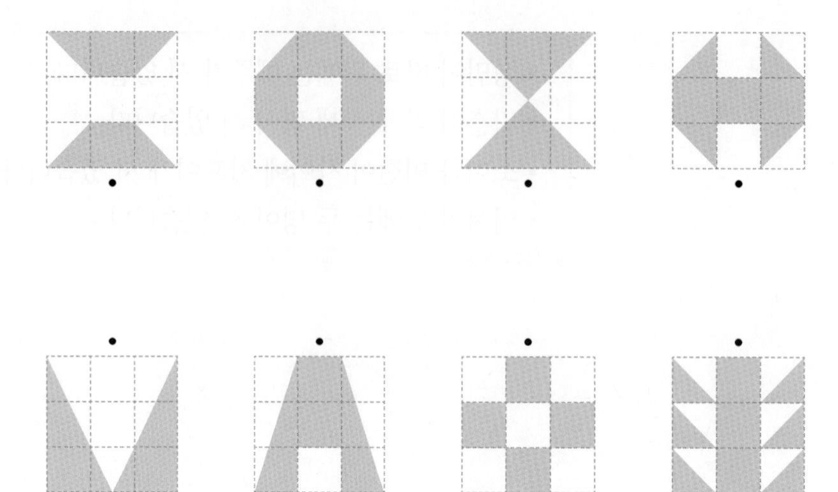

2 다음 중 넓이가 가장 넓은 것을 찾아 기호를 쓰시오.

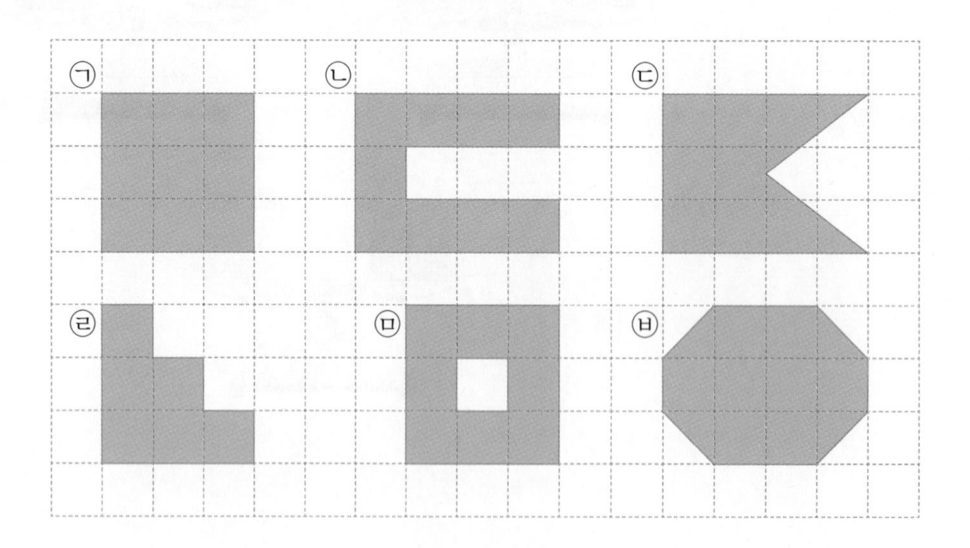

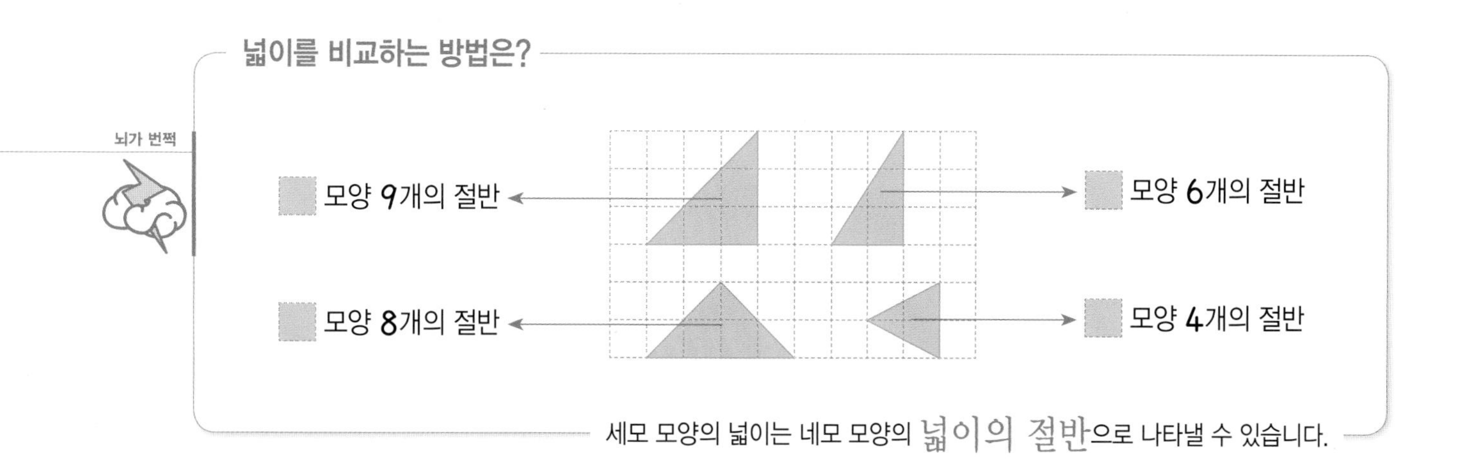

최상위 사고력

색칠한 모눈종이를 오른쪽 모양으로 자르려고 합니다. 색칠한 부분의 넓이가 가장 넓은 경우와 가장 좁은 경우의 모양을 그리시오.

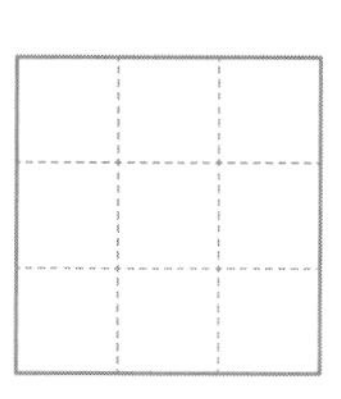

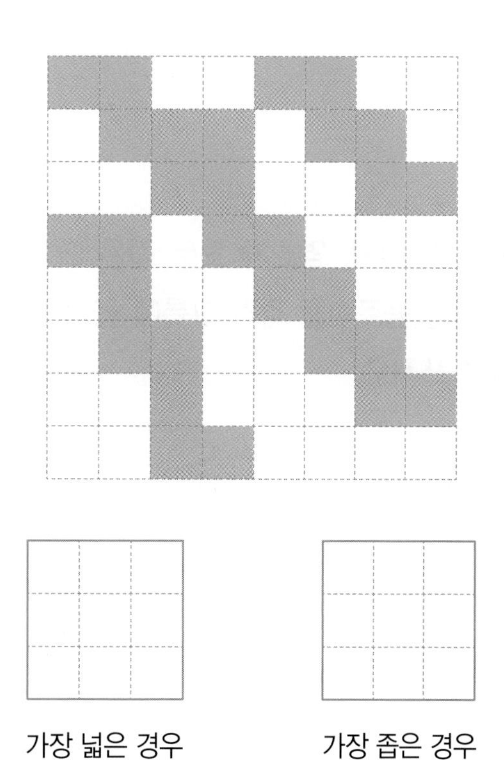

가장 넓은 경우 가장 좁은 경우

12-2. 들이 비교(1)

1 왼쪽 그릇에 담긴 주스를 옮겨 담은 모습으로 알맞은 것을 찾아 기호를 쓰시오.

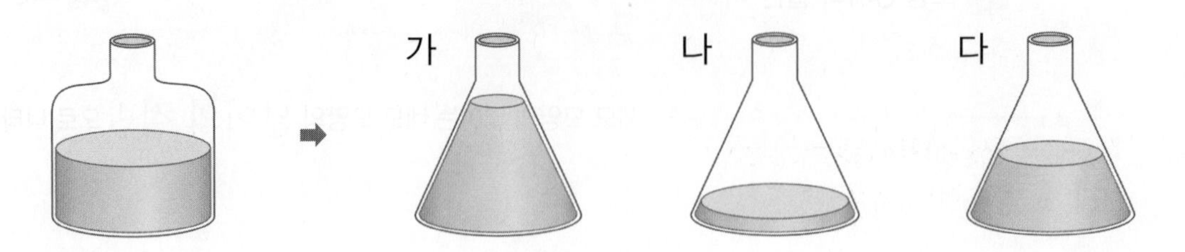

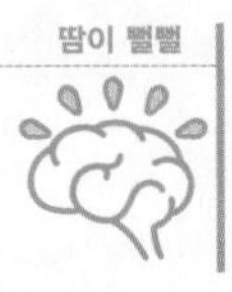

2 은호, 규현, 정우, 민지, 명호가 모두 같은 크기의 음료수를 1캔씩 샀습니다. 다음과 같이 마시고 남은 음료수를 각각 그릇에 옮겨 담았을 때 음료수를 많이 마신 사람부터 차례로 이름을 쓰시오.

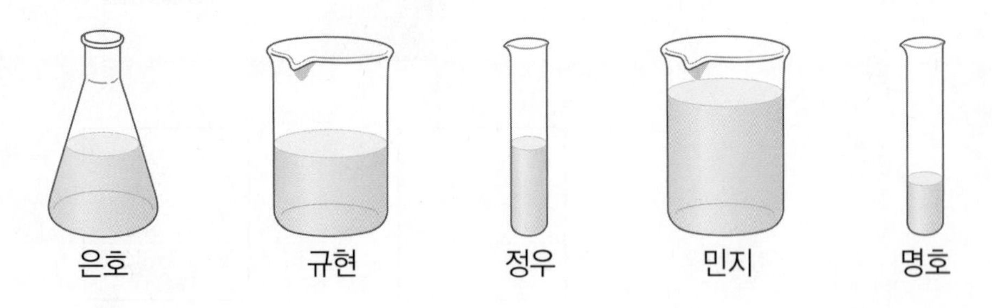

물의 양을 비교하는 방법은?

그릇의 크기가 같을 때	물의 높이가 같을 때
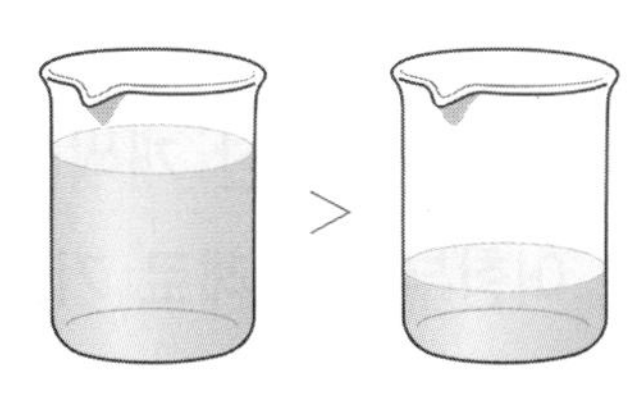	
물의 높이가 높은 그릇에 담긴 물의 양이 많습니다.	크기가 큰 그릇에 담긴 물의 양이 많습니다.

그릇의 크기 또는 물의 높이를 살펴봅니다.

최상위 사고력

크기가 모두 다른 물통 ㉠, ㉡, ㉢, ㉣이 있습니다. 물을 가장 많이 담을 수 있는 물통을 찾아 기호를 쓰시오.

- ㉠은 ㉡에 물을 가득 채워서 3번 부으면 가득 찹니다.
- ㉣에 물을 가득 채워서 ㉡에 부으면 반만 찹니다.
- ㉢은 ㉡에 물을 가득 채워서 2번 부으면 가득 찹니다.

정답과 풀이 72쪽 ►

12-3. 들이 비교(2)

1 다음과 같이 크기가 같은 어항에 크기가 다른 돌을 한 개씩 넣었더니 물의 높이가 모두 같아졌습니다. 넣은 돌의 크기가 큰 어항부터 차례로 기호를 쓰시오. (단, 돌을 넣었을 때 물은 넘치지 않았습니다.)

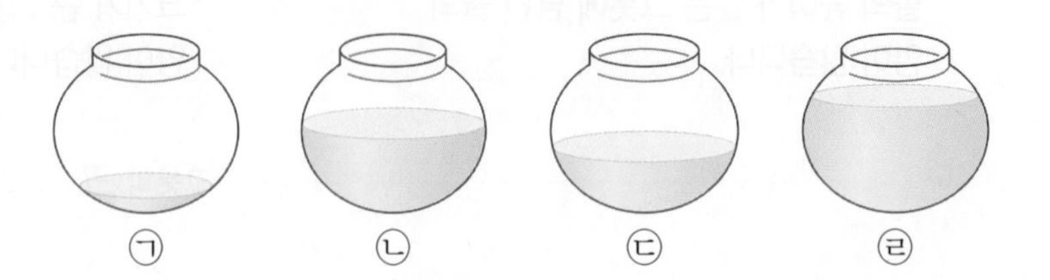

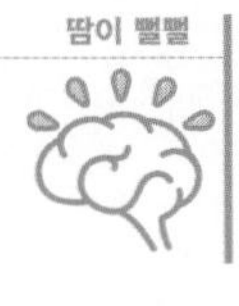

2 물이 들어 있는 비커에 구슬을 한 개 넣으면 물의 높이가 눈금 한 칸만큼 올라갑니다. 다음 설명을 보고 주머니의 주인을 찾아 이름을 써넣으시오.

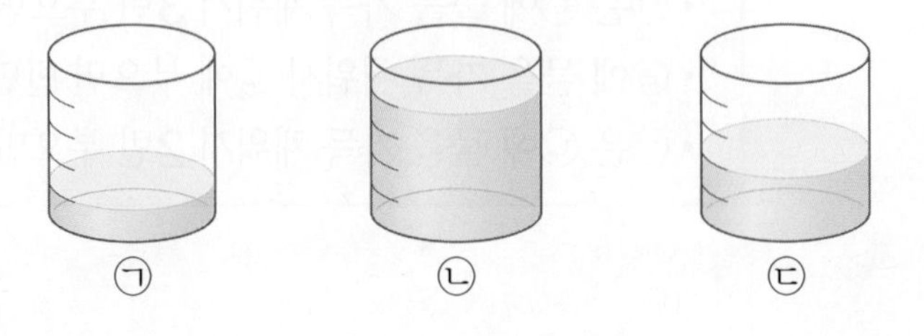

- ㉠에 정희의 주머니에 있는 구슬을 모두 넣으면 비커에 물이 가득 찹니다.
- ㉠에 세윤이와 민호의 주머니에 있는 구슬을 모두 넣으면 물의 높이가 ㉡과 같아집니다.
- ㉢에 세윤이의 주머니에 있는 구슬을 모두 넣으면 물의 높이가 ㉡과 같아집니다.

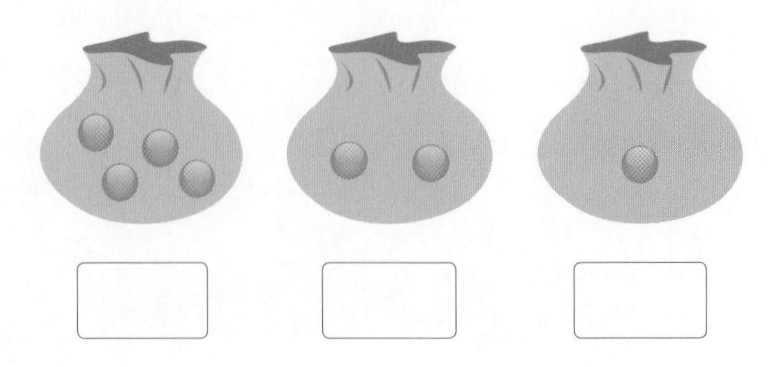

최상위 사고력 A

물이 들어 있는 비커에 구슬을 넣었더니 |보기|와 같이 물의 높이가 높아졌습니다. 비커에서 구슬을 모두 꺼냈을 때 물의 높이를 그리시오.

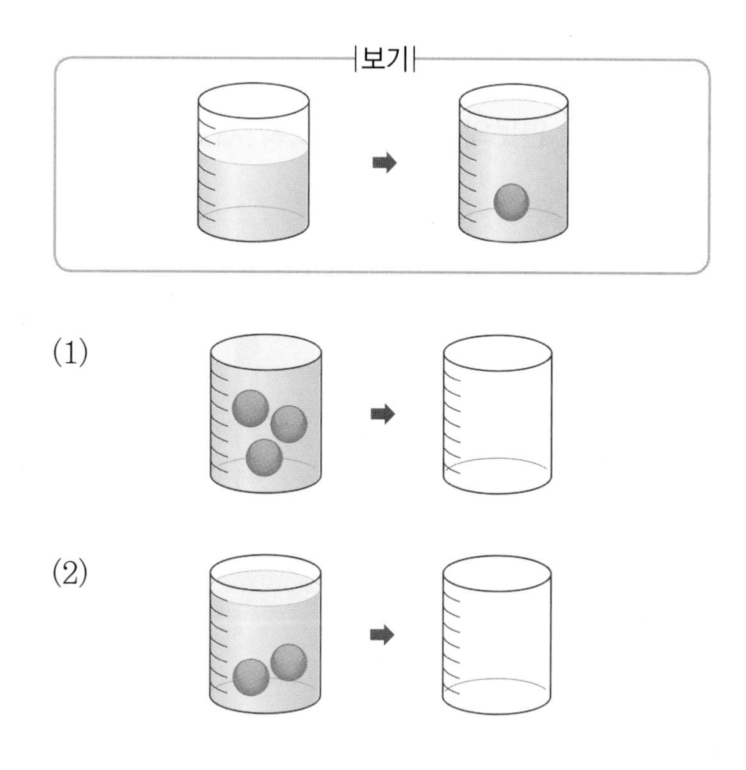

최상위 사고력 B

물이 들어 있는 비커에 구슬을 넣었더니 |보기|와 같이 물의 높이가 높아졌습니다. 크기가 같은 3개의 비커 중 ㉡과 ㉢에 구슬을 넣어 ㉠, ㉡, ㉢ 비커의 물의 높이가 모두 같아졌을 때 처음 들어 있던 물의 양이 가장 많은 비커부터 차례로 기호를 쓰시오.

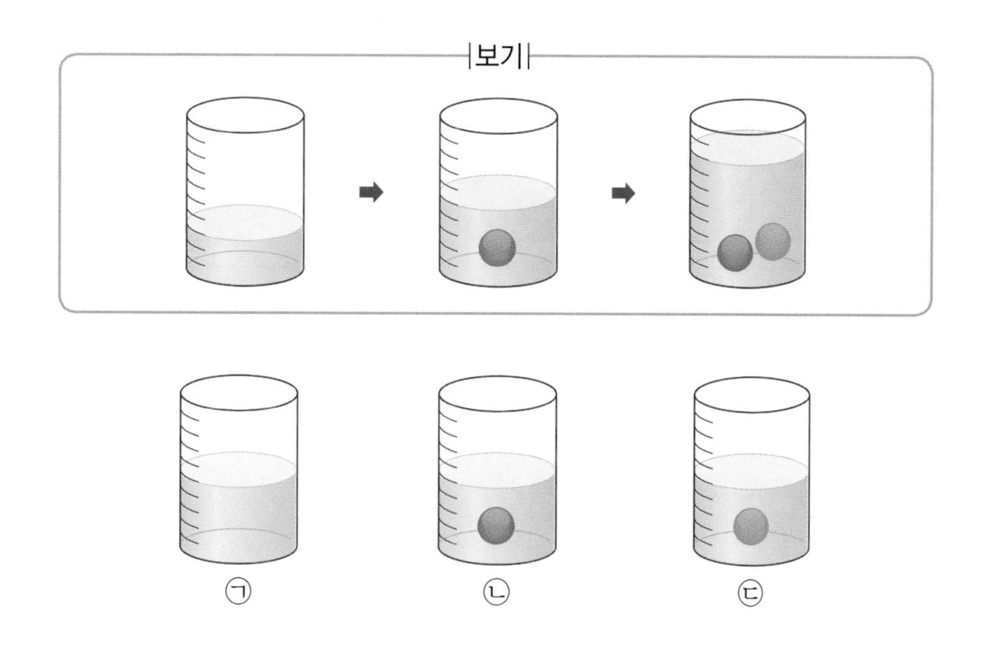

㉠ ㉡ ㉢

정답과 풀이 73쪽 ►

최상위 사고력

1 길이가 같은 막대를 연못의 바닥에 닿도록 세웠습니다. 연못의 깊이가 가장 깊은 곳의 기호를 쓰시오.

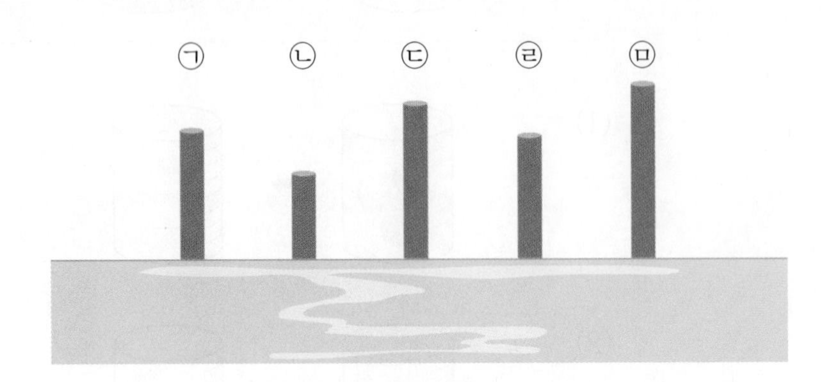

2 물이 들어 있는 비커에 구슬을 한 개씩 넣었더니 |보기|와 같이 물의 높이가 높아졌습니다. 물음에 답하시오.

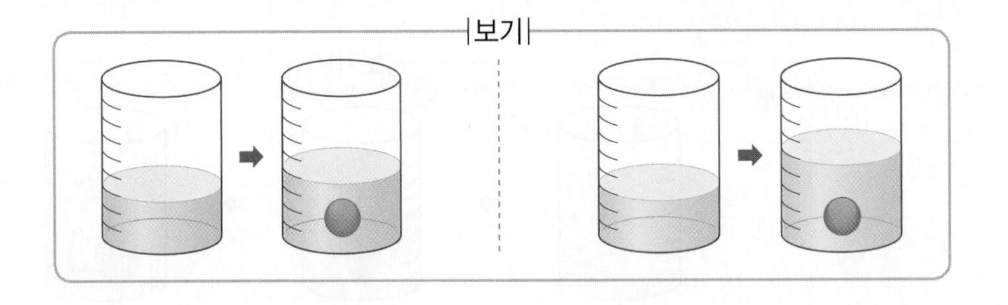

(1) 파란색 구슬을 몇 개 넣을 때 처음으로 물이 넘치는지 구하시오.

(2) 빨간색 구슬을 몇 개 넣을 때 처음으로 물이 넘치는지 구하시오.

3 다음과 같이 스케치북에 크레파스로 색칠했습니다. 가장 넓은 부분을 색칠한 것은 무슨 색입니까?

| 경시대회 기출 |

4 |보기|와 같이 색칠된 투명 판 2개를 골라 완전히 포개어지게 겹쳤을 때 색칠한 부분의 넓이가 가장 넓은 것은 몇 번과 몇 번입니까? (단, 투명 판을 돌리거나 뒤집지 않습니다.)

문제풀이

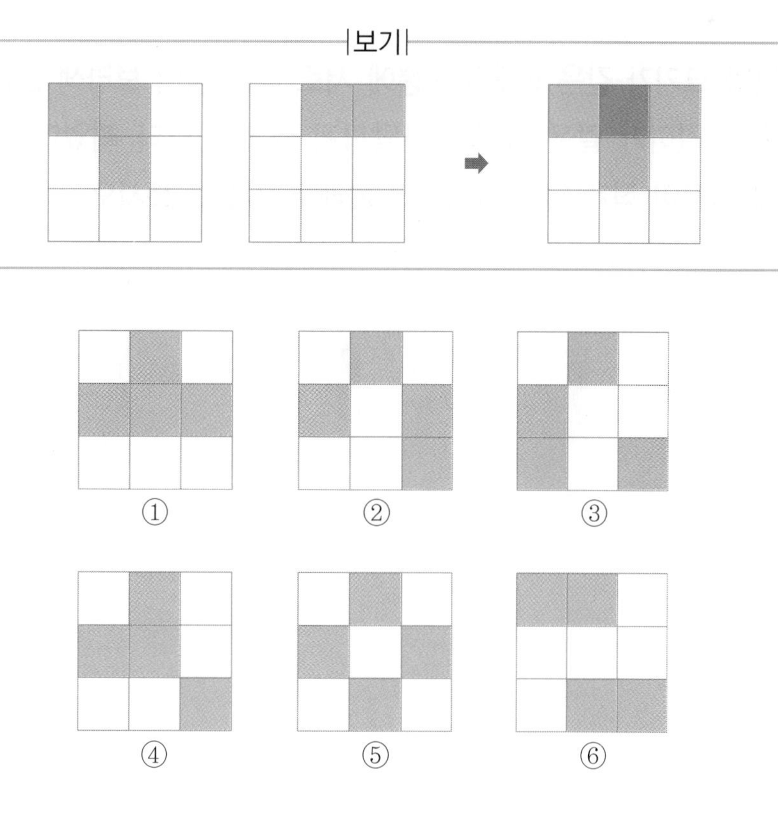

정답과 풀이 74쪽 ►

1 지효는 놀이공원에서 사격 게임을 했습니다. 지효가 맞힌 과녁에 써있는 선물을 받을 때 가장 받기 어려운 선물은 무엇입니까?

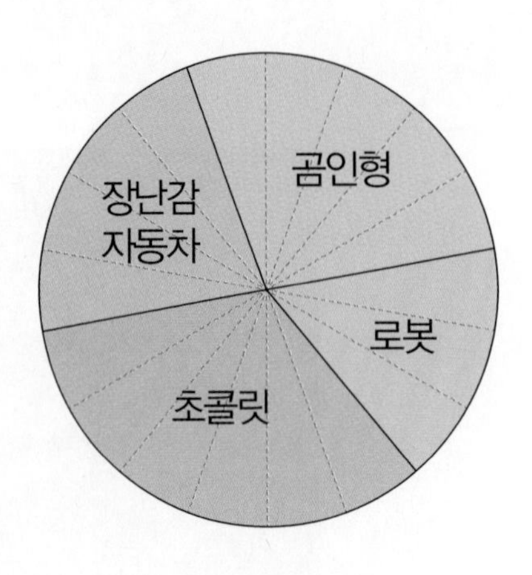

2 모양과 크기가 같은 4개의 물통에 서로 다른 양의 보라색 물감이 담겨 있습니다. 각각의 물통에 길이가 같은 막대를 바닥까지 닿게 넣었다 빼었더니 다음과 같습니다. 그림을 보고 물감이 적게 담긴 물통부터 차례로 기호를 쓰시오.

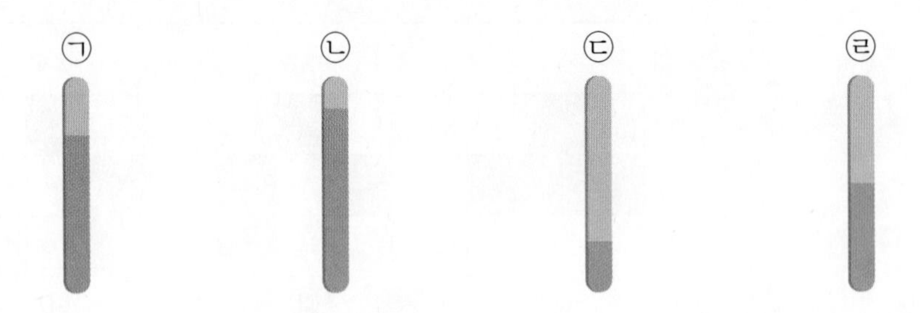

3 가장 무거운 동물부터 차례로 쓰시오.

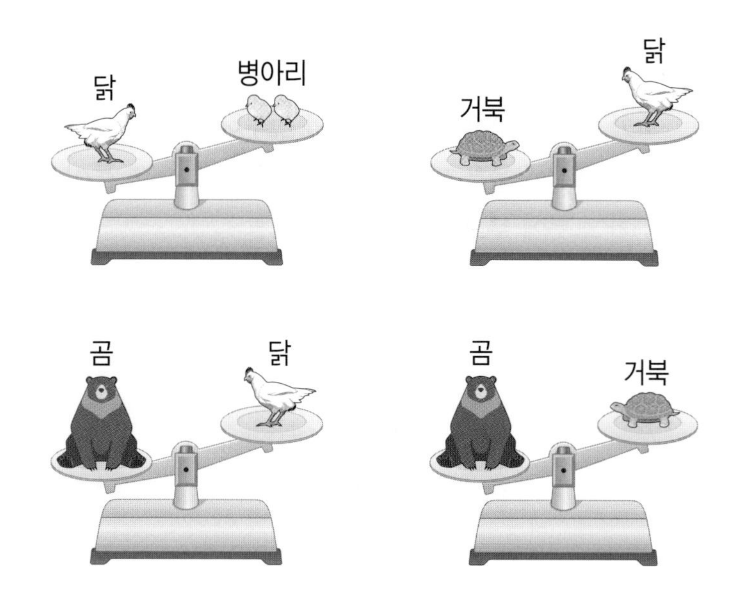

4 똑같은 용수철에 지우개, 크레파스, 연필, 야구공을 매달았더니 다음과 같이 용수철이 늘어났습니다. 가벼운 것부터 차례로 쓰시오.

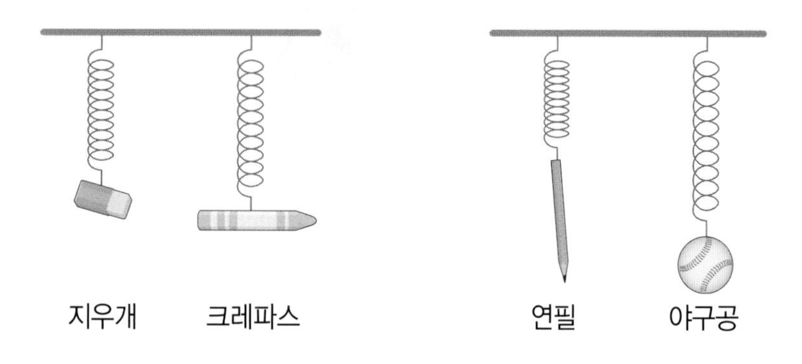

5

가, 나, 다, 라 그릇 중 들이가 가장 큰 그릇의 기호를 쓰시오.

- 가 그릇에 물을 가득 채워 라 그릇에 세 번 부으면 가득 찹니다.
- 가 그릇에 물을 가득 채워 나 그릇에 부으면 물이 넘칩니다.
- 다 그릇에 물을 가득 채워 라 그릇에 부으면 물이 그릇의 절반만 차고, 가 그릇에 부으면 물이 넘칩니다.

6

지우네 집에서 성현이네 집까지 가는 가장 짧은 길은 모두 몇 가지입니까? (단, 공사 중인 길은 지나갈 수 없습니다.)

정답과 풀이 75쪽 ►

수(2)

13-1. 줄서기

1 20명의 학생들이 한 줄로 서 있습니다. 지운이는 왼쪽에서 15번째에 서 있고, 명인이는 오른쪽에서 18번째에 서 있을 때 지운이와 명인이 사이에 서 있는 학생은 몇 명입니까?

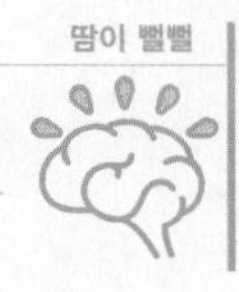

2 동화책이 책장에 나란히 꽂혀 있습니다. 「인어공주」는 왼쪽에서 8번째에 꽂혀 있고, 「헨젤과 그레텔」은 오른쪽에서 5번째에 꽂혀 있습니다. 「인어공주」와 「헨젤과 그레텔」 사이에 「정글북」 한 권만 꽂혀 있다면 책장에 동화책이 가장 많이 꽂혀 있을 때와 가장 적게 꽂혀 있을 때의 동화책 수를 차례로 구하시오.

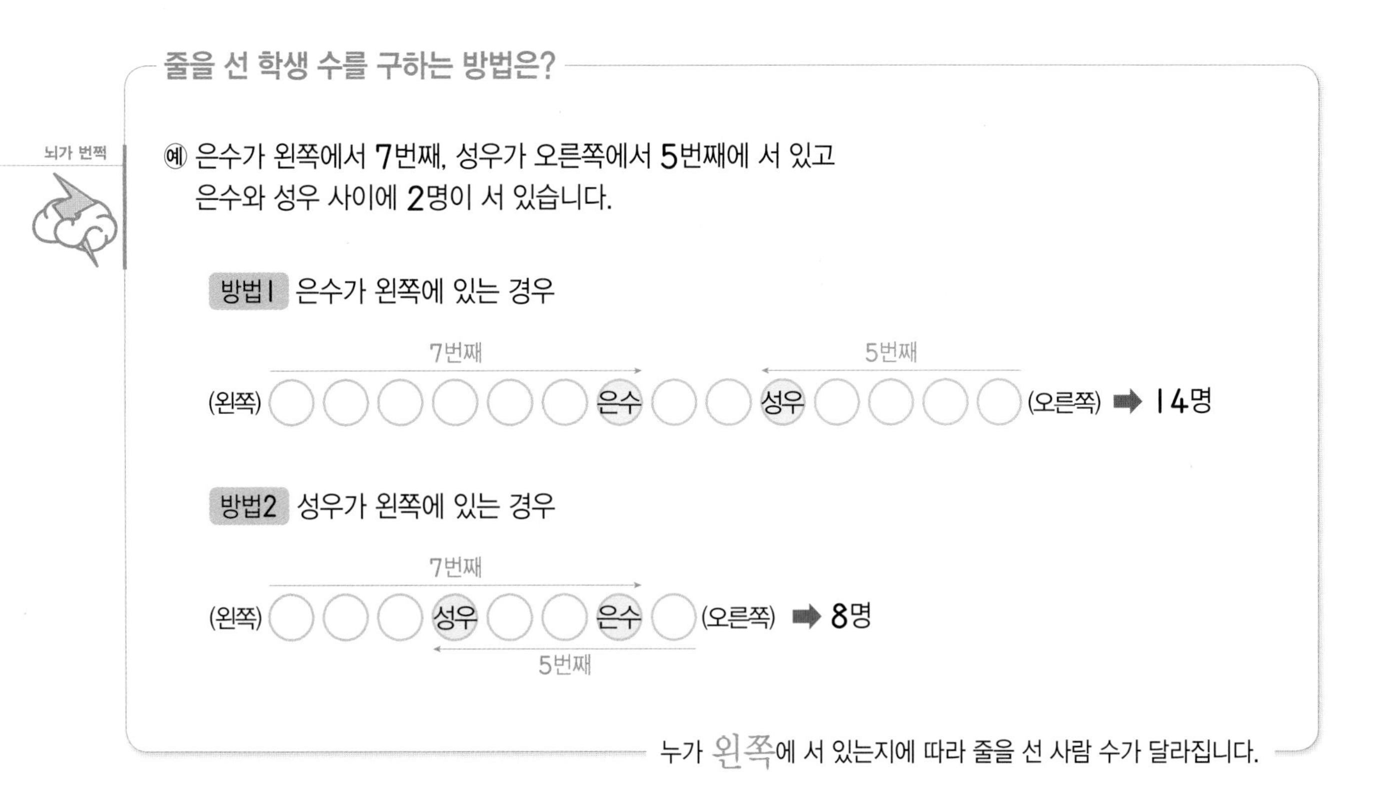

최상위 사고력

15명의 여학생과 남학생이 한 줄로 서 있습니다. 명호는 왼쪽에서 12번째에 서 있고, 성윤이는 오른쪽에서 11번째에 서 있습니다. 여학생은 명호와 성윤이 사이에만 서 있고 명호와 성윤이 사이에 남학생은 없을 때 남학생은 몇 명입니까? (단, 명호와 성윤이는 남학생입니다.)

정답과 풀이 77쪽 ►

13-2. 수의 크기 비교

1 화살표가 가리키는 방향의 수가 더 큰 수가 되도록 다음 수들을 □ 안에 알맞게 써넣으시오.

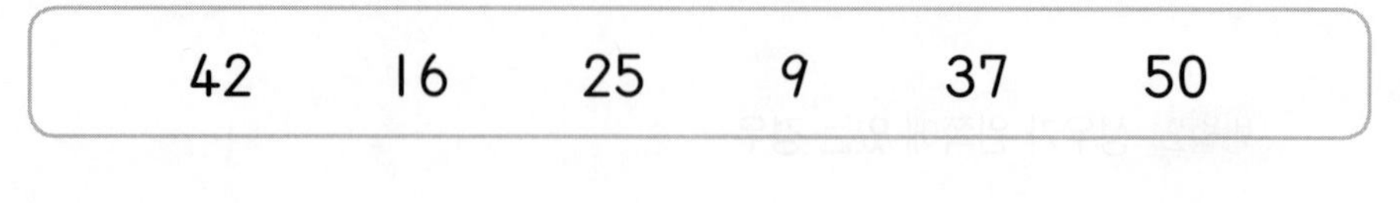

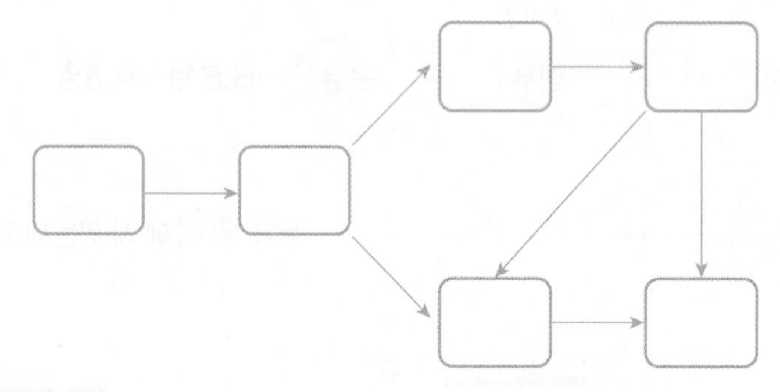

땀이 뻘뻘

2 1부터 9까지의 수 중에서 □ 안에 들어갈 수 있는 수를 모두 구하시오.

(1) $42 > \square 5$

(2) $19 < \square 6 < 42$

세 수의 크기를 비교하는 방법은?

$\underbrace{16 < \square 4}_{①} \quad \underbrace{\square 4 < 43}_{②}$

① $16 < \square 4$ ➡ $\square$ = ②, ③, 4, 5, 6……

② $\square 4 < 43$ ➡ $\square$ = 1, ②, ③

따라서 □ 안에 알맞은 수는 2, 3입니다.

두 개의 식으로 나누어 크기 비교를 합니다.

최상위 사고력

다음은 정우, 미연, 상호, 은주가 농장에서 딴 딸기의 수를 나타낸 표입니다. |조건|을 보고 상호가 딴 딸기는 몇 개인지 구하시오.

이름	정우	미연	상호	은주
딸기의 수(개)	35	4□		□7

|조건|

- 상호가 딴 딸기의 수는 미연이가 딴 딸기의 수보다 많습니다.
- 은주가 딴 딸기의 수는 친구들 중 가장 많고 50개보다는 적습니다.
- 미연이가 딴 딸기의 수는 정우가 딴 딸기의 수보다 10개 더 많습니다.

정답과 풀이 78쪽 ►

13-3. 수 퍼즐

1 |보기|와 같이 주어진 수를 한 번씩 모두 사용하여 퍼즐을 완성하시오.

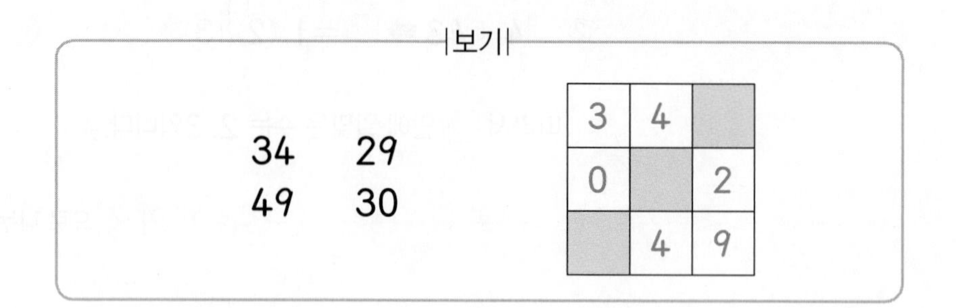

47	33	22	35
21	17	41	32

	3	■	
	■	2	
■			■
		■	■

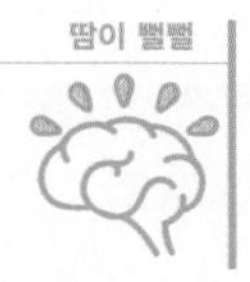

2 ○ 안에 놓인 수는 그 줄에 놓인 수 중 가장 큰 수를 나타낸 것입니다. 빈칸에 11부터 19까지의 수를 한 번씩 모두 써넣으시오.

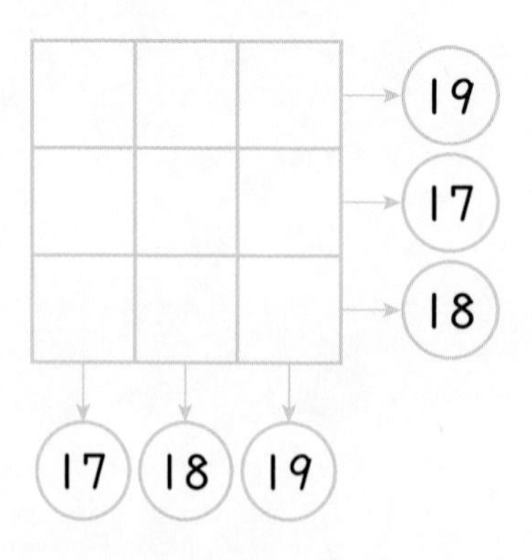

최상위 사고력

|보기|는 → 방향으로 2씩 커지고, ↓ 방향으로 1씩 작아지도록 수를 채운 것입니다. 물음에 답하시오.

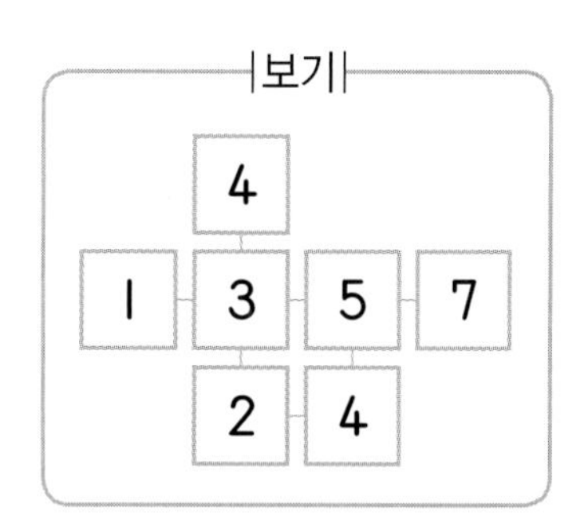

(1) 가장 작은 수가 5일 때 빈칸에 알맞은 수를 써넣으시오.

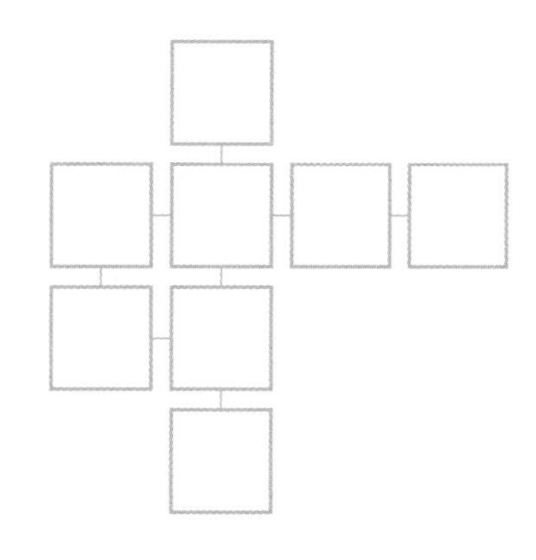

(2) 17이 두 번 들어갈 때 빈칸에 알맞은 수를 써넣으시오.

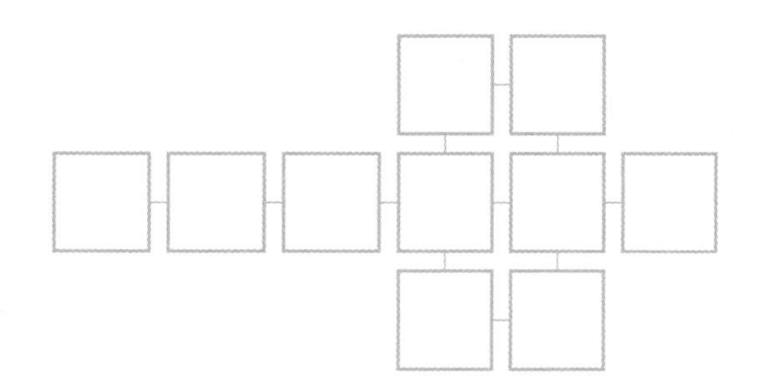

정답과 풀이 79쪽 ►

1 1부터 2씩 뛰어 세기 하여 출발부터 도착까지 길을 그리시오.

출발 ➡

1	2	13	15	17	19
3	4	11	5	19	7
5	7	9	11	21	23
7	33	31	29	27	25
37	35	36	46	28	27
39	41	43	46	47	49
41	42	45	47	49	14

⬇ 도착

2 화살표가 가리키는 방향의 수가 더 큰 수가 되도록 다음 수들을 빈칸에 알맞게 써넣으시오.

36	45	19	41	23

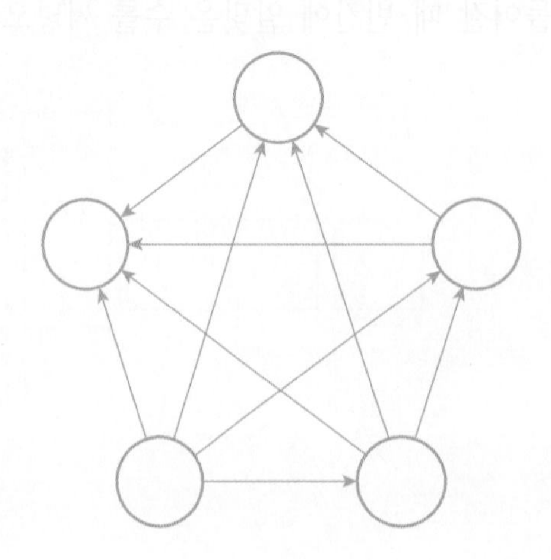

3

파란색 구슬 1개, 빨간색 구슬 1개, 초록색 구슬 여러 개를 나란히 놓으려고 합니다. 왼쪽에서 13번째에 파란색 구슬, 오른쪽에서 8번째에 빨간색 구슬을 놓고, 파란색 구슬과 빨간색 구슬 사이에 초록색 구슬 5개를 놓으려고 합니다. 초록색 구슬을 가장 적게 놓으려면 초록색 구슬 몇 개를 놓아야 합니까?

4

은서, 민희, 경주, 도훈이가 각각 1부터 50까지의 수가 쓰여 있는 서로 다른 수 카드 중에서 한 장씩 골랐습니다. |조건|을 보고 경주가 고른 수 카드의 수를 구하시오.

43	□5	□7	3□
은서	민희	경주	도훈

|조건|

- 은서의 수 카드는 도훈이의 수 카드보다 10 큰 수입니다.
- 도훈이의 수 카드가 가장 작습니다.
- 민희의 수 카드는 친구들의 수 카드 중 가장 큽니다.

정답과 풀이 80쪽 ►

14-1. 나열된 수의 규칙 찾기

1 규칙에 따라 수를 나열했습니다. 8번째 빈칸에 알맞은 두 수를 써넣으시오.

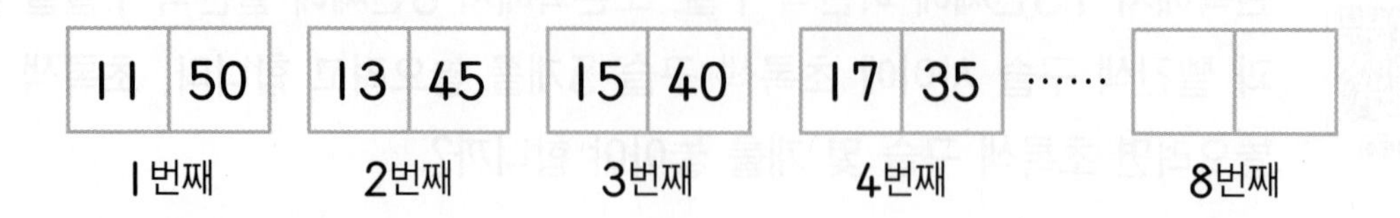

땀이 뻘뻘

2 지현이와 미주가 규칙에 따라 수를 7개씩 나열했습니다. 두 사람이 나열한 수를 작은 수부터 차례로 썼을 때 7번째 수는 얼마입니까?

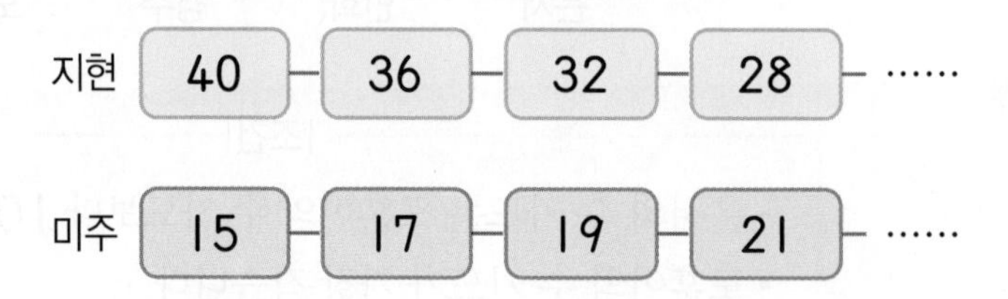

나열된 수의 규칙을 어떻게 찾을까?

뇌가 번쩍

① 수 묶음

1, 1, 2, 1, 2, 3……

↓

(1), (1, 2), (1, 2, 3)……

② 이웃한 수

2, 5, 8, 11, 14, 17……

+3 +3

③ 앞의 두 수와 그 다음 수

1+1=2

0, 1, 1, 2, 3, 5……

0+1=1

④ 짝수 번째 수와 홀수 번째 수

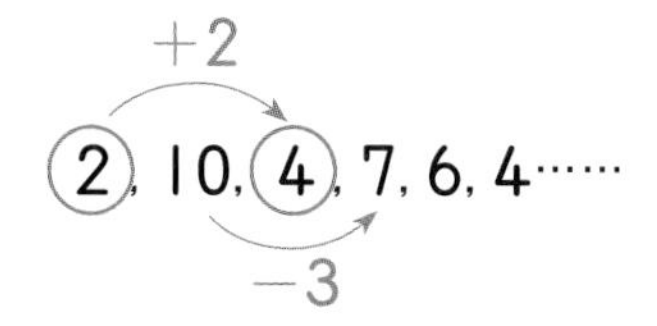

나열된 수들 사이의 관계를 살펴봅니다.

최상위 사고력

다음 |조건|을 만족하는 수 중 가장 작은 수를 구하시오.

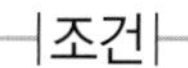

- 30보다 크고 50보다 작은 수입니다.
- 49, 46, 43, 40……과 같은 규칙으로 나열한 수 중의 하나입니다.
- 1, 2, 4, 7, 11……과 같은 규칙으로 나열한 수 중의 하나입니다.

14-2. 수 배열표

1 일정한 규칙에 따라 수를 배열한 표의 일부분입니다. ★과 ♣에 알맞은 수를 차례로 구하시오.

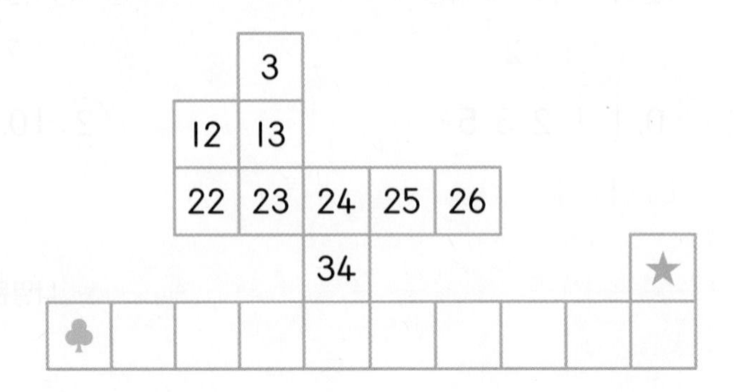

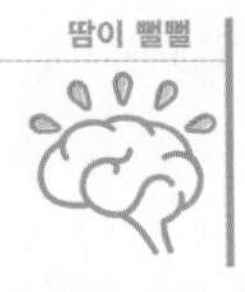

2 다음과 같은 규칙으로 1부터 50까지의 수를 차례로 썼습니다. 색칠한 칸의 수 중에서 10개씩 묶음의 수가 4인 수를 모두 구하시오.

1	2	3	4	5
10	9	8	7	6
11	12	13	14	15

⋮

뇌가 번쩍

수 배열표에서 규칙을 찾는 방법은?

1	2	3
4	5	6
7	8	9

1	2	3
6	5	4
7	8	9

1	2	3
8	9	4
7	6	5

1	6	7
2	5	8
3	4	9

1부터 1씩 커지는 수를 선으로 이어 봅니다.

최상위 사고력

다음과 같은 규칙으로 1부터 차례로 수를 써넣으려고 합니다. 33의 바로 왼쪽 칸의 수를 구하시오.

1	10	11
2	9	12
3	8	
4	7	
5	6	

……

정답과 풀이 82쪽 ►

14-3. 규칙을 이용하여 나타낸 수

1 다음은 고대 마야의 수를 나타낸 것입니다. 고대 마야의 수를 보고 규칙을 찾아 □ 안에 알맞은 수를 써넣으시오.

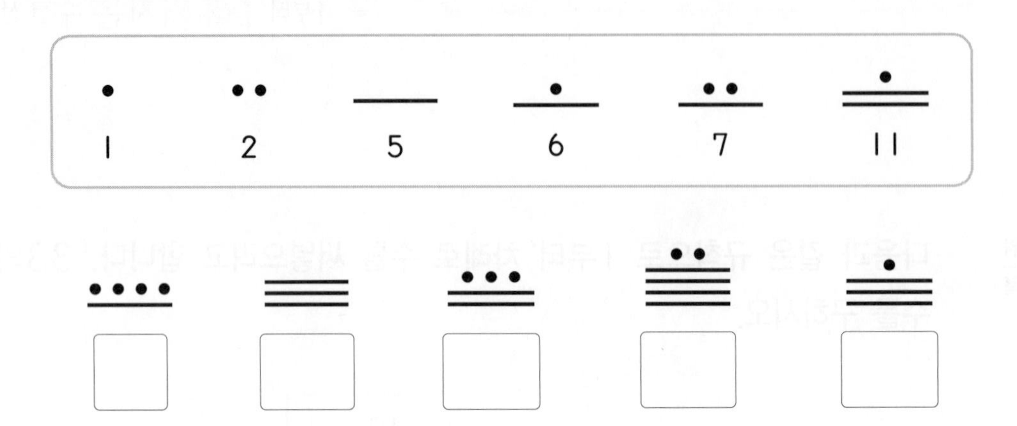

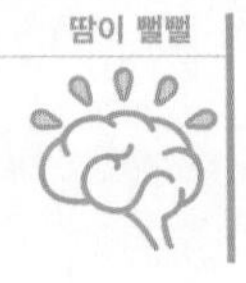

2 다음과 같은 규칙을 보고 ●●●●★☆☆이 나타내는 수를 구하시오.

규칙을 이용하여 나타낸 수의 규칙을 어떻게 찾을까?

뇌가 번쩍

방법1 모양으로 수 나타내기

▲=10, ■=1 ➡ ▲■■■=13

방법2 위치로 수 나타내기

● ● ● ➡ ●○●=4+1=5

4 2 1

모양이나 위치가 나타내는 수를 찾습니다.

최상위 사고력

다음은 ◯ 안의 모양들이 나타내는 수들의 합을 가운데 ◯ 안에 써넣은 것입니다. 규칙을 찾아 ◯ 안에 알맞은 수를 써넣으시오.

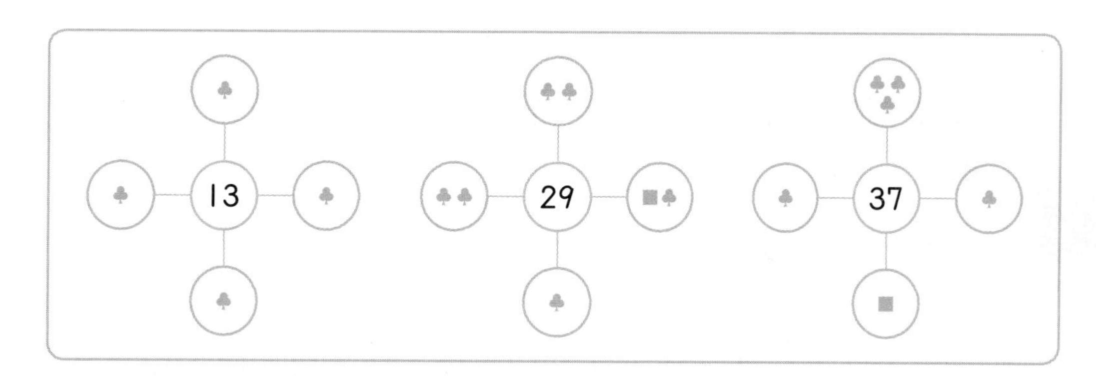

(1)

(2)

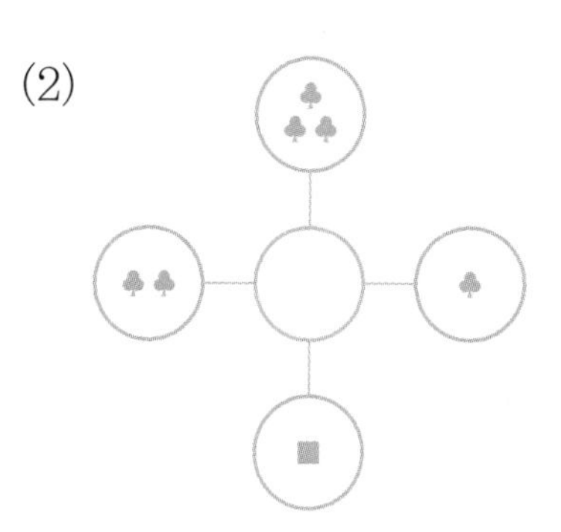

TIP 모양이 없는 곳이 나타내는 수는 0입니다.

정답과 풀이 83쪽 ►

최상위 사고력

1 다음은 어느 해 8월 달력의 일부분입니다. 8월의 목요일의 날짜를 모두 구하시오.

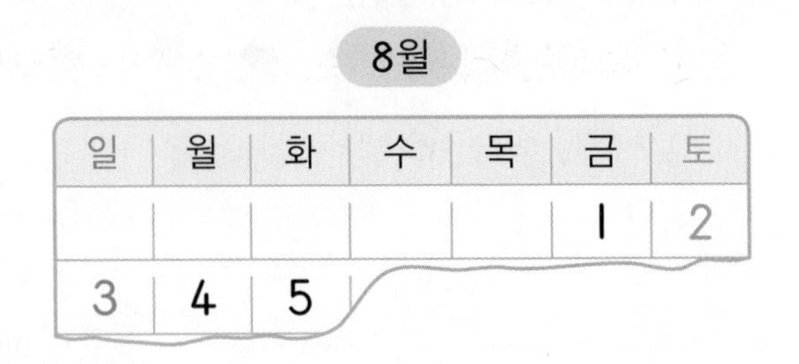

2 다음과 같은 규칙으로 1부터 차례로 수를 써넣으려고 합니다. 색칠된 칸에 알맞은 수를 써넣으시오.

1	2	3	4	5	6	7	8	9	10
20	19	18	17	16	15	14	13	12	11

3 다음 |조건|을 만족하는 수를 구하시오.

|조건|
- 10보다 크고 30보다 작은 수입니다.
- 48, 44, 40, 36……과 같은 규칙으로 나열한 수 중 하나입니다.
- 5, 10, 15, 20……과 같은 규칙으로 나열한 수 중 하나입니다.

4 다음과 같은 규칙으로 수를 나타내려고 합니다. 빈칸에 알맞은 수를 써넣으시오.

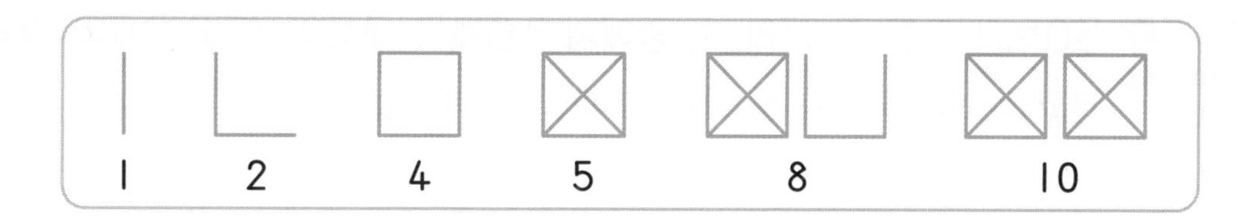

(1)

(2)

정답과 풀이 84쪽 ►

15-1. 조건을 만족하는 수

1 50까지의 두 자리 수 중에서 10개씩 묶음의 수와 낱개의 수의 차가 3인 수를 작은 수부터 차례로 쓸 때 5번째 수를 구하시오.

땀이 뻘뻘

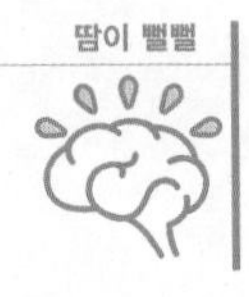

2 50보다 작은 두 자리 수 중에서 10개씩 묶음의 수와 낱개의 수의 합이 5보다 크고 8보다 작은 수는 모두 몇 개인지 구하시오.

뇌가 번쩍

조건을 만족하는 수는 어떻게 구할까?

조건1 10개씩 묶음의 수와 낱개의 수의 합이 6보다 크고, 9보다 작습니다.

16, 17, (25), (26), (34), (35), 43, 44……

조건2 20보다 크고 40보다 작은 수입니다.

21 …… (25), (26) …… (34), (35) ……, 39

➡ 조건을 만족하는 수는 25, 26, 34, 35입니다.

각각의 조건을 만족하는 수를 구한 다음 모든 조건을 만족하는 수를 구합니다.

최상위 사고력

다음 |조건|을 만족하는 두 자리 수를 모두 구하시오.

|조건|

- 10개씩 묶음의 수와 낱개의 수의 합이 5보다 작습니다.
- 10개씩 묶음의 수가 낱개의 수보다 큽니다.
- 10개씩 묶음의 수와 낱개의 수의 차는 2보다 큽니다.

정답과 풀이 85쪽 ►

15-2. 수 카드로 수 만들기

1 다음 수 카드를 한 번씩만 사용하여 만들 수 있는 두 자리 수 중에서 10개씩 묶음의 수가 낱개의 수보다 큰 수를 모두 구하시오.

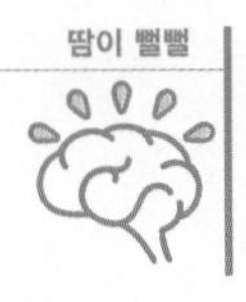

2 다음 수 카드를 한 번씩만 사용하여 만들 수 있는 두 자리 수를 작은 수부터 차례로 쓸 때 7번째 수를 구하시오.

0 1 2 3 4

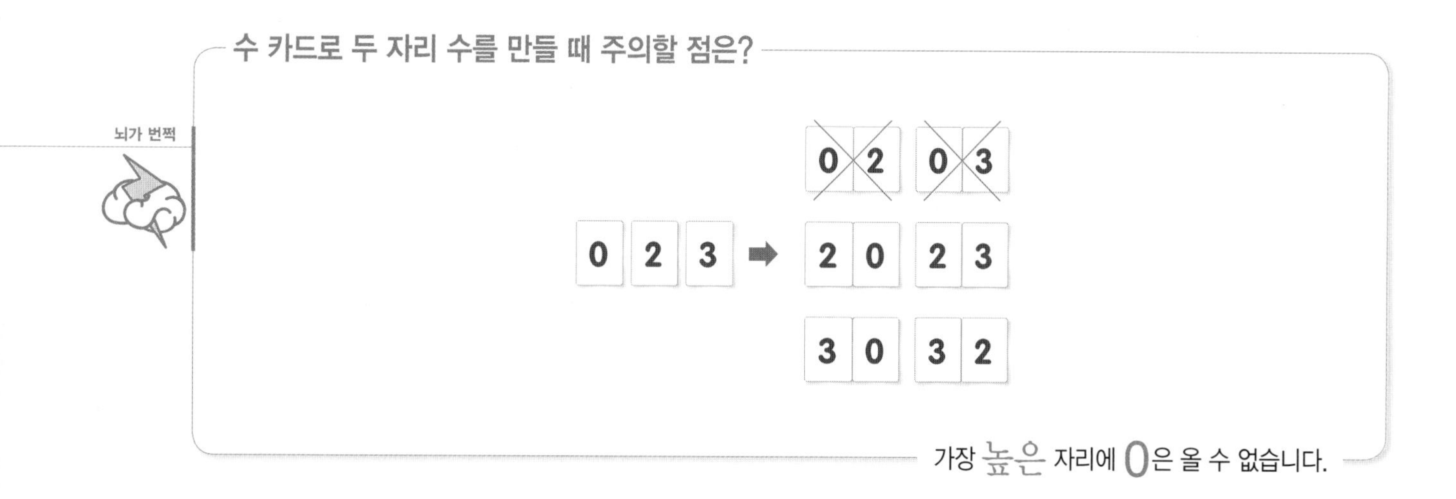

최상위 사고력 다음 수 카드를 한 번씩만 사용하여 만들 수 있는 두 자리 수 중에서 30보다 작은 수는 모두 몇 개인지 구하시오.

정답과 풀이 86쪽 ►

15-3. 숫자와 수의 개수

1 지은이가 은행에서 대기표를 뽑았더니 번호가 50이었습니다. 지은이보다 먼저 대기표를 뽑은 사람 중에서 번호에 4가 있는 사람은 몇 명입니까?

2 다음 중 개수가 더 많은 것에 ○표 하시오.

1부터 50까지의 홀수를 차례로 쓸 때 숫자 1의 개수	1부터 50까지의 짝수를 차례로 쓸 때 숫자 0이 포함된 수의 개수
(　　　)	(　　　)

숫자와 수의 개수를 쉽게 구할 수 있는 방법은?

	수의 개수	숫자의 개수
1부터 9까지	9개	9개
10부터 30까지	21개	21+21=42(개)
1부터 30까지	30개	9+42=51(개)

한 자리 수와 두 자리 수로 나누어 생각합니다.

최상위 사고력

0부터 9까지의 숫자 붙임딱지로 1부터 50까지의 수를 만들려고 합니다. 숫자 붙임딱지는 각각 몇 개가 필요한지 표를 완성하시오.

숫자	0	1	2	3	4	5	6	7	8	9
붙임딱지 수(개)										

TIP '수'는 많고 적음을 비교하거나 잴 수 있는 크기의 양, 범위, 순서 등을 말하고, '숫자'는 수를 표시하기 위한 기호를 말합니다.

정답과 풀이 86쪽 ►

최상위 사고력

1 다음 수 카드를 한 번씩만 사용하여 만들 수 있는 두 자리 수 중에서 25보다 크고 45보다 작은 수는 모두 몇 개입니까?

0 1 2 3 4 5 6 7 8 9

2 다음 |조건|을 만족하는 수를 구하시오.

|조건|

- 10보다 크고 50보다 작습니다.
- 10개씩 묶음의 수와 낱개의 수의 합은 9입니다.
- 낱개의 수는 10개씩 묶음의 수보다 3 큽니다.

3

10부터 50까지의 수 중에서 10개씩 묶음의 수와 낱개의 수의 합이 6 또는 7인 수를 큰 수부터 차례로 쓸 때 5번째 수를 구하시오.

| 경시대회 기출 |

4

42에서 숫자 4를 지운 수는 2이고, 숫자 2를 지운 수는 4입니다. 10부터 50까지의 수 중에서 숫자 한 개를 지우면 3이 될 수 있는 수 중 10번째로 큰 수는 얼마입니까?

문제풀이

정답과 풀이 88쪽 ►

1 다음 수 카드를 한 번씩만 사용하여 만들 수 있는 두 자리 수 중에서 32보다 크고 45보다 작은 수는 모두 몇 개입니까?

0 1 2 3 4 5

2 다음 |조건|을 만족하는 수를 모두 구하시오.

|조건|

- 30보다 크고 50보다 작은 수입니다.
- 낱개의 수가 10개씩 묶음의 수보다 큽니다.
- 10개씩 묶음의 수와 낱개의 수의 합이 9보다 작습니다.

3 일정한 규칙으로 수를 늘어놓았습니다. 16번째 수를 구하시오.

2, 3, 4, 6, 6, 9, 8, 12 ……

4 1부터 50까지의 수가 쓰여 있는 수 카드가 50장 있습니다. 이 중에서 3 또는 4가 쓰여 있는 수 카드는 모두 몇 장입니까? (단, 3과 4가 동시에 쓰여 있는 수 카드는 한 장으로 생각합니다.)

정답과 풀이 89쪽 ►

5 버스 정류장에 30명의 사람들이 한 줄로 서 있습니다. 지우는 앞에서 18번째에 서 있고, 윤지는 뒤에서 6번째에 서 있습니다. 지우와 윤지 사이에 서 있는 사람은 몇 명인지 구하시오.

6 |보기|와 같은 방법으로 10보다 크고 50보다 작은 수 중에서 연속한 수를 나열했더니 양 끝이 모두 3이고, 두 수 사이의 숫자는 8개였습니다. 나열한 연속한 수를 모두 구하시오.

|보기|

10, 11, 12, 13 ➡ 10111213

정답과 풀이 89쪽 ►

초등수학은 디딤돌!

아이의 학습 능력과 학습 목표에 따라
맞춤 선택을 할 수 있도록
다양한 교재를 제공합니다.

문제해결력 강화 문제유형, 응용

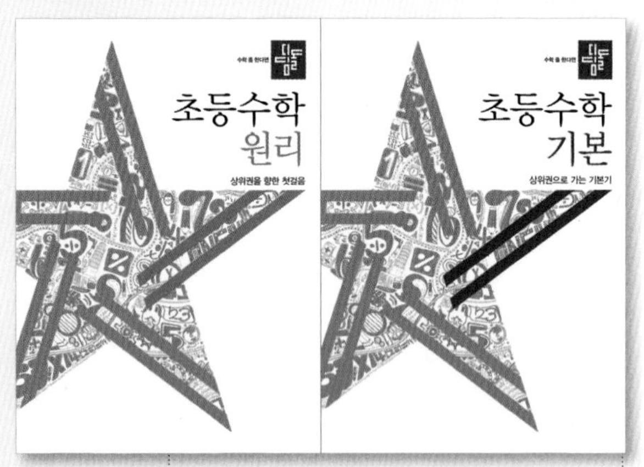

연산력 강화
최상위 연산

최상위
연산은
수학이다.

개념 + 문제해결력 강화를 동시에
기본+유형, 기본+응용

정답과 풀이

초등 1A

초등 1A

상위권의 기준

최상위 사고력

수학 좀 한다면

최상위 사고력 **SPEED 정답 체크**

I 수(1)

최상위 사고력 1 수를 이용한 퍼즐 10~17쪽

1-1. 칸 수 미로

1 (1)

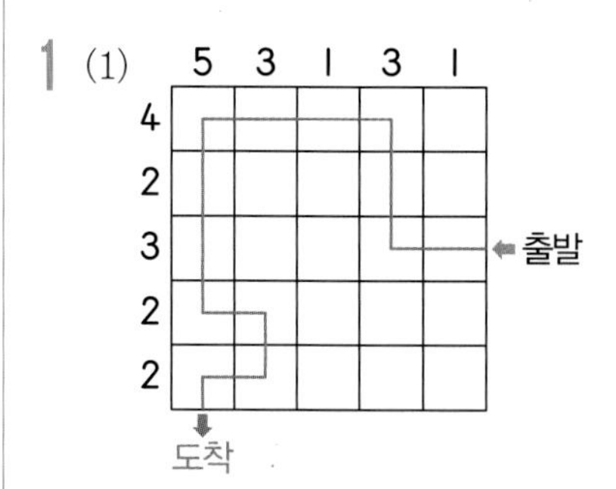

(2)

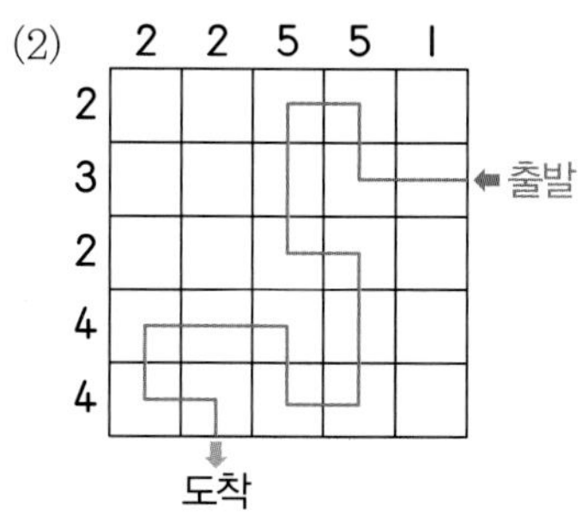

최상위 사고력

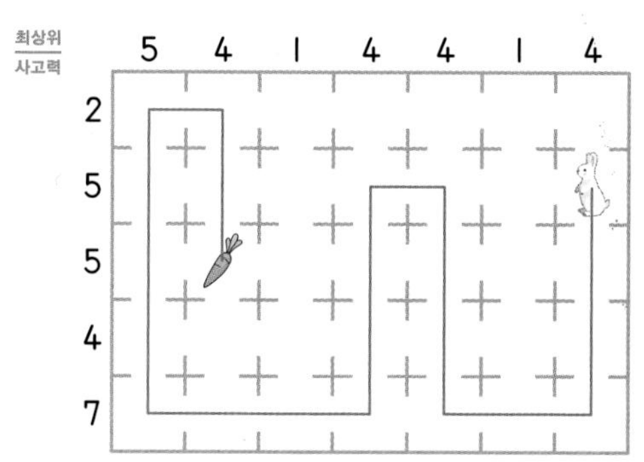

1-2. 1 큰 수, 1 작은 수

1 3점

2 (1) 1번, 3번, 5번, 6번, 8번 (2) 2번, 3번, 6번, 7번

최상위 사고력 (1) 예

6	8	5
1	4	2
3	7	9

(2) 예

1	3	6
7	5	9
2	8	4

1-3. 화살표 퍼즐

1 예

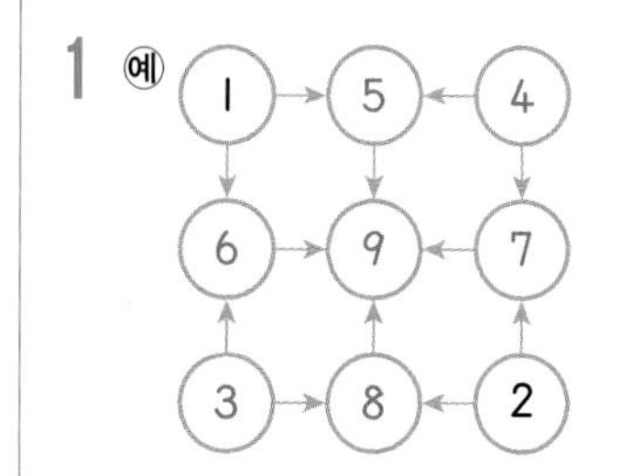

2 예

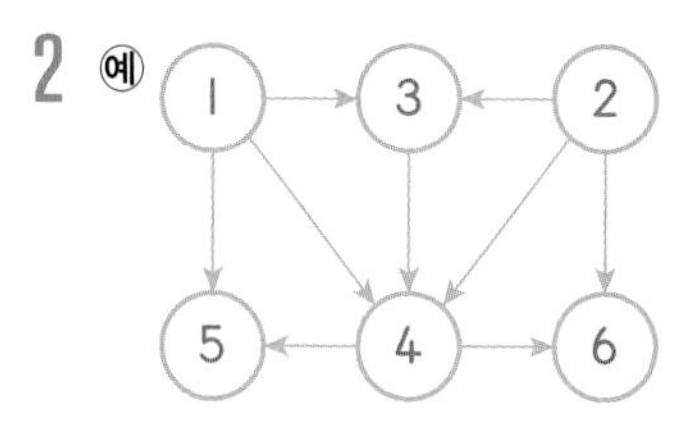

최상위 사고력 4, 5, 6, 7

최상위 사고력

1 0, 1, 2, 3

2 예

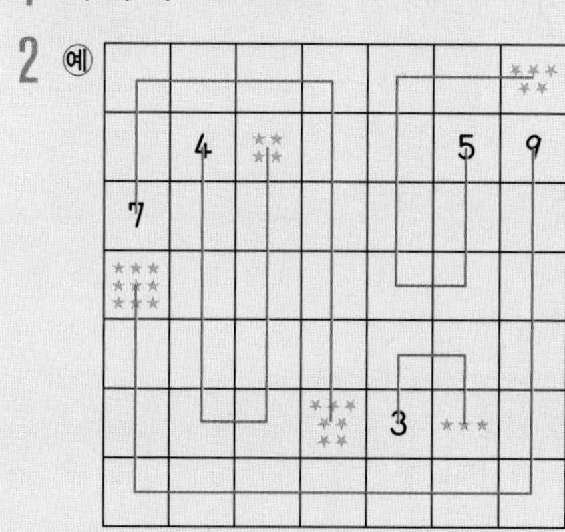

3

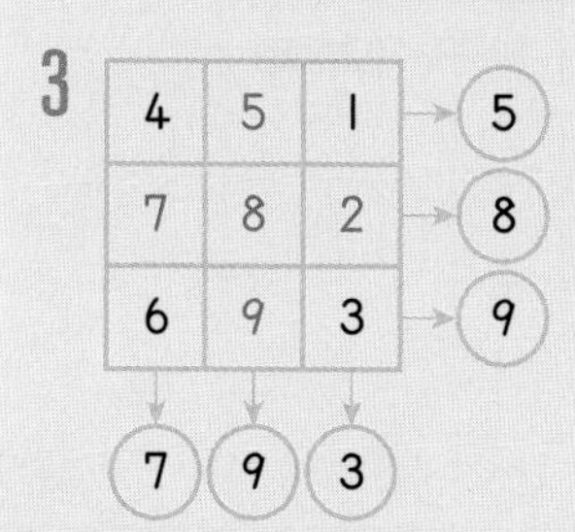

4 5가지

최상위 사고력 2 순서수 | 18~25쪽

2-1. 순서 찾기

1 1층: 지은, 2층: 소희, 3층: 윤호, 4층: 석민, 5층: 희수

2 수정, 은찬, 민희, 현수, 승환

최상위 사고력 4층

2-2. 전체 수 구하기

1 (왼쪽) 7 2 6 4 3 8 5 9 1 (오른쪽)

2 8칸

최상위 사고력 3칸

2-3. 위치 찾기

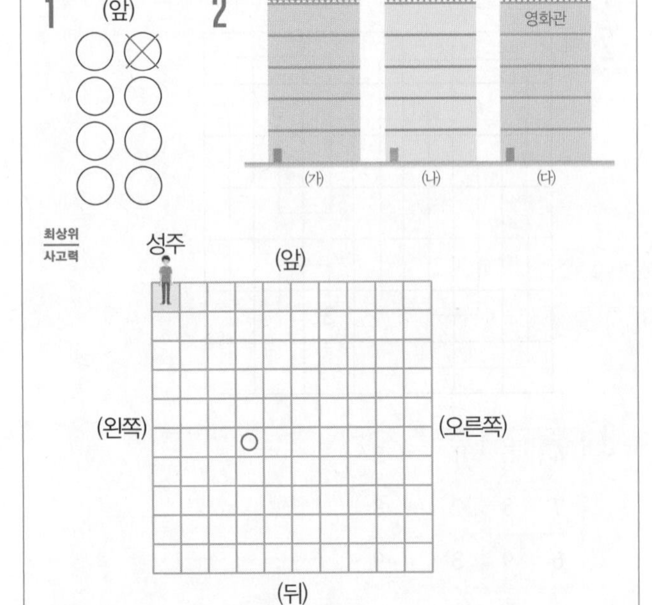

최상위 사고력

1 9명

2

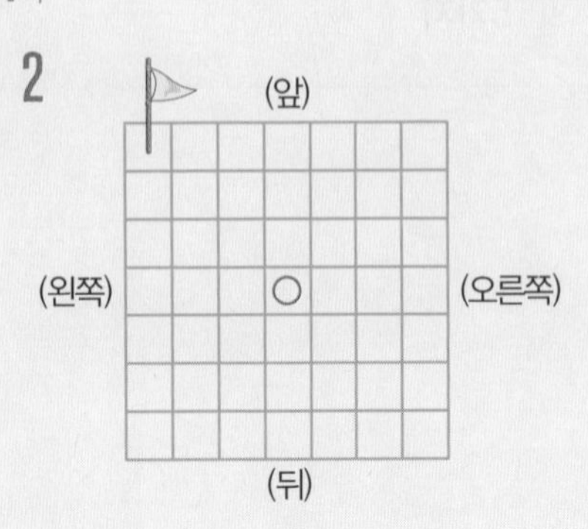

3 4명

4 지수, 수정, 현수, 민희, 승환, 은찬

최상위 사고력 3 수와 문제해결 | 26~33쪽

3-1. 수와 규칙

1

네 번째

일곱 번째

2 여덟 번째 묶음

최상위 사고력 7번

3-2. 조건을 만족하는 수

1 (2, 3, 4, 9), (3, 4, 5, 9), (4, 5, 6, 9), (4, 7, 8, 9)

2 5, 6, 7

최상위 사고력 (왼쪽) 7 9 8 6 5 (오른쪽)

3-3. 수 카드 옮기기

1 9 3 2 6 8 5 1 7 4

2 7가지

최상위 사고력 (1) 4번 (2) 3번

최상위 사고력

1 8가지

2 ★=8, ♥=7

3 1장

4 4, 5, 6

Review Ⅰ 수(1) | 34~37쪽

1

3, 1→, 0, 3→, ←5, 2, ←2, 6

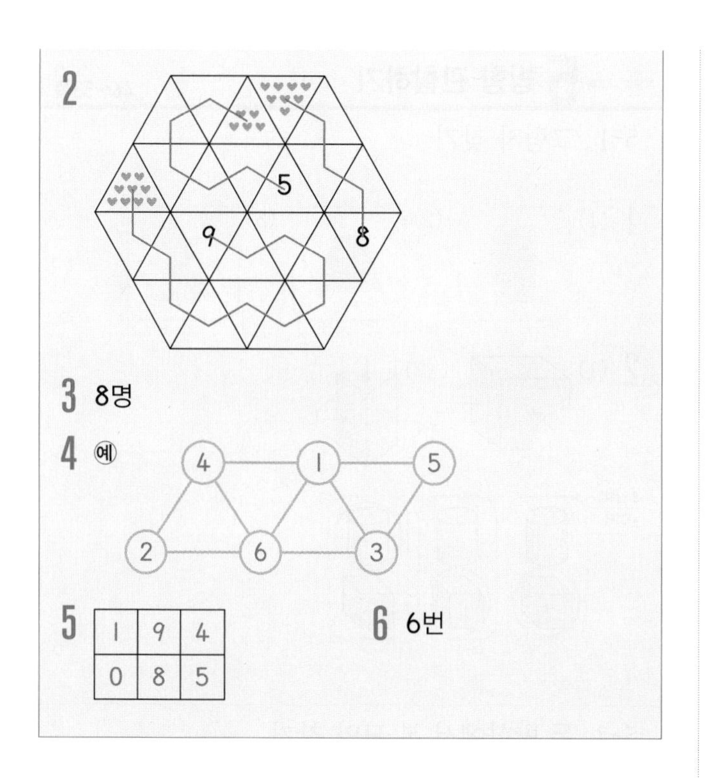
2
5
9
8
3 8명
4 예
4
1
5
2
6
3
5
1 9 4
0 8 5
6 6번

Ⅱ 도형

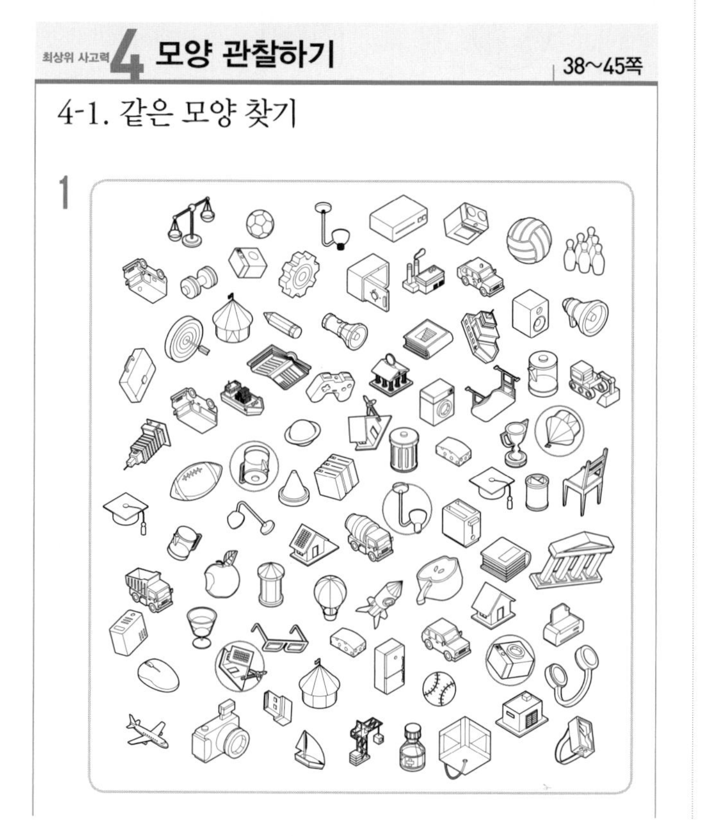
최상위 사고력 4 모양 관찰하기
38~45쪽
4-1. 같은 모양 찾기
1

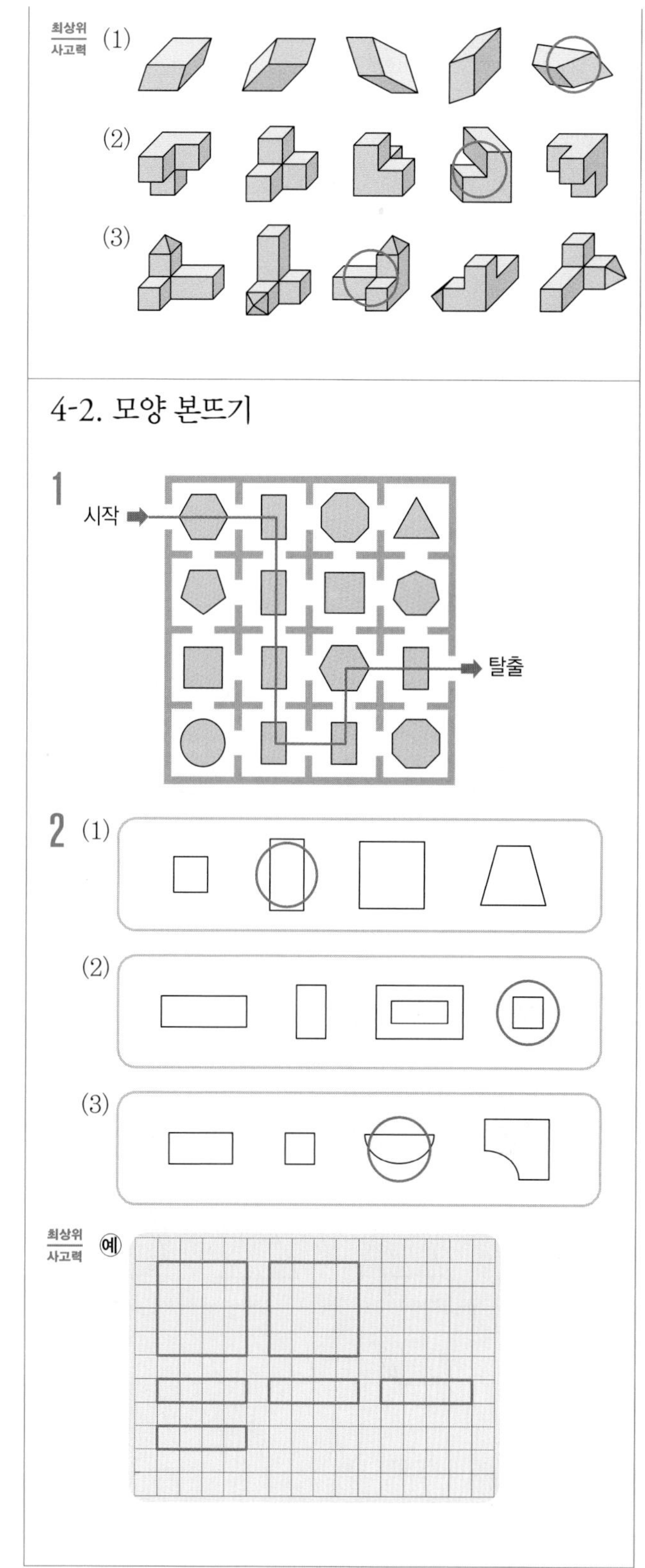
최상위 사고력
(1)
(2)
(3)
4-2. 모양 본뜨기
1
시작
탈출
2 (1)
(2)
(3)
최상위 사고력
예

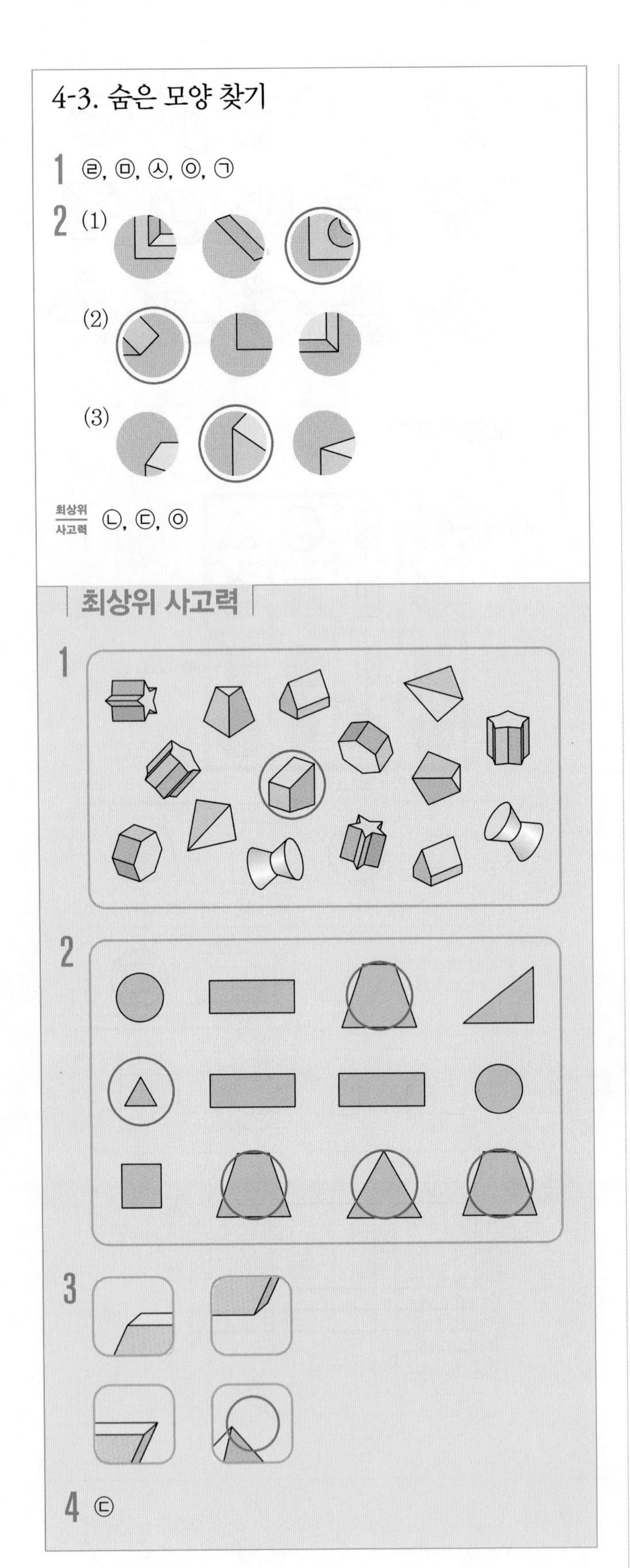

4-3. 숨은 모양 찾기
1 ㉣, ㉤, ㉦, ㉧, ㉠
2 (1)
(2)
(3)
최상위 사고력 ㉡, ㉢, ㉧
최상위 사고력
1
2
3
4 ㉢

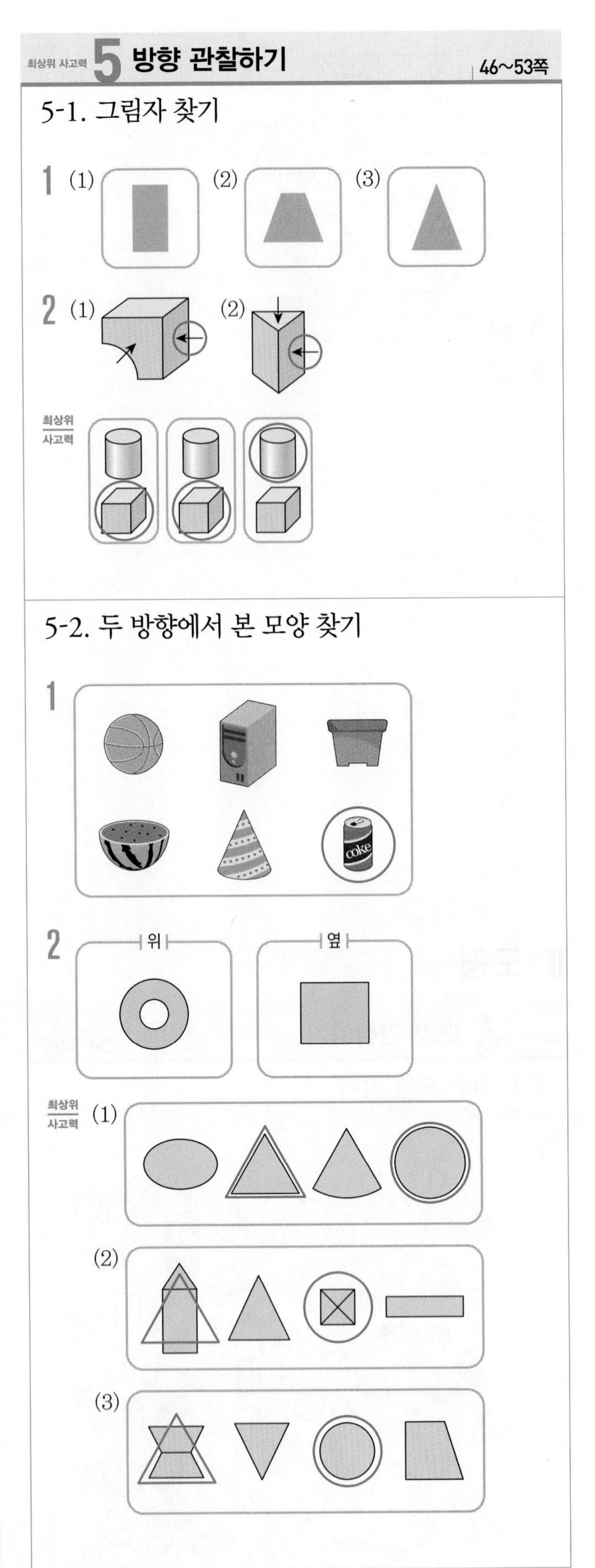

최상위 사고력 5 방향 관찰하기
46~53쪽
5-1. 그림자 찾기
1 (1) (2) (3)
2 (1) (2)
최상위 사고력
5-2. 두 방향에서 본 모양 찾기
1
coke
2 위 옆
최상위 사고력 (1)
(2)
(3)

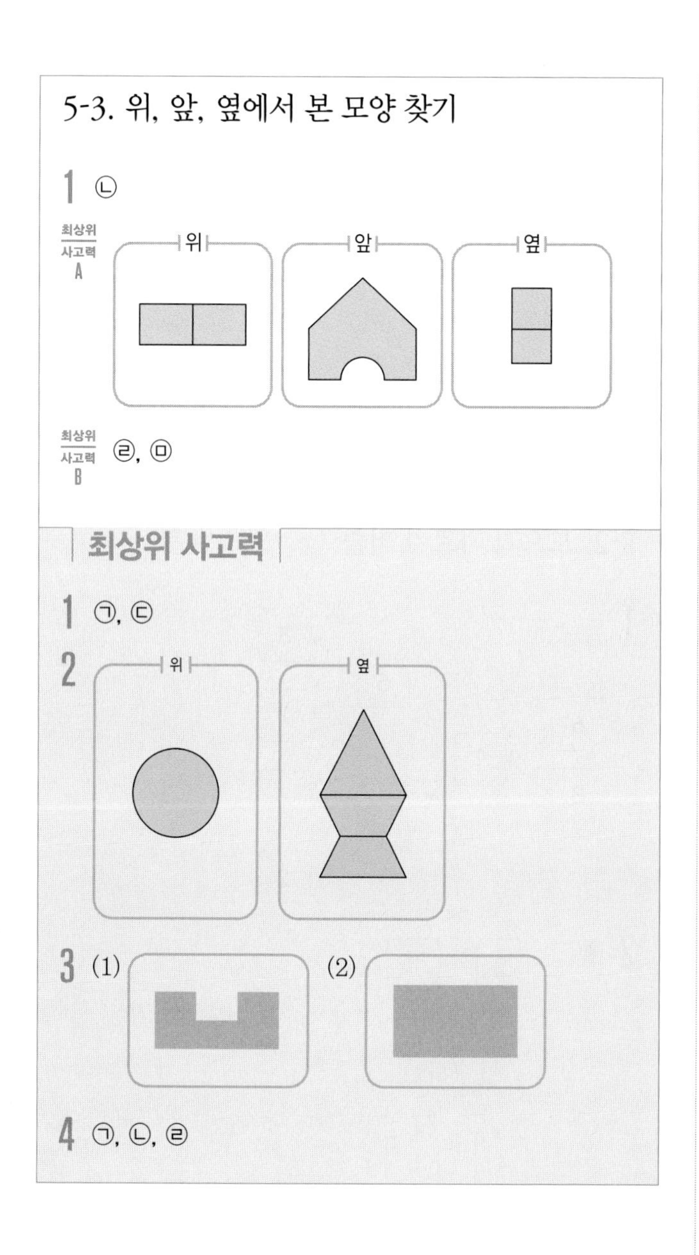

5-3. 위, 앞, 옆에서 본 모양 찾기

1 ㉡

최상위 사고력 A

최상위 사고력 B ㉣, ㉤

최상위 사고력

1 ㉠, ㉢

2

3 (1) (2)

4 ㉠, ㉡, ㉣

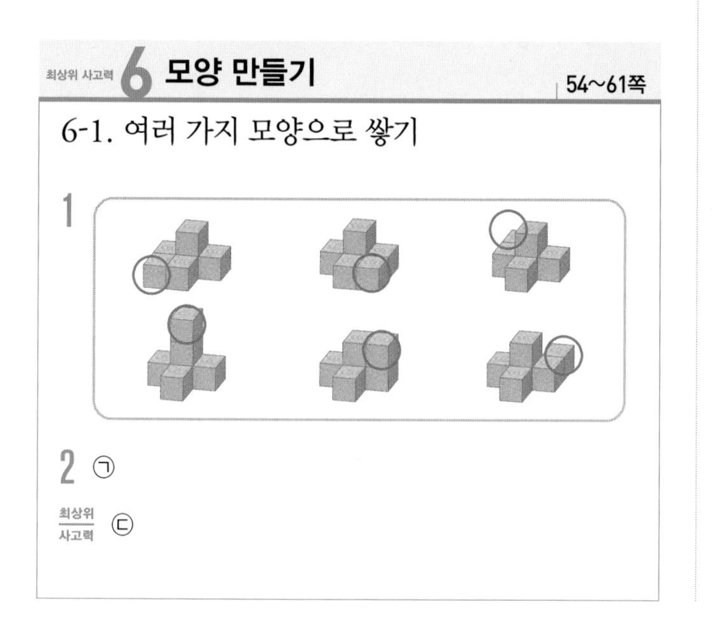

최상위 사고력 6 모양 만들기

54~61쪽

6-1. 여러 가지 모양으로 쌓기

1

2 ㉠

최상위 사고력 ㉢

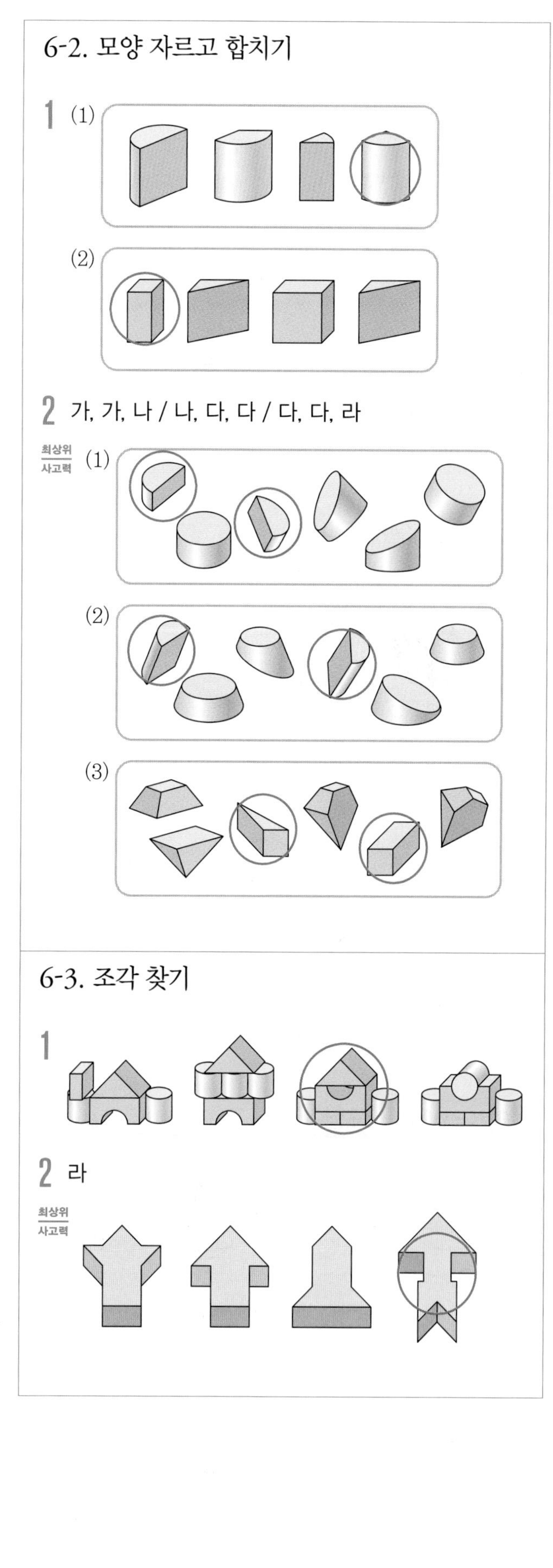

6-2. 모양 자르고 합치기

1 (1)

(2)

2 가, 가, 나 / 나, 다, 다 / 다, 다, 라

최상위 사고력 (1)

(2)

(3)

6-3. 조각 찾기

1

2 라

최상위 사고력

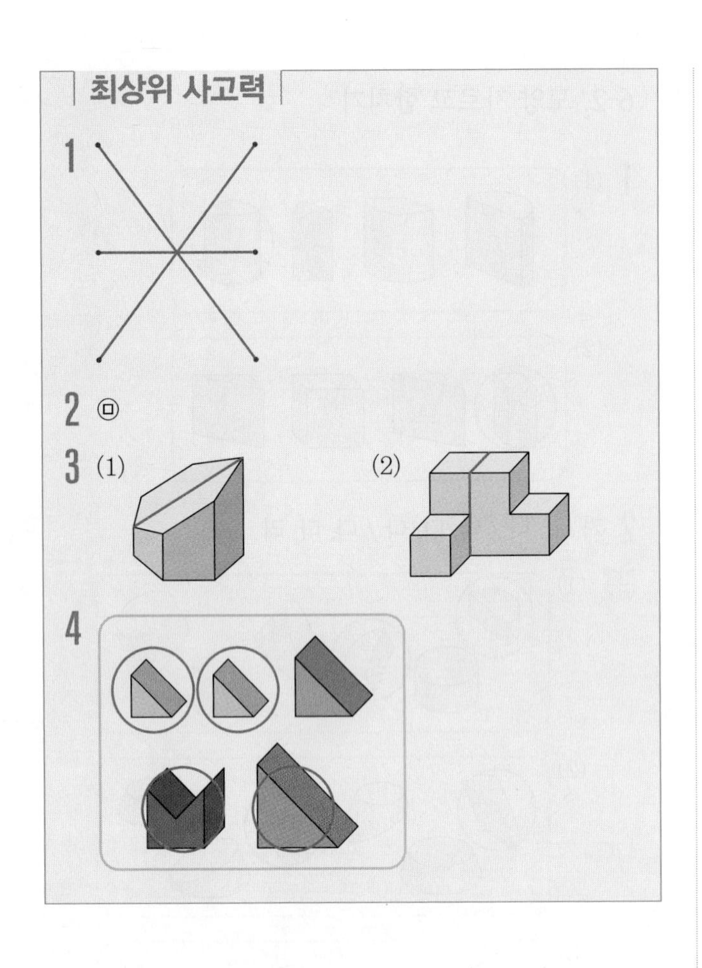
최상위 사고력
1
2 ㉤
3 (1) (2)
4

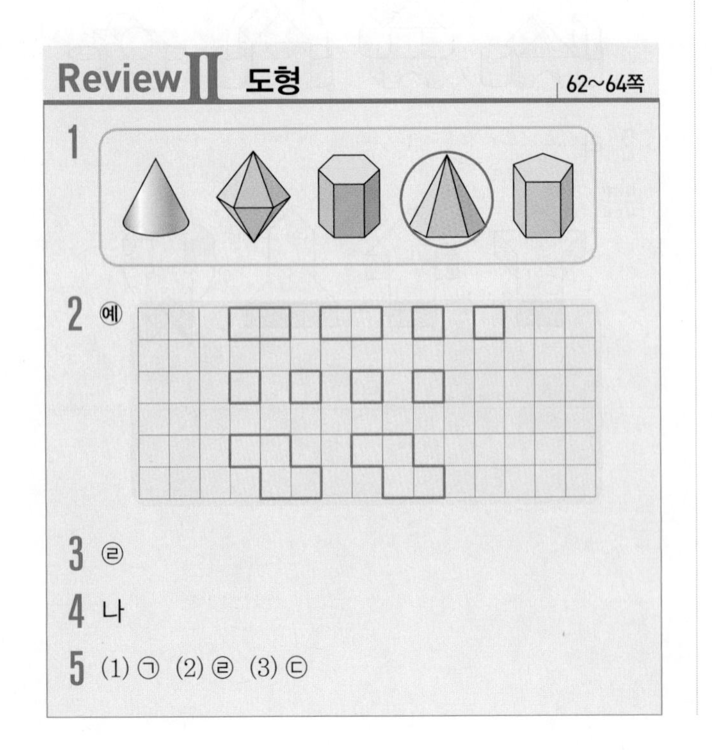
Review Ⅱ 도형
62~64쪽
1
2 예
3 ㉣
4 나
5 (1) ㉠ (2) ㉣ (3) ㉢

Ⅲ 연산

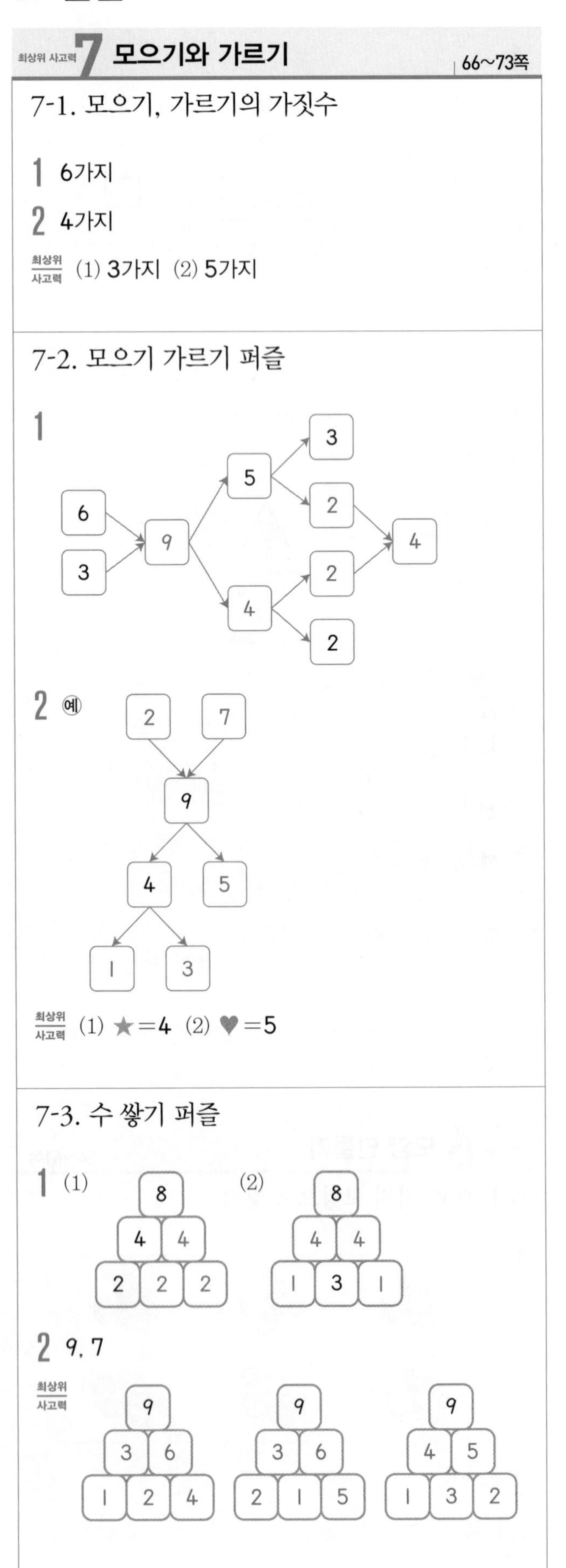
최상위 사고력 7 모으기와 가르기
66~73쪽
7-1. 모으기, 가르기의 가짓수
1 6가지
2 4가지
최상위 사고력 (1) 3가지 (2) 5가지
7-2. 모으기 가르기 퍼즐
1
6 3 9 5 4 3 2 2 2 4
2 예
2 7 9 4 5 1 3
최상위 사고력 (1) ★=4 (2) ♥=5
7-3. 수 쌓기 퍼즐
1 (1) (2)
8 4 4 2 2 2
8 4 4 1 3 1
2 9, 7
최상위 사고력
9 3 6 1 2 4
9 3 6 2 1 5
9 4 5 1 3 2

최상위 사고력

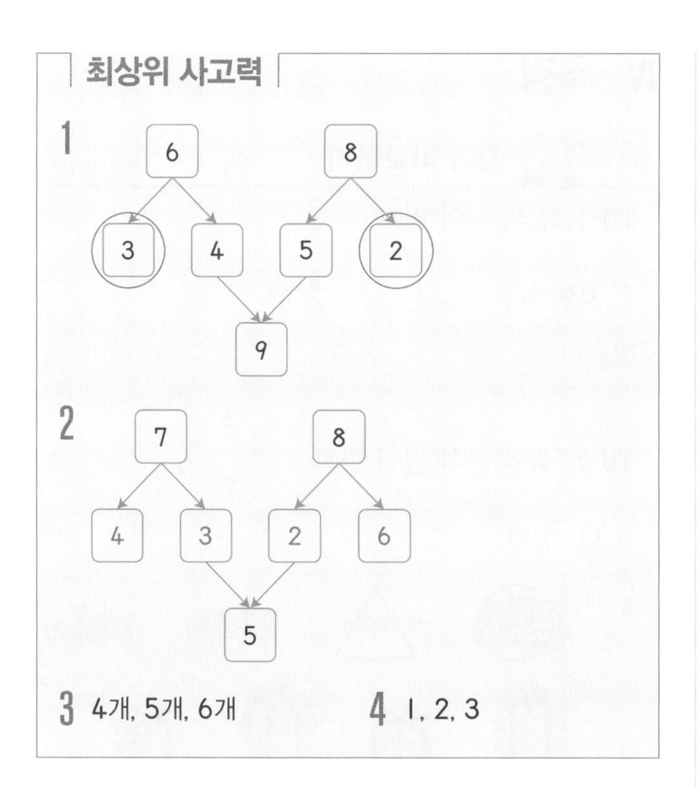

3 4개, 5개, 6개

4 1, 2, 3

최상위 사고력 8 덧셈식과 뺄셈식 | 74~81쪽

8-1. 두 수의 계산

1 6−0=6, 7−1=6, 8−2=6, 9−3=6

2 예 [8]−[7]=1 [4]−[2]=2
[6]−[3]=3 [5]−[1]=4
이외에도 답은 여러 가지입니다.

최상위 사고력 1, 6

8-2. 세 수의 계산

1 2+5−3=4, 2+5−4=3, 3+4−2=5,
3+4−5=2

2 예 [1]+[8]−[2]=[7] / [3]+[6]−[4]=[5]

최상위 사고력 4가지

8-3. 모양이 나타내는 수

1 ♣=3, ★=1, ♥=2

2 8, 8

최상위 사고력 ♣=1, ♥=4, ●=3, ★=5

최상위 사고력

1 [3]−[2]=[5]−[4]=[7]−[6]
[5]−[2]=[6]−[3]=[7]−[4]

2 ♥=5, ●=3, ♣=1

3 예 [1]+[6]=[7]
\+ +
[3] [2]
= =
[4]+[5]=[9]

4 6

최상위 사고력 9 목표수와 문제 해결 | 82~89쪽

9-1. 목표수

1

2	1+1
3	1+2
4	1+1+2 또는 2+2
5	1+2+2 또는 2+3
6	1+1+2+2
7	2+2+3 또는 3+4
8	1+2+2+3
9	1+1+2+2+3 또는 2+3+4

2 1, 3, 4, 5, 7, 8, 9

최상위 사고력 ⑤

9-2. 수 퍼즐

1

5	2	7	6	7	2	7	6
1	3	5	5	1	3	4	4
6	4	7	4	5	3	2	7
5	3	1	1	7	1	5	3
7	6	7	4	7	5	2	5

2 예

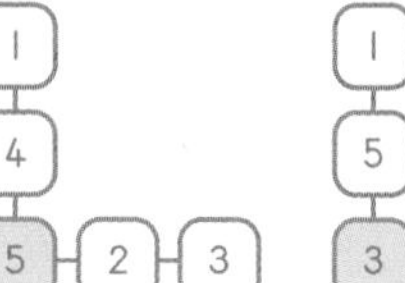

1, 5, 3, 2, 4
2, 5, 1, 3, 4

최상위 사고력 예

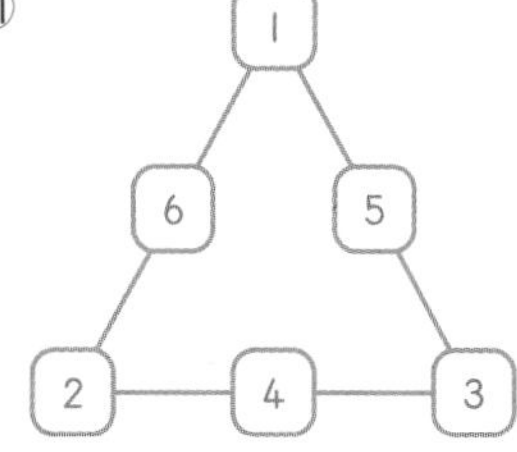

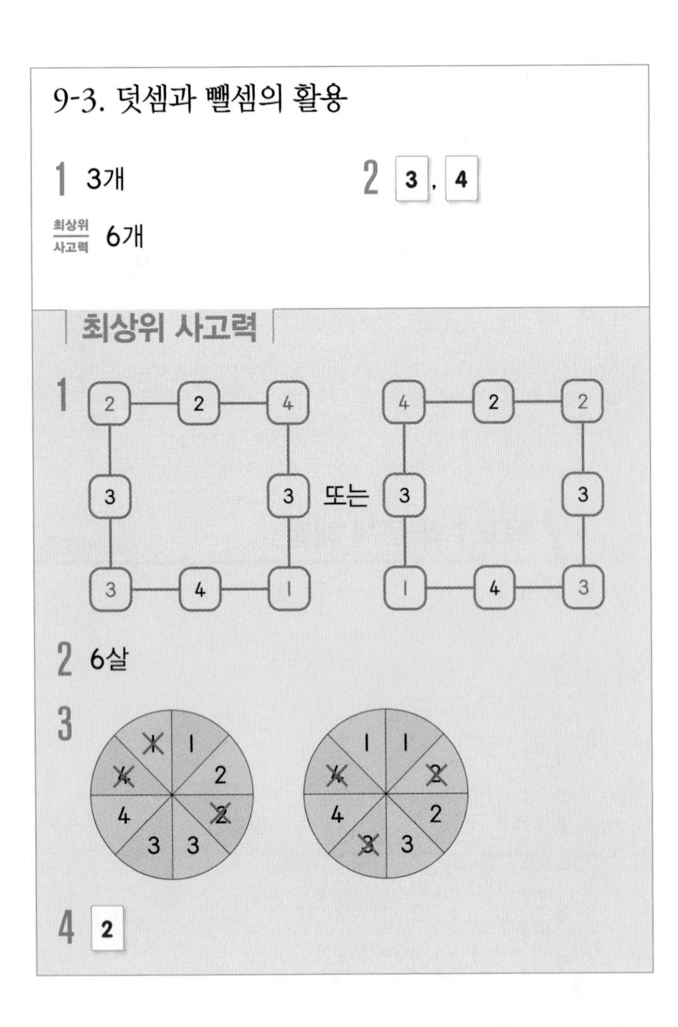

9-3. 덧셈과 뺄셈의 활용

1 3개 2 3, 4

최상위 사고력 6개

최상위 사고력

1 (2)—(2)—(4), (3), (3), (3)—(4)—(1) 또는 (4)—(2)—(2), (3), (3), (1)—(4)—(3)

2 6살

3

4 2

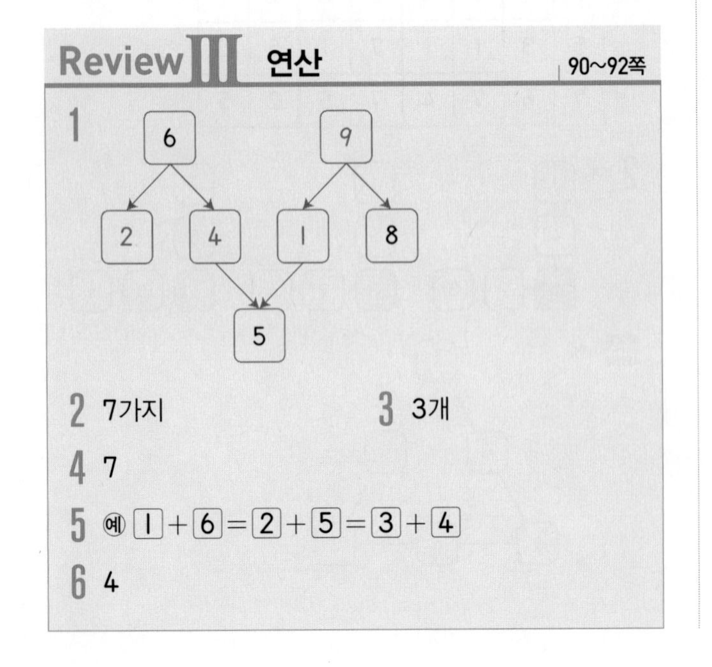

Review III 연산 90~92쪽

1 6 → 2, 4; 9 → 1, 8; 4, 1 → 5

2 7가지 3 3개

4 7

5 예 1+6=2+5=3+4

6 4

IV 측정

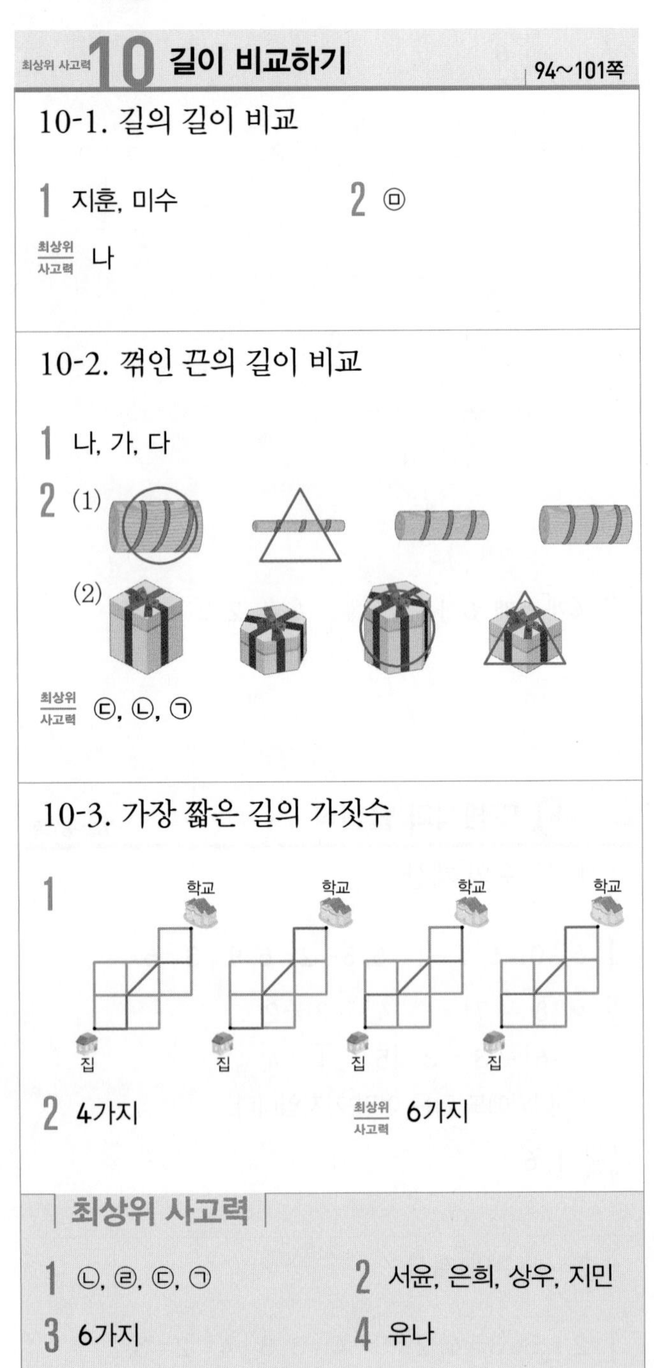

최상위 사고력 10 길이 비교하기 94~101쪽

10-1. 길의 길이 비교

1 지훈, 미수 2 ㉤

최상위 사고력 나

10-2. 꺾인 끈의 길이 비교

1 나, 가, 다

2 (1)

(2)

최상위 사고력 ㉢, ㉡, ㉠

10-3. 가장 짧은 길의 가짓수

1

2 4가지 최상위 사고력 6가지

최상위 사고력

1 ㉡, ㉣, ㉢, ㉠ 2 서윤, 은희, 상우, 지민

3 6가지 4 유나

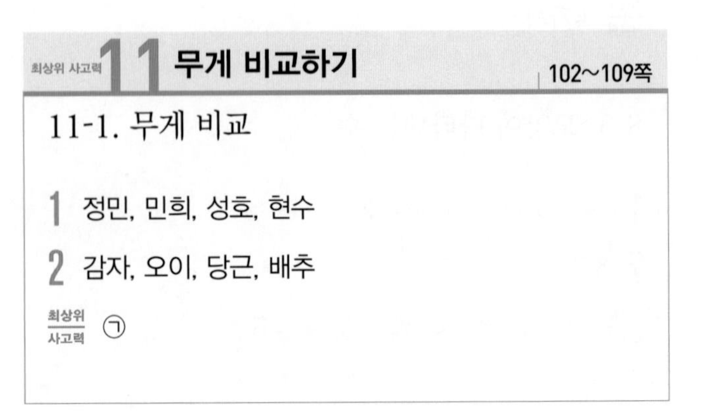

최상위 사고력 11 무게 비교하기 102~109쪽

11-1. 무게 비교

1 정민, 민희, 성호, 현수

2 감자, 오이, 당근, 배추

최상위 사고력 ㉠

11-2. 저울산

1 (3) 6개

2 6마리

최상위 사고력 6개

11-3. 키와 몸무게 비교하기

1 도경, 성주, 명주, 지원, 혜영

2 4번째

최상위 사고력 3번째

최상위 사고력

1 은미

2 6마리

3 성민, 예주, 미현, 지훈, 소미

4 12개

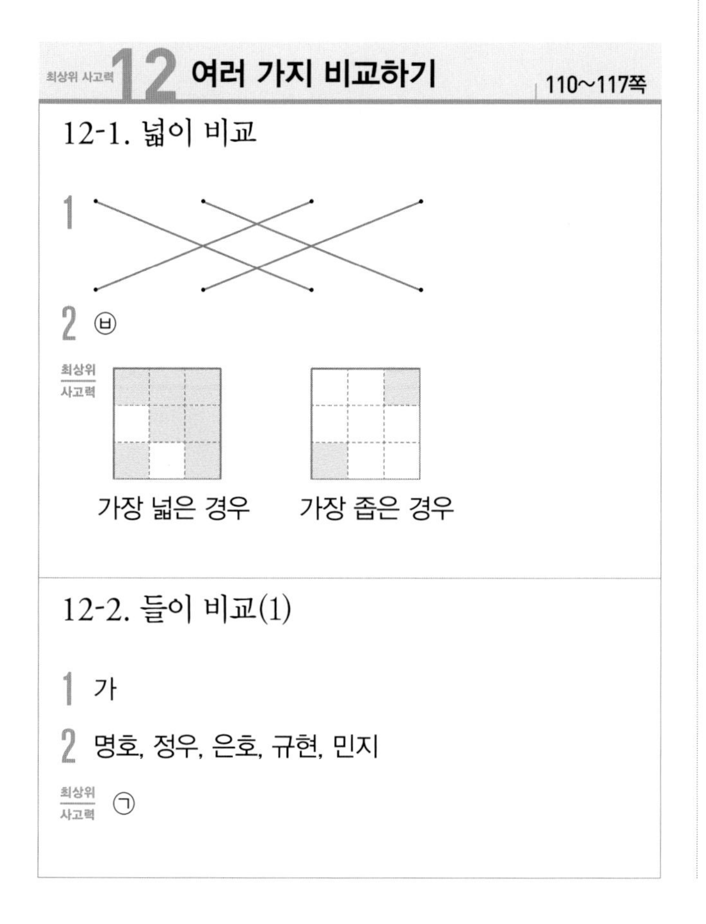

최상위 사고력 12 여러 가지 비교하기 110~117쪽

12-1. 넓이 비교

1

2 ㉥

최상위 사고력

12-2. 들이 비교(1)

1 가

2 명호, 정우, 은호, 규현, 민지

최상위 사고력 ㉠

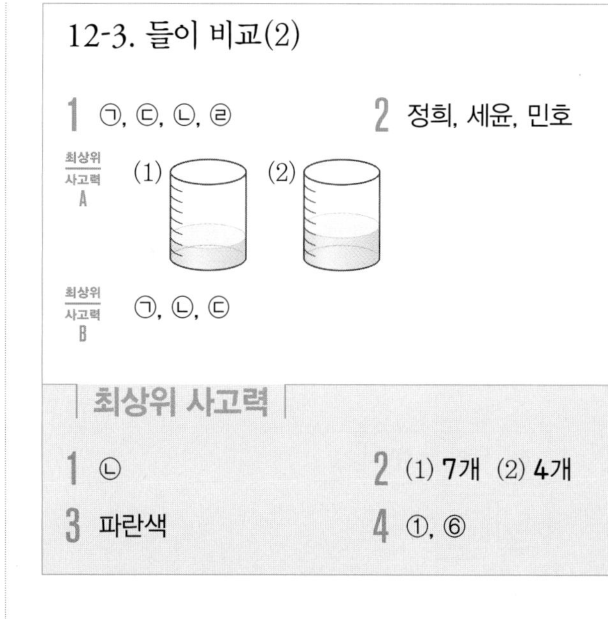

12-3. 들이 비교(2)

1 ㉠, ㉢, ㉡, ㉣

2 정희, 세윤, 민호

최상위 사고력 A (1) (2)

최상위 사고력 B ㉠, ㉡, ㉢

최상위 사고력

1 ㉡

2 (1) 7개 (2) 4개

3 파란색

4 ①, ⑥

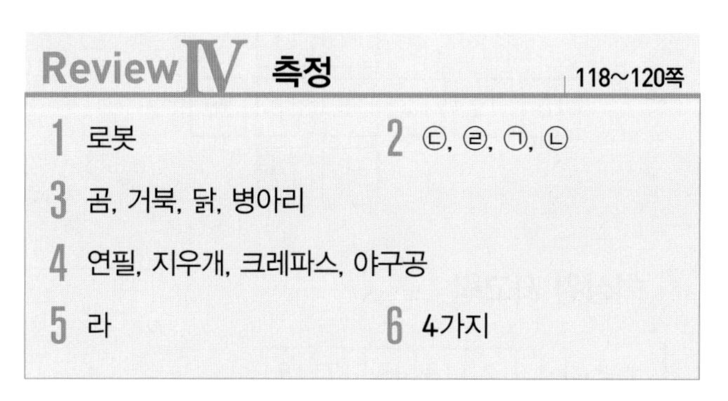

Review IV 측정 118~120쪽

1 로봇

2 ㉢, ㉣, ㉠, ㉡

3 곰, 거북, 닭, 병아리

4 연필, 지우개, 크레파스, 야구공

5 라

6 4가지

V 수(2)

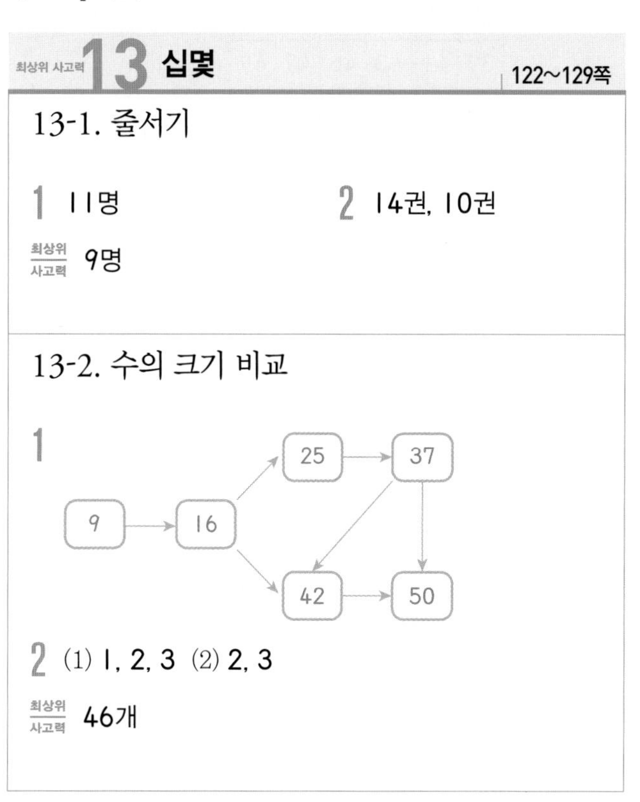

최상위 사고력 13 십몇 122~129쪽

13-1. 줄서기

1 11명

2 14권, 10권

최상위 사고력 9명

13-2. 수의 크기 비교

1

2 (1) 1, 2, 3 (2) 2, 3

최상위 사고력 46개

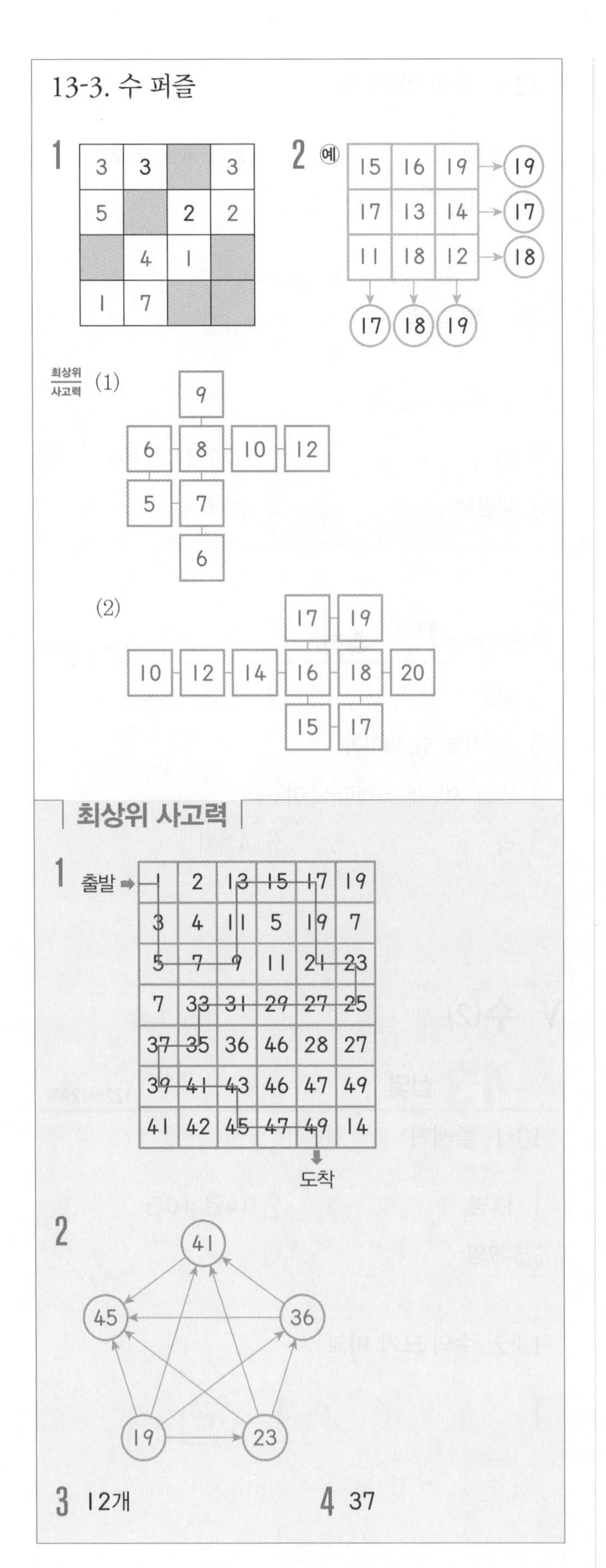

최상위 사고력 14 수의 규칙

130~137쪽

14-1. 나열된 수의 규칙 찾기

1 | 25 | 15 |

2 23

최상위 사고력 37

14-2. 수 배열표

1 39, 40

2 44, 47

최상위 사고력 28

14-3. 규칙을 이용하여 나타낸 수

1 9, 15, 13, 22, 16

2 47

최상위 사고력 (1) 46 (2) 38

최상위 사고력

1 7일, 14일, 21일, 28일

2 (위에서부터) 25, 36, 45

3 20

4 (1) 23 (2) 17

최상위 사고력 15 문제 해결

138~145쪽

15-1. 조건을 만족하는 수

1 41

2 8개

최상위 사고력 30, 40

15-2. 수 카드로 수 만들기

1 10, 20, 21, 30, 31, 32

2 23

최상위 사고력 8개

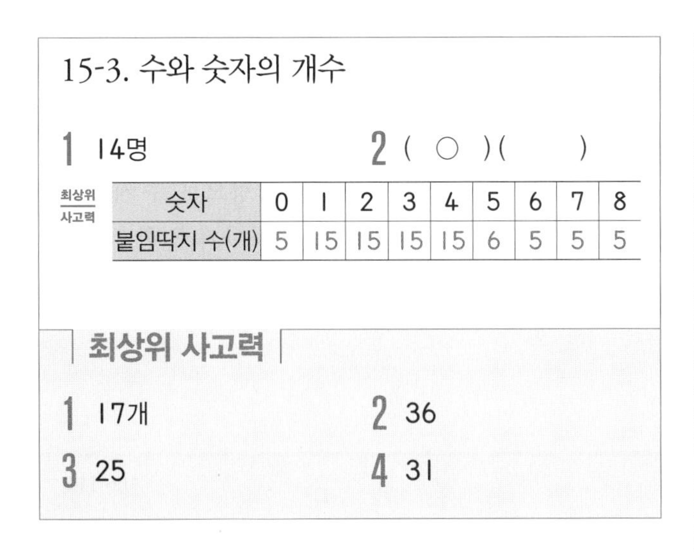

15-3. 수와 숫자의 개수

1 14명 2 (○)( )

최상위 사고력

숫자	0	1	2	3	4	5	6	7	8
붙임딱지 수(개)	5	15	15	15	15	6	5	5	5

최상위 사고력

1 17개 2 36
3 25 4 31

Review V 수(2)

146~149쪽

1 6개 2 34, 35
3 24 4 26장
5 6명 6 39, 40, 41, 42, 43

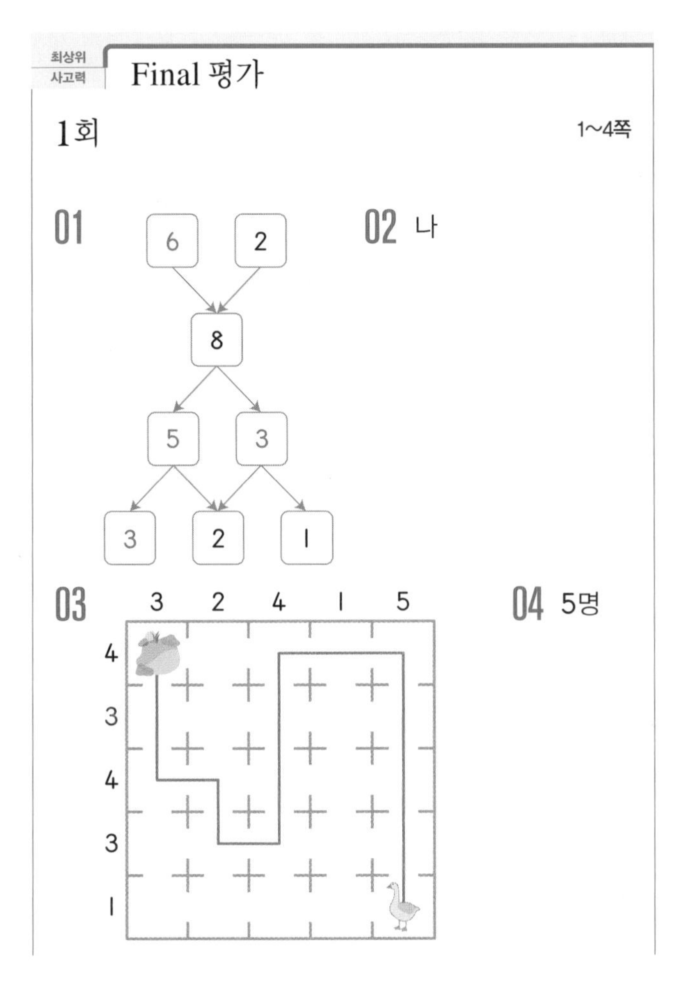

최상위 사고력

Final 평가

1회

1~4쪽

01

02 나

03

04 5명

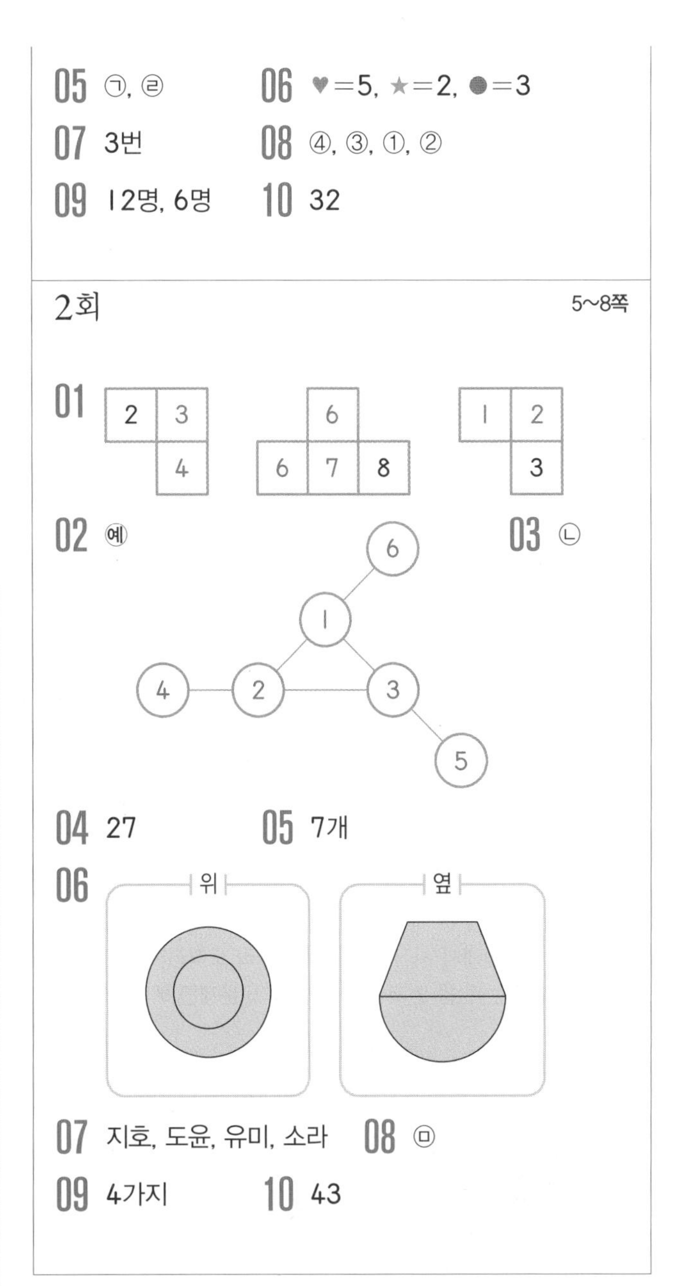

05 ㉠, ㉣ 06 ♥=5, ★=2, ●=3
07 3번 08 ④, ③, ①, ②
09 12명, 6명 10 32

2회

5~8쪽

01

02 예

03 ㉡

04 27 05 7개

06

07 지호, 도윤, 유미, 소라 08 ㉤
09 4가지 10 43

I 수(1)

1부터 9까지의 수를 이해하고 활용하는 단원입니다. 사물의 개수를 직접 세어 보았던 경험을 바탕으로 수 세기, 순서 알아보기, 1 큰 수와 1 작은 수, 크기 비교하기 등 다양한 문제 유형을 접하게 됩니다. 더 나아가 집합수, 순서수, 이름수의 쓰임을 알게 함으로써 다양한 수의 의미를 이해해 봅니다.

최상위 사고력 1 수를 이용한 퍼즐

1-1. 칸 수 미로 10~11쪽

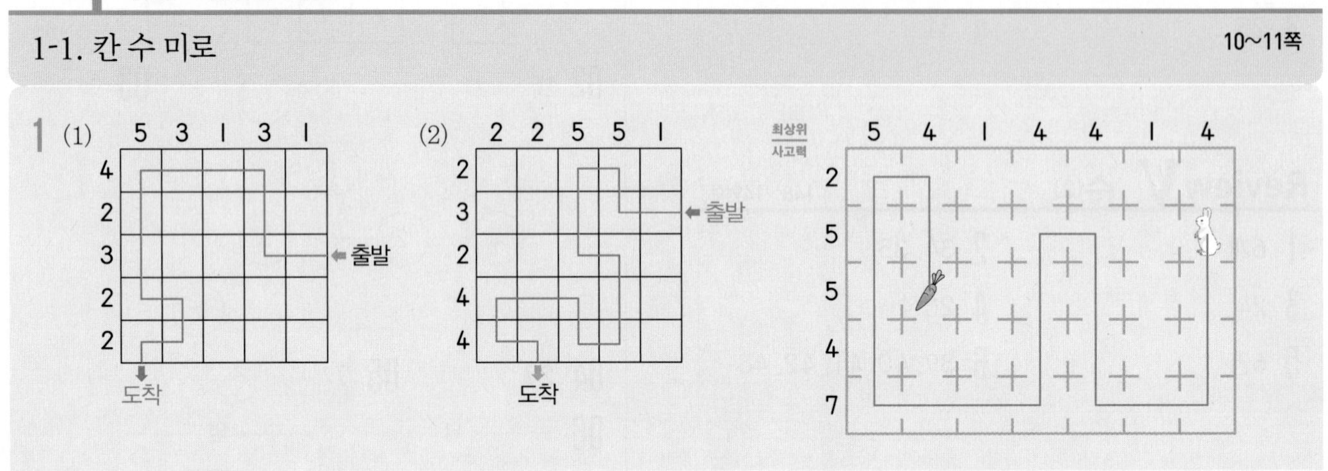

저자 톡! 출발점에서 시작하여 조건에 따라 도착점까지 가는 길을 찾는 문제입니다. 길 찾는 문제를 해결하려면 반드시 지나야 하는 칸과 확실히 지날 수 없는 칸을 먼저 찾아야 합니다. 문제를 해결하기 위해 필요한 전략을 생각하다 보면 집중력과 사고력이 길러질 것입니다.

1 (1) 반드시 지나는 칸은 ○표, 확실히 지날 수 없는 칸은 ×표 합니다.

① 출발 지점의 칸과 5가 적힌 세로줄은 반드시 지납니다.

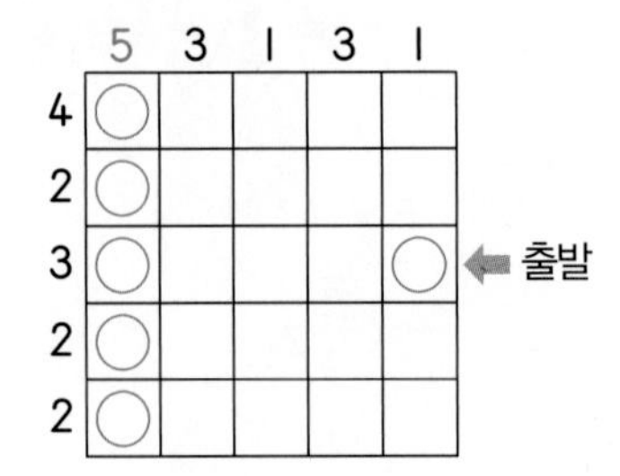

② 1이 적힌 줄에서 ○표가 이미 있으므로 나머지 칸은 지나지 못합니다.

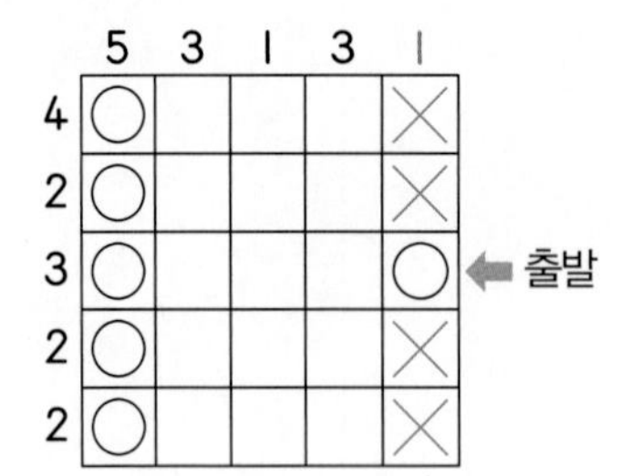

③ ○표는 이어져야 하므로 다음과 같은 칸은 반드시 지납니다.

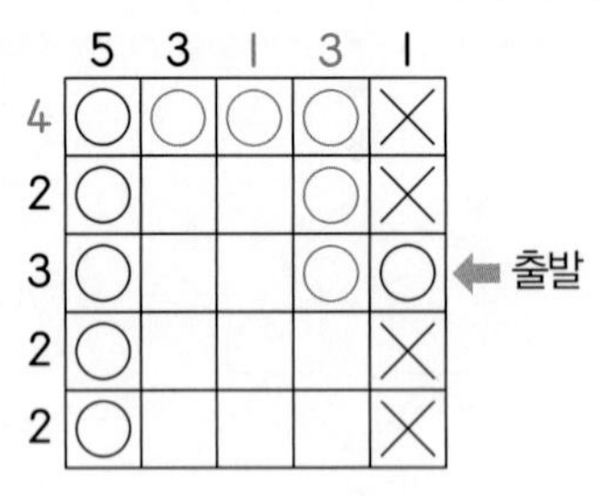

④ 주어진 수에 맞게 나머지 칸에 ○표, ×표합니다.

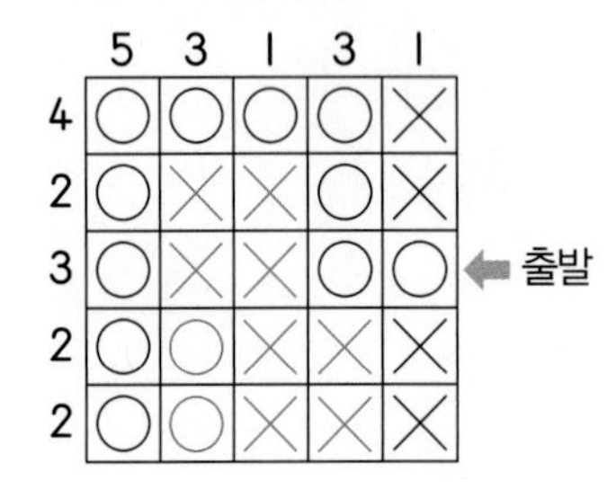

⑤ ○표 한 칸을 이어서 미로를 탈출합니다.

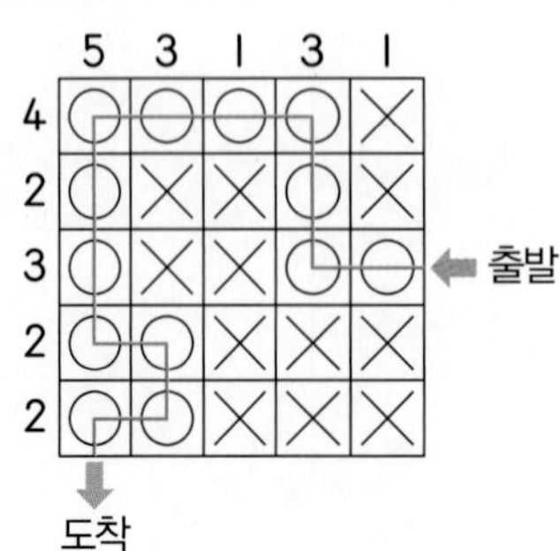

(2) 도착 지점만 표시되어 있는 경우 거꾸로 도착 지점에서 시작하여 출발 지점을 찾습니다.

① 도착 지점의 칸과 5가 적힌 세로줄은 반드시 지납니다.

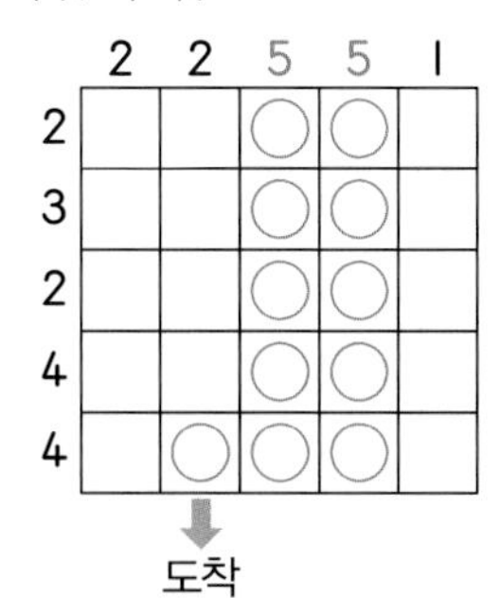

② ○표가 이미 2개 있으므로 나머지 칸은 확실히 지나지 못합니다.

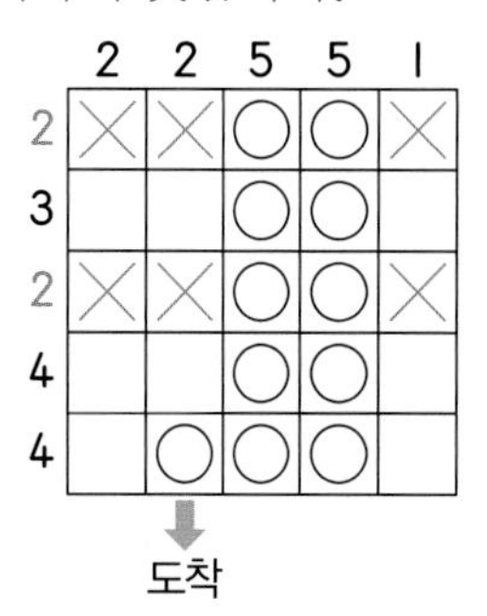

③ 주어진 수에 맞게 나머지 칸에 ○표, ×표합니다.

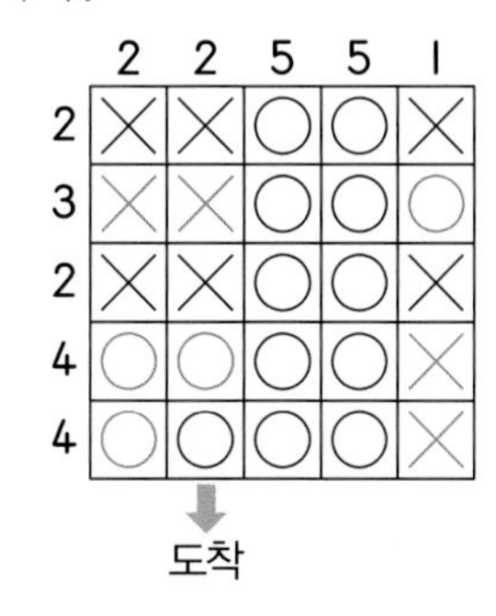

④ ○표 한 칸을 이어서 미로를 탈출합니다.

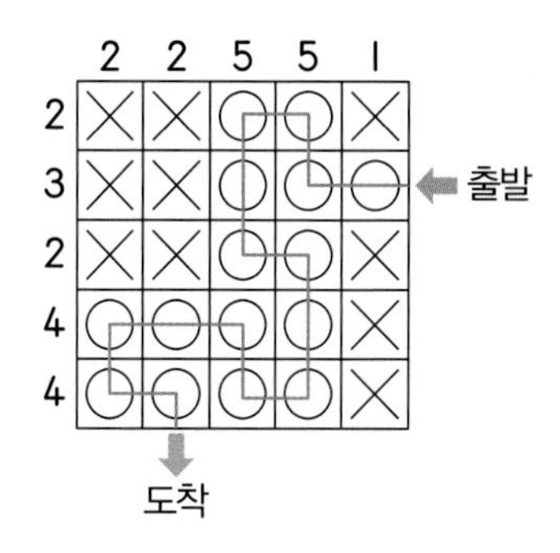

지도 가이드

반드시 지나는 칸과 확실히 지날 수 없는 칸을 표시한 다음 남은 칸의 지날 수 있는 칸과 없는 칸을 찾도록 합니다. 그 다음 가로, 세로 방향의 수의 조건에 모두 맞는지 확인하도록 지도합니다.

최상위 사고력 ① 반드시 지나는 방에 ○표 하고, 확실히 지날 수 없는 방에 ×표를 합니다. 이때 토끼와 당근이 있는 방은 반드시 지나야 합니다.

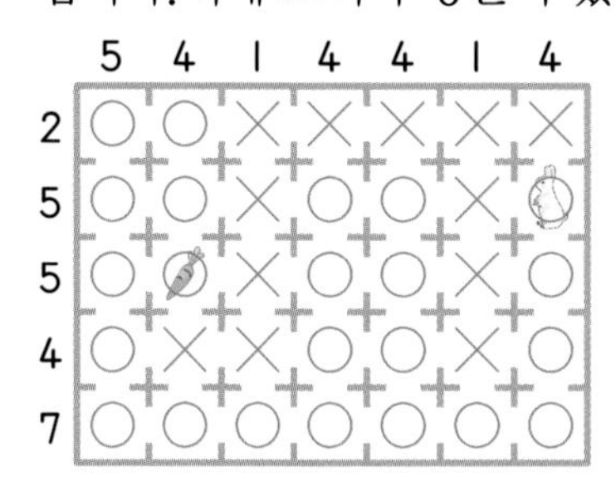

② ○표 한 방을 선으로 이어 봅니다.

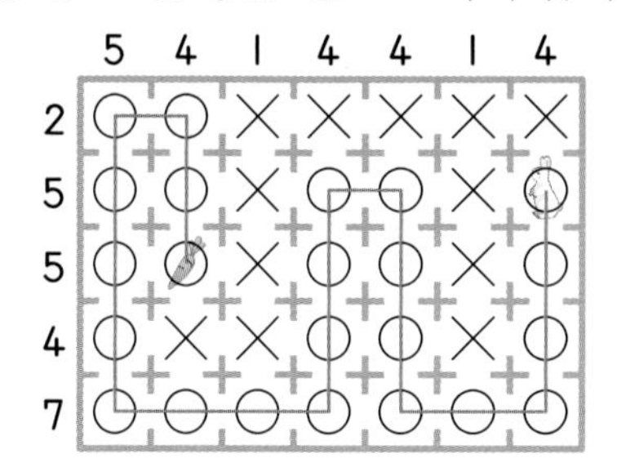

해결 전략

7이 적힌 가로줄과 5가 적힌 세로줄은 반드시 지나야 합니다.

1-2. 1 큰 수, 1 작은 수

12~13쪽

1 3점

2 (1) 1번, 3번, 5번, 6번, 8번 (2) 2번, 3번, 6번, 7번

최상위 사고력 (1) 예

6	8	5
1	4	2
3	7	9

(2) 예

1	3	6
7	5	9
2	8	4

저자 톡! 1부터 9까지의 수의 순서를 통해서 1 큰 수와 1 작은 수를 이해해 봅니다. 1 큰 수와 1 작은 수를 이용해 두 가지 방법으로 수를 나타내어 여러 가지 문제를 해결해 보며 문제 해결 능력을 기를 수 있습니다. 1 큰 수와 1 작은 수의 개념을 밑바탕으로 하여 다양한 수 퍼즐을 해결해 봅시다.

1 놓은 수 카드와 바로 전에 놓은 수 카드의 크기를 차례로 비교합니다.

〈놓은 수 카드〉	〈바로 전에 놓은 수 카드〉	
6	5	➡ 6은 5보다 1 큰 수이므로 1점을 얻습니다.
7	6	➡ 7은 6보다 1 큰 수이므로 1점을 얻습니다.
4	7	➡ 4와 7은 서로 1 큰 수 또는 1 작은 수가 아닙니다.
9	4	➡ 9와 4는 서로 1 큰 수 또는 1 작은 수가 아닙니다.
8	9	➡ 8은 9보다 1 작은 수이므로 1점을 잃습니다.
1	8	➡ 1과 8은 서로 1 큰 수 또는 1 작은 수가 아닙니다.
2	1	➡ 2는 1보다 1 큰 수이므로 1점을 얻습니다.
3	2	➡ 3은 2보다 1 큰 수이므로 1점을 얻습니다.

따라서 얻은 점수는 4점, 잃은 점수는 1점이므로 3점을 얻을 수 있습니다.

> **지도 가이드**
> 수의 순서를 바탕으로 1 큰 수와 1 작은 수를 이해할 수 있도록 지도합니다.

2 (1) 2번, 4번, 7번 공을 맞혔을 때 가져갈 수 있는 인형의 번호를 모두 찾아봅니다.

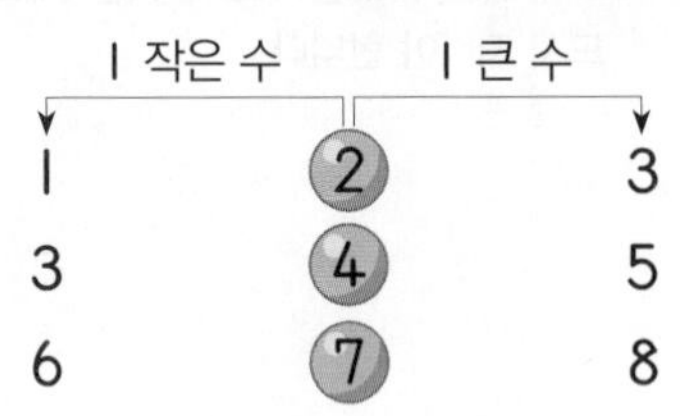

따라서 가져갈 수 있는 인형의 번호는 1번, 3번, 5번, 6번, 8번입니다.

(2) ① 1번 인형과 8번 인형을 가져가기 위해 맞혀야 하는 공의 번호를 찾습니다. ➡ 2번, 7번

② 2번, 7번 공을 맞혔을 때 가져갈 수 있는 인형은 1번, 3번, 6번, 8번입니다.

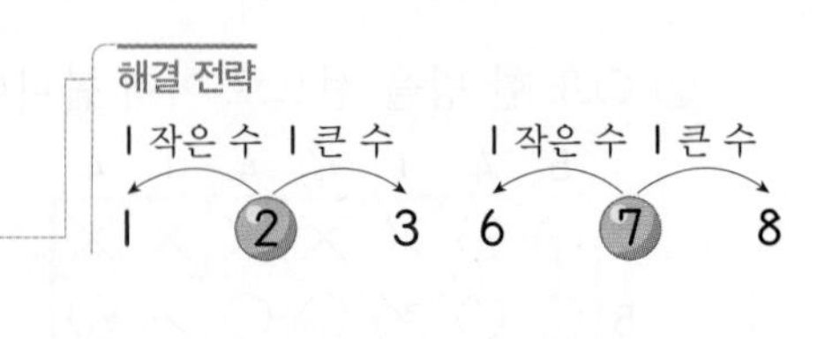

③ 나머지 2번, 4번, 5번, 7번 인형을 가져가려면 3번과 6번 공을 맞혀야 합니다.

따라서 맞혀야 하는 공의 번호는 2번, 3번, 6번, 7번입니다.

최상위 사고력 (1) 1, 2, 7, 8 중 빈칸에 써넣을 수 있는 수를 다음과 같이 쓰고, 조건에 맞게 하나씩 써넣습니다.

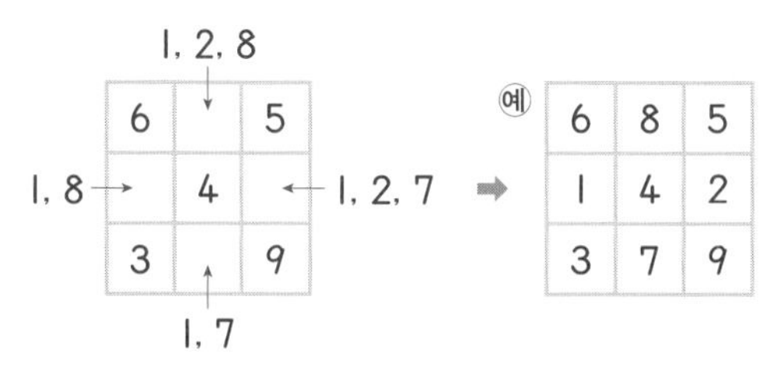

이외에도 답은 여러 가지가 있습니다.

(2) 3, 4, 6, 7, 8, 9 중 빈칸에 써넣을 수 있는 수를 다음과 같이 쓰고, 조건에 맞게 하나씩 써넣습니다.

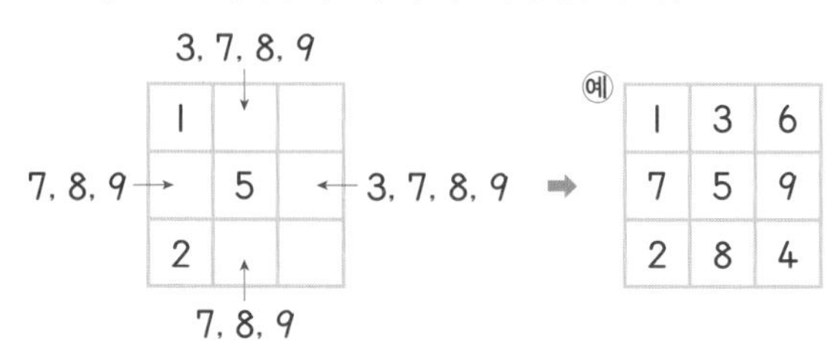

이외에도 답은 여러 가지가 있습니다.

> 해결 전략
> 먼저 빈칸에 써넣을 수 있는 모든 수를 찾습니다.

> 해결 전략
>
> | 1 | | |
> |---|---|---|
> | | 5 | ㉠ |
> | 2 | | |
>
> 5가 가운데 있으므로 4와 6은 색칠된 곳에 들어가야 합니다. 따라서 ㉠에 3과 7은 들어갈 수 없습니다.

1-3. 화살표 퍼즐

14~15쪽

1 예

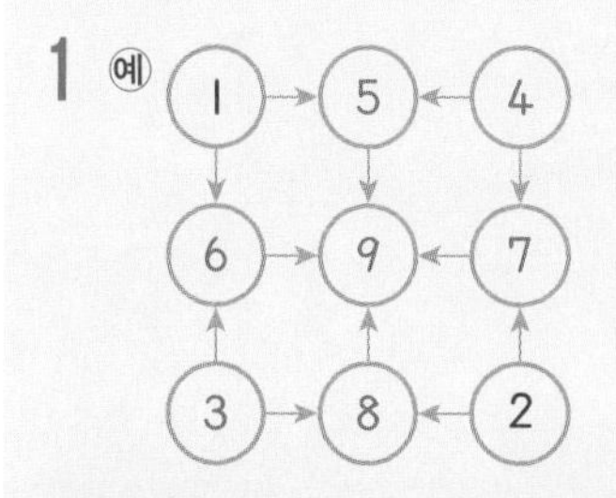

2 예

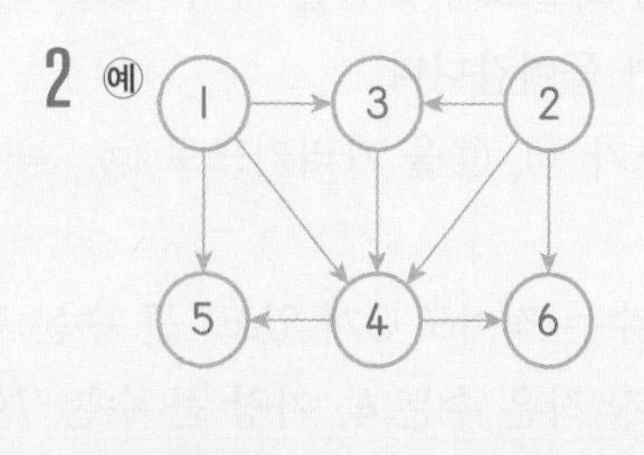

최상위 사고력 4, 5, 6, 7

저자 톡! 화살표 퍼즐은 수의 크기를 비교하여 여러 번의 시행착오 끝에 답을 구할 수도 있지만 가장 작은 수와 가장 큰 수가 들어갈 자리를 먼저 찾으면 좀 더 쉽게 구할 수 있습니다. 단순히 수를 채워 넣기보다는 해결 전략을 찾아내어 추리력과 논리력을 키우도록 합니다.

1 모든 화살표가 가리키고 있는 ★칸에 가장 큰 수인 9를 써넣습니다.
♥칸은 화살표가 모두 바깥쪽을 가리키고 있으므로 1과 2를 제외한 작은 수인 3과 4를 써넣습니다. 이때 두 수의 위치는 바뀌어도 됩니다.
나머지 칸에는 화살표가 가리키는 규칙에 맞게 5, 6, 7, 8을 써넣습니다.
3과 4를 써넣는 위치와 5, 6, 7, 8을 써넣는 위치에 따라 답은 여러 가지입니다.

> 지도 가이드
> ♥칸에 반드시 3과 4를 써넣을 필요는 없지만 3과 4를 써넣으면 문제 해결이 쉬워집니다.

> 해결 전략
> 가장 작은 수는 화살표가 모두 바깥쪽을 향하는 곳에, 가장 큰 수는 화살표가 모두 가리키는 곳에 써넣습니다.

2

모든 화살표가 바깥쪽을 향하는 ♥칸에는 작은 수인 1과 2,
모든 화살표가 가리키는 ★칸에는 큰 수인 5와 6을 써넣습니다.
나머지 칸에는 화살표가 가리키는 규칙에 맞게 3과 4를 써넣습니다.
1과 2, 5와 6을 써넣는 위치에 따라 답은 여러 가지입니다.

> **지도 가이드**
> 무작정 수를 써넣지 말고 먼저 가장 작은 수가 들어갈 곳과 가장 큰 수가 들어갈 곳을 찾을 수 있도록 지도합니다.

최상위 사고력

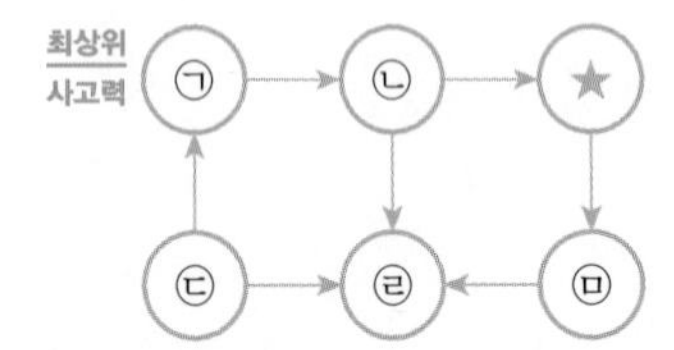

> **보충 개념**
> 1, 2, 3, 4, 5, 6, 7, 8, 9
> ★

화살표가 가리키는 방향을 보고 ★의 수보다 작은 수를 써넣는 칸과 큰 수를 써넣는 칸을 찾아봅니다.
㉠, ㉡, ㉢에서 시작한 화살표가 ★칸을 가리키므로 ㉠, ㉡, ㉢에는 ★의 수보다 작은 수가 들어갑니다.
★에서 시작한 화살표가 ㉤, ㉣을 가리키므로 ㉤, ㉣에는 ★의 수보다 큰 수가 들어갑니다.
➡ ★의 수보다 작은 수는 적어도 3개 있고, 큰 수는 적어도 2개 있습니다.
따라서 ★의 수 중 가장 작은 수는 4, 가장 큰 수는 7이므로 ★에 써넣을 수 있는 수는 4, 5, 6, 7입니다.

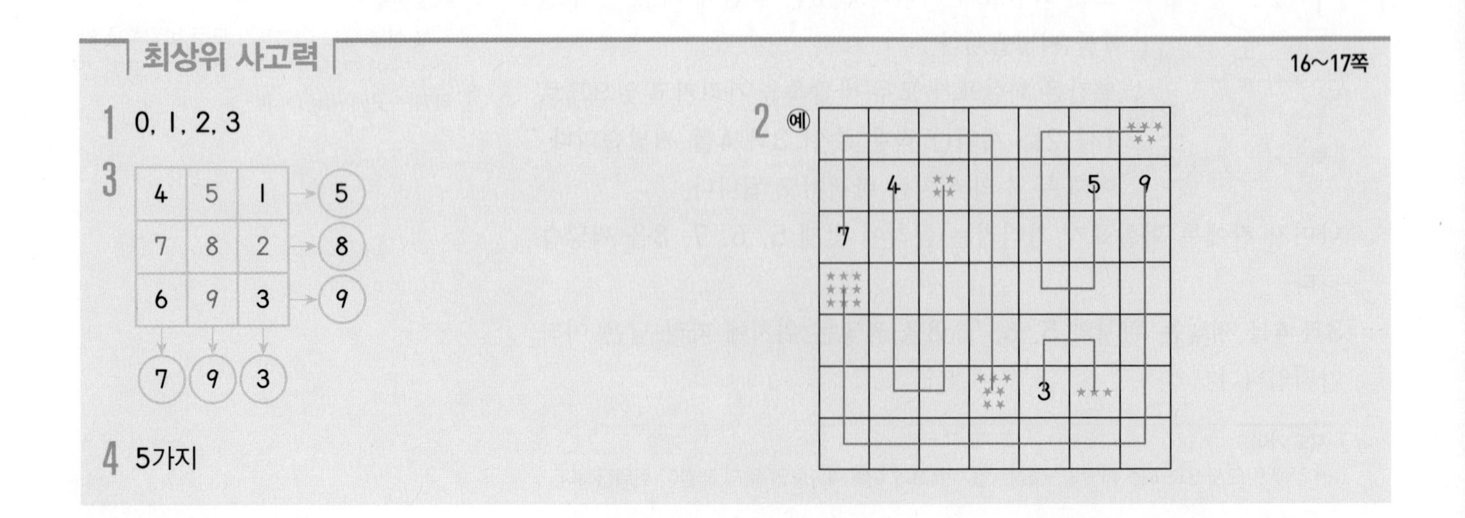

1

♣ ㉠ ㉡ 6

♣, ㉠, ㉡에는 6보다 작은 수인 0, 1, 2, 3, 4, 5를 넣을 수 있습니다.
㉠과 ㉡에 넣을 수 있는 가장 큰 수는 ㉠=4, ㉡=5입니다.
따라서 ♣에는 ㉠의 수보다 작은 0, 1, 2, 3을 써넣을 수 있습니다.

2 별의 개수를 세어 같은 수를 나타내는 것끼리 선으로 이어 봅니다.
답은 여러 가지가 있습니다.

> 주의
> 선이 지나지 않는 칸이 있으면 안됩니다.

3

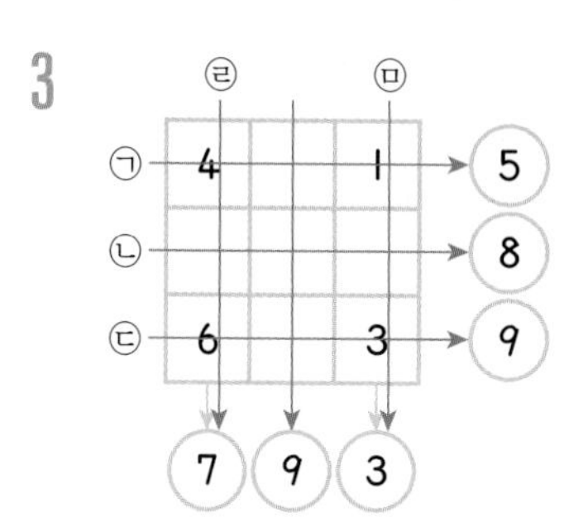

가로, 세로 줄에 놓인 가장 큰 수를 보고 빈칸에 알맞은 수를 찾습니다.
㉠ 줄의 가장 큰 수는 5이므로 빈칸에 5를 써넣습니다.
㉢ 줄의 가장 큰 수는 9이므로 빈칸에 9를 써넣습니다.
㉣ 줄의 가장 큰 수는 7이므로 빈칸에 7을 써넣습니다.
㉤ 줄의 가장 큰 수는 3이므로 빈칸에는 3보다 작은 수인 2를 써넣습니다.
㉡ 줄의 가장 큰 수는 8이므로 빈칸에 8을 써넣습니다.

4

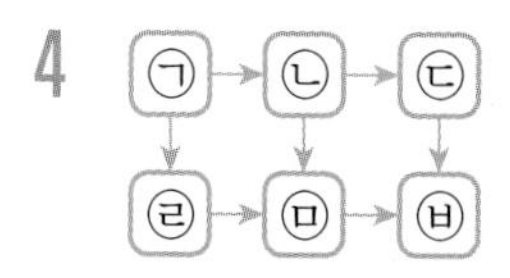

화살표가 모두 나가는 ㉠에는 가장 작은 수인 4, 화살표가 모두 가리키는 ㉥에는 가장 큰 수인 9를 써넣습니다.

4 → ㉡ → ㉢
㉣ → ㉤ → 9

화살표가 가리키는 방향에 따라 ㉡, ㉢, ㉣, ㉤에 5, 6, 7, 8을 써넣는 방법은 모두 5가지입니다.

4 → 5 → 6 / 7 → 8 → 9

4 → 5 → 7 / 6 → 8 → 9

4 → 5 → 8 / 6 → 7 → 9

4 → 6 → 8 / 5 → 7 → 9

4 → 6 → 7 / 5 → 8 → 9

> 해결 전략
> 화살표가 모두 바깥쪽을 향하는 칸에는 가장 작은 수, 모두 가리키는 칸에는 가장 큰 수를 써넣습니다.

2-1. 순서 찾기

18~19쪽

1 1층: 지은, 2층: 소희, 3층: 윤호, 4층: 석민, 5층: 희수 2 수정, 은찬, 민희, 현수, 승환

최상위 사고력 4층

저자 톡! 자연수에는 양이나 개수를 나타내는 집합수, 순서를 나타내는 순서수, 식별을 목적으로 하는 이름수가 있습니다. 집합수는 3묶음, 5 cm와 같이 단위와 함께 쓰이고, 순서수는 순서를 나타낼 때 쓰는 '－째'와 함께 사용합니다. 이름수는 운동선수의 등번호, 자동차의 번호 등이 있습니다. 수와 관련된 다양한 활동을 통해 집합수, 순서수, 이름수의 의미를 이해할 수 있도록 합니다.

1 ① 석민이는 4층에 살고, 지은이네 집보다 윗층에 4명이 살고 있습니다.

5층
4층 석민
3층
2층
1층 지은
4명

② 윤호네 집보다 2층 위에 희수가 살고 있습니다.

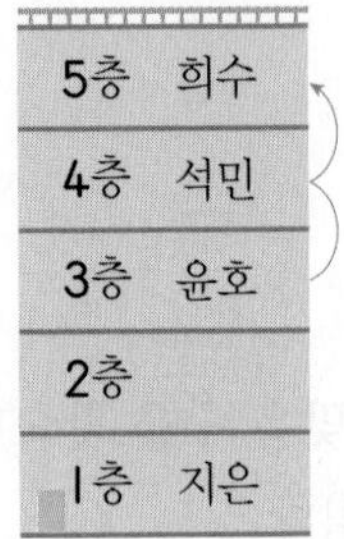

③ 남은 칸에 소희를 써넣습니다.
따라서 1층부터 지은－소희－윤호－석민－희수 순으로 살고 있습니다.

주의
만약 윤호네 집이 2층이라면 2층 위의 집은 석민이네 집이므로 조건에 맞지 않습니다.

2 수정이가 가장 먼저 들어왔으므로 1등이고, 현수가 네 번째로 들어왔으므로 4등입니다.

(수정) 1등, ( ) 2등, ( ) 3등, (현수) 4등, ( ) 5등

민희는 은찬이보다는 늦게, 승환이보다는 빨리 들어왔으므로 세 명의 순서는 (은찬)(민희)(승환)입니다.
따라서 학생들이 들어온 순서는 수정－은찬－민희－현수－승환입니다.

해결 전략
그림을 그려 해결할 때 주어진 설명 중 확실하게 순서를 알 수 있는 학생의 이름부터 쓰도록 합니다.

최상위 사고력 그림을 그려서 해결해 봅니다.

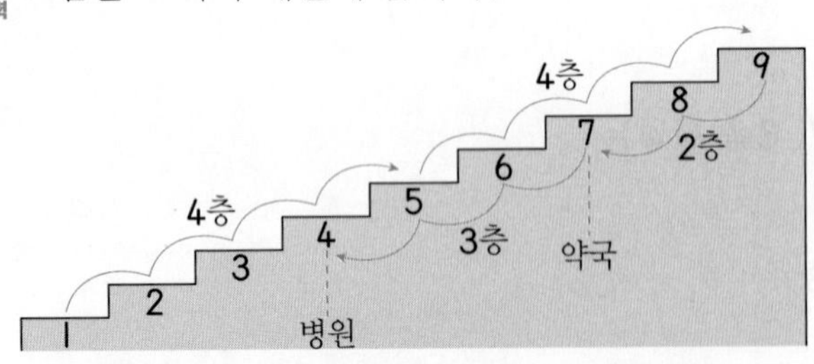

1층에서 4층을 올라가면 5층이고,
5층에서 4층을 올라가면 9층입니다.
9층에서 2층 내려온 7층에 약국이 있으므로
병원은 7층보다 3층 아래인 4층에 있습니다.

주의
1층에서 4층을 올라가면 4층이 아니라 5층입니다.

2-2. 전체 수 구하기

20~21쪽

1 (왼쪽) 7 | 2 | 6 | 4 | 3 | 8 | 5 | 9 | 1 (오른쪽)

2 8칸

최상위 사고력 3칸

1 • 조건1 + 조건2 5는 7에서 오른쪽으로 여섯 번째, 1에서 왼쪽으로 두 번째 수입니다.

(왼쪽) 7 | | | | | | 5 ←7에서 오른쪽으로 여섯 번째

1에서 왼쪽으로 두 번째 → 5 | | 1 (오른쪽)

따라서 9개의 수를 (왼쪽) 7 | | | | | | 5 | | 1 (오른쪽)과 같이 나타낼 수 있습니다.

• 조건3 5에서 왼쪽으로 세 번째 수는 4이므로 다음과 같이 나타냅니다.

(왼쪽) 7 | | | 4 | | | 5 | | 1 (오른쪽)

• 조건4 + 조건5 조건에 맞게 2, 3, 6, 9를 써넣을 수 있는 방법은 다음과 같습니다.

(왼쪽) 7 | 2 | 6 | 4 | 3 | | 5 | 9 | 1 (오른쪽)

• 나머지 빈칸에 8을 써넣어 완성합니다.

(왼쪽) 7 | 2 | 6 | 4 | 3 | 8 | 5 | 9 | 1 (오른쪽)

2 기차 칸을 ○로, 재희가 탄 기차 칸을 ●로 그려 순서를 나타냅니다.

(앞) ○○○○○○● ← 앞에서 일곱 번째

뒤에서 두 번째 → ●○ (뒤)

따라서 기차의 칸은 (앞) ○○○○○○●○ (뒤)와 같이 나타낼 수 있습니다.

○와 ●의 수를 세어 보면 8개이므로 기차의 칸은 모두 8칸입니다.

해결 전략

재희가 탄 기차 칸을 기준으로 하여 그림으로 나타냅니다.

최상위 사고력 9칸의 계단을 그린 다음 유미, 민우, 지윤, 은호가 서 있는 곳을 표시하면 다음과 같습니다.

따라서 은호와 지윤이 사이에 있는 계단은 3칸입니다.

보충 개념

은호와 지윤이 사이에 있는 계단 수는 3과 7 사이에 있는 수의 개수와 같습니다. 3과 7 사이에 있는 수는 4, 5, 6으로 3칸입니다.

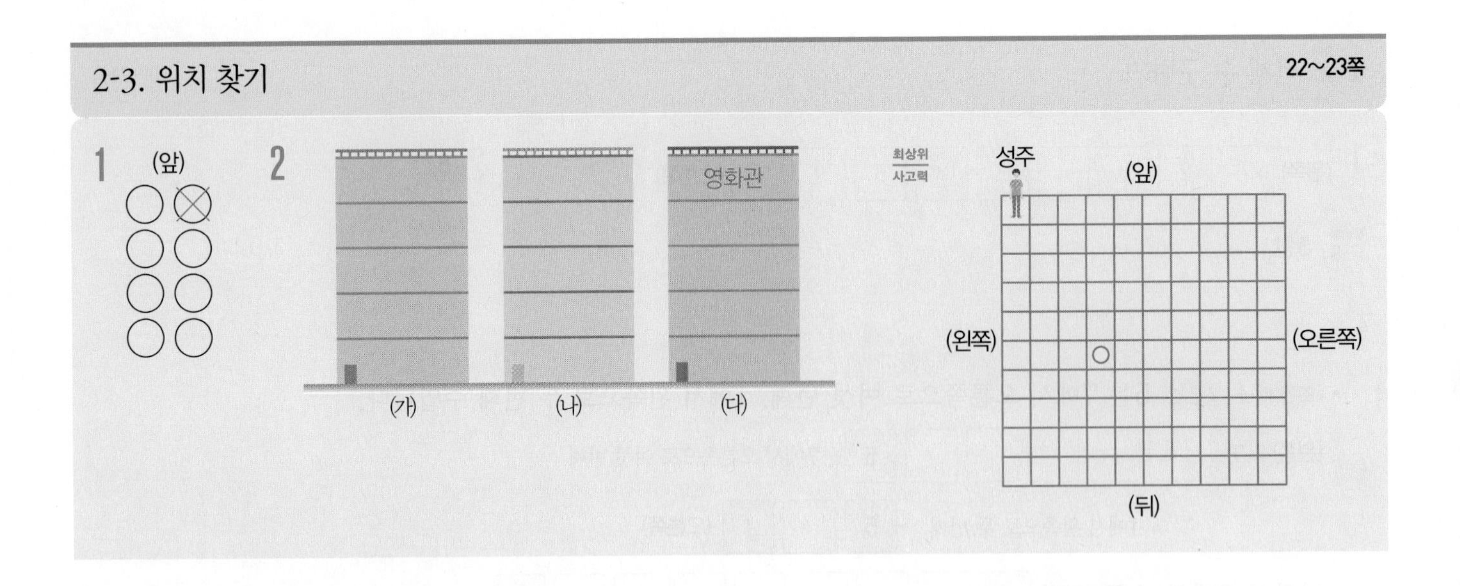

1 영진 → 시우 → 신미 순서로 위치를 찾아봅니다.

① 영진이는 앞에서 세 번째, 뒤에서 두 번째 줄에 서 있고, 시우는 영진이의 두 줄 앞에 있으므로 다음 그림과 같이 나타냅니다.

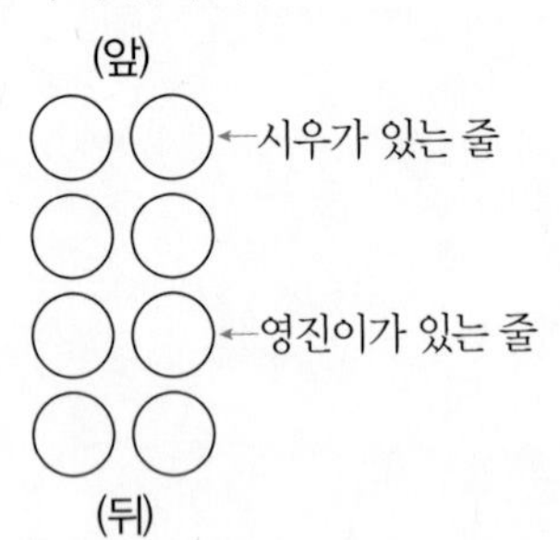

② 시우의 오른쪽에 신미가 서 있으므로 시우는 맨 앞줄 왼쪽에, 신미는 맨 앞줄 오른쪽에 서 있습니다.

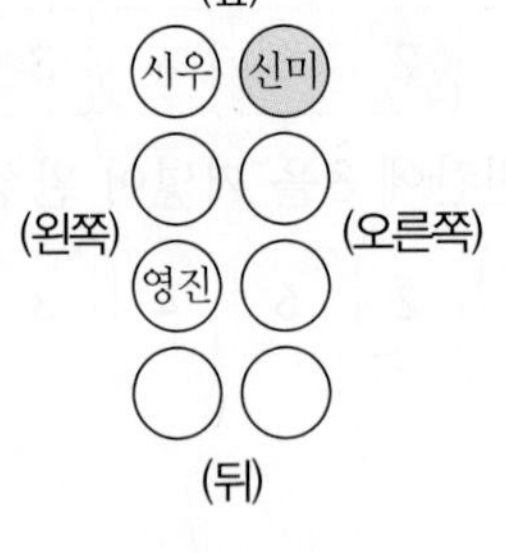

2 치과는 ㈎ 건물 2층에 있고, 피아노 학원은 ㈏ 건물 5층에 있습니다.

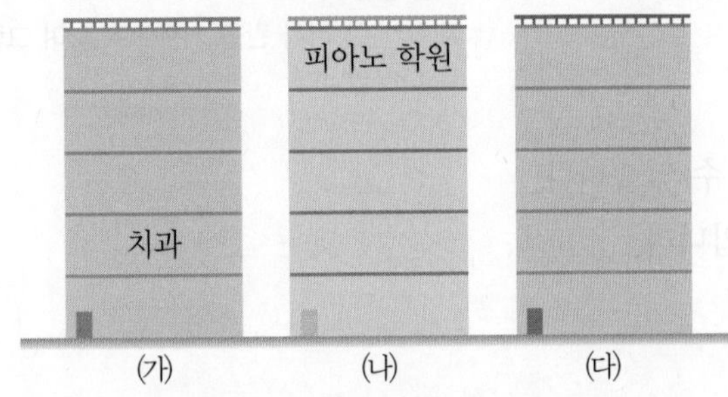

㈏ 건물 2층에 독서실이 있는 경우 독서실보다 3층 위에 피아노 학원이 있어서 각 층에 1개의 상가만 있다는 조건에 맞지 않습니다.
따라서 독서실은 ㈐ 건물 2층에 있고 독서실보다 3층 위에 영화관이 있습니다.

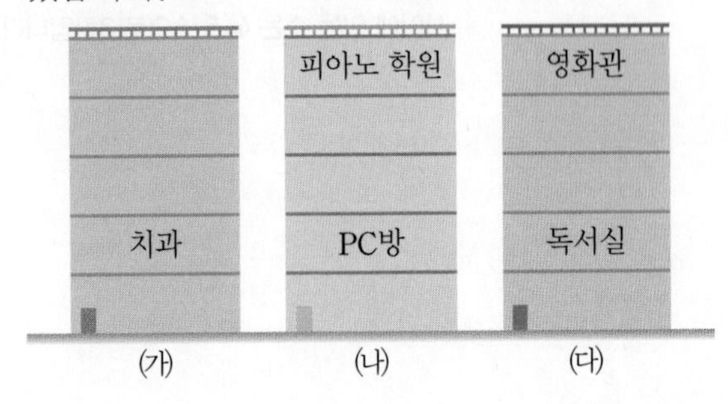

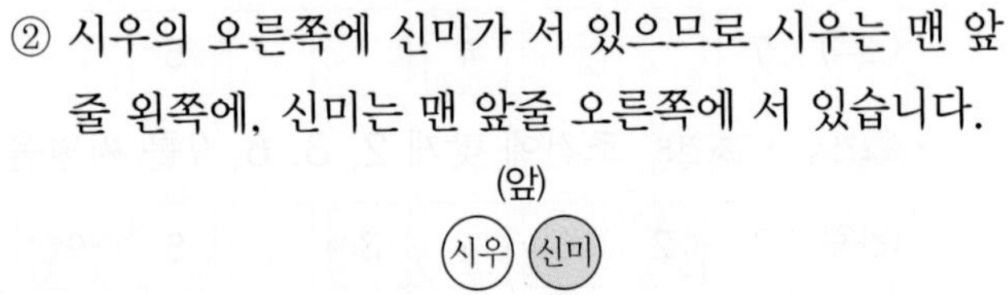

최상위 사고력 아이스크림 가게 → 학교 순서로 위치를 찾아봅니다.

① 먼저 성주의 위치를 기준으로 아이스크림 가게의 위치를 찾습니다.

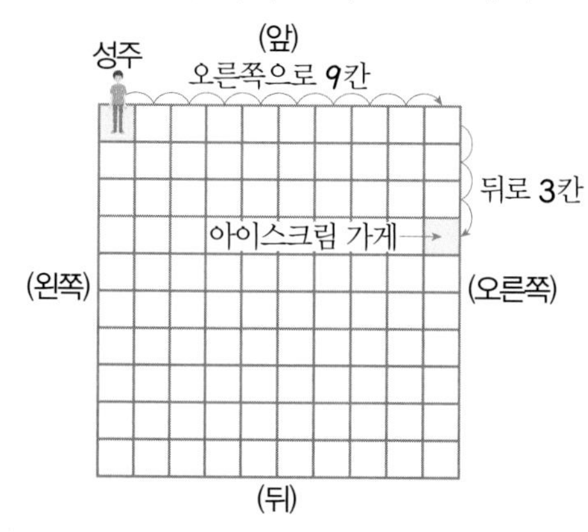

② 학교를 기준으로 오른쪽으로 6칸, 앞으로 2칸을 가면 아이스크림 가게입니다. 기준을 바꾸어 아이스크림 가게를 기준으로 뒤로 2칸, 왼쪽으로 6칸을 가면 학교가 있습니다.

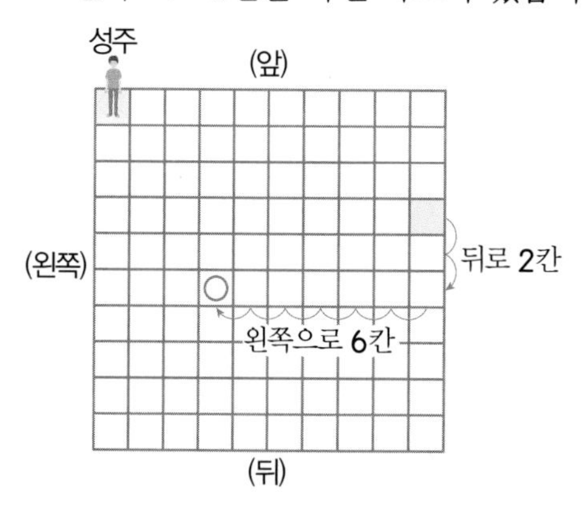

지도 가이드

기준이 달라지면 이동하는 칸의 수는 같지만 이동하는 방향은 달라지는 것을 이해할 수 있도록 지도합니다.

예 학교에서 오른쪽으로 세 칸, 앞으로 네 칸에 문구점이 있습니다.

문구점에서 왼쪽으로 세 칸, 뒤로 네 칸에 학교가 있습니다.

해결 전략

학교와 아이스크림 가게의 위치를 설명하는 기준이 바뀌어도 이동하는 칸의 수는 바뀌지 않습니다.

학교 —오른쪽으로 6칸, 앞으로 2칸→ 아이스크림 가게

학교 ←왼쪽으로 6칸, 뒤로 2칸— 아이스크림 가게

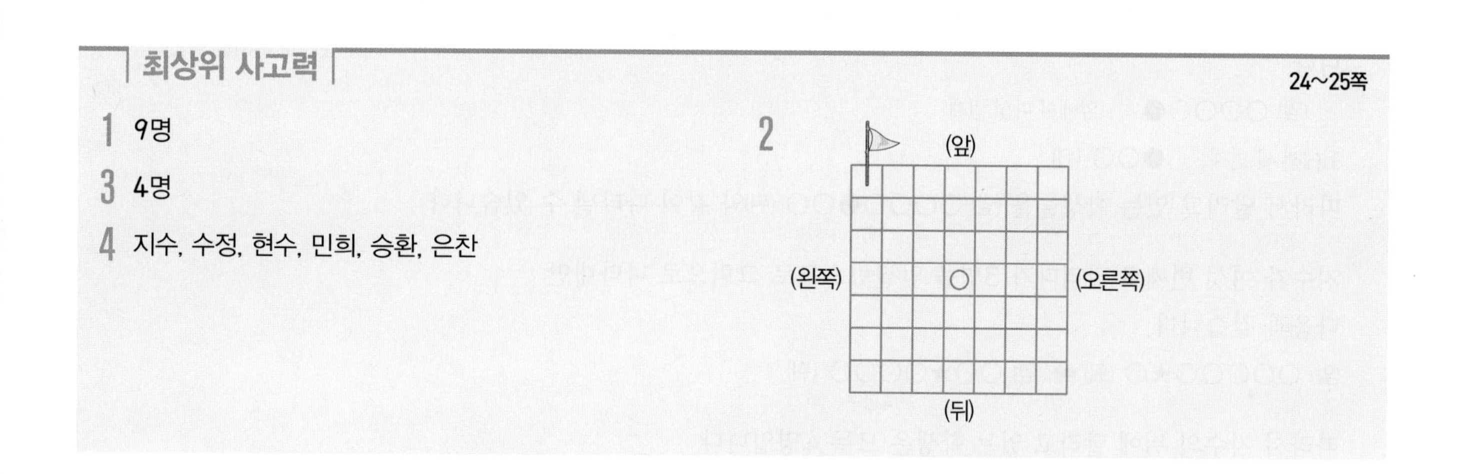

최상위 사고력

24~25쪽

1 9명

3 4명

4 지수, 수정, 현수, 민희, 승환, 은찬

2

1 ① 학생들이 옆으로 3명씩 줄을 서 있고 지은이는 3명 중 가운데에 서 있으므로 다음 그림과 같이 나타냅니다.

(왼쪽) ○ (지은) ○ (오른쪽)

② 지은이는 앞에서 두 번째, 뒤에서 두 번째 줄에 서 있으므로 줄을 선 학생들을 그림으로 나타내면 다음과 같습니다.

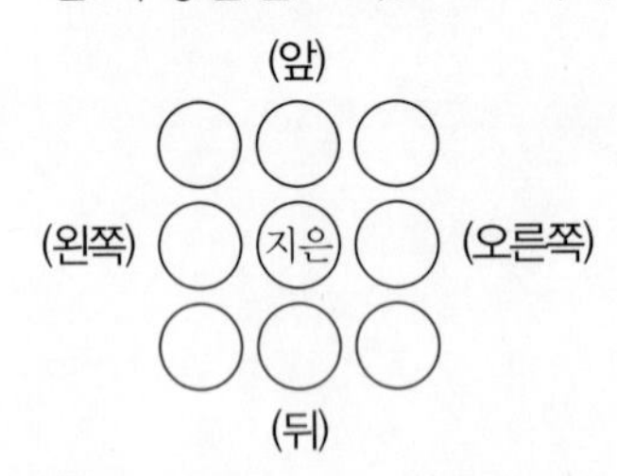

따라서 모두 9명의 학생이 줄을 서 있습니다.

> 보충 개념
> ○ 앞에서 두 번째
> ●
> ○ 뒤에서 두 번째

2 ① 깃발이 꽂힌 곳을 기준으로 우물과 동굴의 위치를 찾습니다.

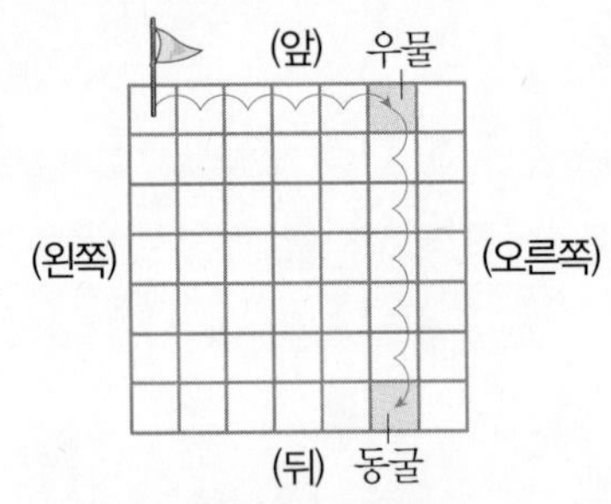

② 동굴의 위치를 기준으로 보물이 숨겨진 곳을 나타내면 동굴에서 왼쪽으로 두 번째 칸, 앞으로 세 번째 칸에 보물이 있습니다.

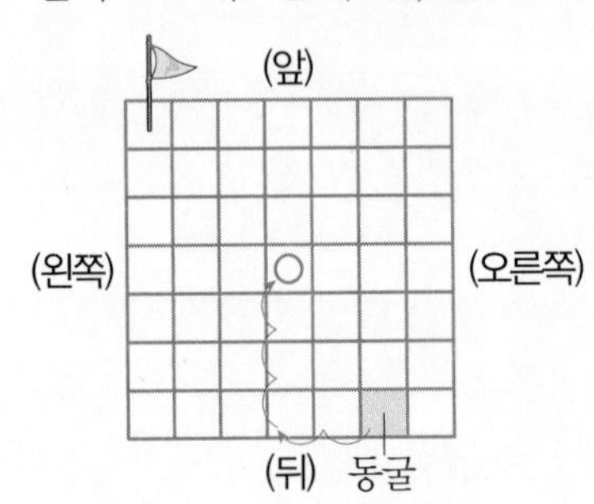

3 달리기를 하고 있는 학생들을 ○로, 석우를 ●로 그려 순서를 나타냅니다.

(앞) ○○○○● ← 앞에서 다섯 번째

뒤에서 세 번째 → ●○○ (뒤)

따라서 달리고 있는 학생들을 (앞) ○○○○●○○ (뒤)와 같이 나타낼 수 있습니다. (7명)

지수가 여섯 번째로 달리다가 3명을 앞질렀으므로 그림으로 나타내면 다음과 같습니다.

(앞) ○○○○○★○ (뒤) ➡ (앞) ○○★○○○○ (뒤) (4명)

따라서 지수의 뒤에 달리고 있는 학생은 모두 4명입니다.

> 해결 전략
> 석우 → 지수 순서로 위치를 찾습니다.

4 • 민희보다 늦게 온 사람이 2명이고, 수정이보다 늦게 온 사람은 4명 이므로 다음과 같이 나타냅니다.

• 지수는 수정이 바로 앞에 들어왔으므로 가장 먼저 도착했습니다.

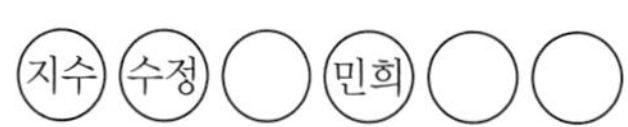

• 현수와 승환이 사이에 한 명이 도착했으므로 현수가 도착하고 민희가 도착한 다음 승환이가 도착했습니다.

• 나머지 빈칸에 은찬이의 이름을 써넣습니다.

따라서 지수, 수정, 현수, 민희, 승환, 은찬이 순서로 교실에 도착했습니다.

해결 전략
친구들의 수인 6만큼 ○를 그려서 위치를 찾습니다.

최상위 사고력 3 수와 문제해결

3-1. 수와 규칙

26~27쪽

1

네 번째

일곱 번째

2 여덟 번째 묶음

최상위 사고력 7번

1 표에서 위치가 같은 수 사이의 규칙을 찾아봅니다.

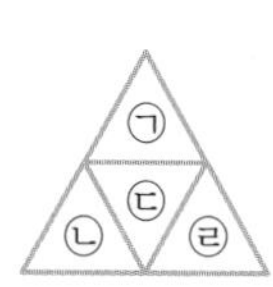

㉠의 수는 1부터 시작하여 1씩 커집니다. ➡ 1, 2, 3, ④, 5, 6, ⑦, 8

㉡의 수는 0부터 시작하여 1씩 커집니다. ➡ 0, 1, 2, ③, 4, 5, ⑥, 7

㉢의 수는 9부터 시작하여 1씩 작아집니다. ➡ 9, 8, 7, ⑥, 5, 4, ③, 2

㉣의 수는 2부터 시작하여 1씩 커집니다. ➡ 2, 3, 4, ⑤, 6, 7, ⑧, 9

지도 가이드
같은 규칙도 여러 가지 방법으로 표현할 수 있습니다.
다양한 방법으로 규칙을 설명해 보도록 지도합니다.

2 묶음 (㉠, ㉡, ㉢, ㉣, ㉤)의 ㉢은 2부터 시작하여 1씩 커집니다.

㉡, ㉣은 ㉢보다 1 작은 수입니다.

㉠, ㉤은 ㉡, ㉣보다 1 작은 수입니다.

묶음 (   )에서 가장 큰 수는 ㉢이므로 ㉢이 9일 때 9가 처음 나온 것입니다.

(0, 1, 2, 1, 0), (1, 2, 3, 2, 1), (2, 3, 4, 3, 2) …… (7, 8, 9, 8, 7)

첫 번째 / 두 번째 / 세 번째 / 여덟 번째

따라서 9가 처음 나오는 묶음은 여덟 번째 묶음입니다.

최상위 사고력 표의 순서와 수 사이의 규칙을 찾아봅니다.

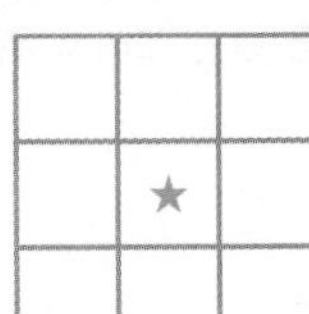

★은 1부터 1씩 커집니다.
★의 위에 3칸의 수는 ★보다 1 작은 수입니다.
★의 아래 3칸의 수는 ★보다 1 큰 수입니다.

보충 개념

6 — 7 — 8

7보다 1 작은 수 7보다 1 큰 수

따라서 7은 ★이 7보다 1 작은 수인 표, ★이 7인 표, ★이 7보다 1 큰 수인 표에서 찾을 수 있습니다.

5	5	5
	6	
7	7	7

6	6	6
	7	
8	8	8

7	7	7
	8	
9	9	9

따라서 7은 모두 7번 나옵니다.

지도 가이드

만들어야 하는 표가 많지 않아 8번째까지의 표를 모두 구하여 7의 개수를 구할 수도 있습니다. 하지만 수의 범위가 커졌을 때에도 문제를 해결할 수 있도록 표의 순서와 수 사이의 규칙을 찾을 수 있도록 합니다.

3-2. 조건을 만족하는 수

28~29쪽

1 (2, 3, 4, 9), (3, 4, 5, 9), (4, 5, 6, 9), (4, 7, 8, 9) **2** 5, 6, 7

최상위 사고력 (왼쪽) 7 9 8 6 5 (오른쪽)

1 고를 수 있는 4장의 수 카드는 3개의 연속한 수와 연속하지 않은 수 1개로 이루어져 있습니다.

- 4가 연속한 수 3개 중 하나인 경우

  3개의 연속한 수는 (2, 3, 4), (3, 4, 5), (4, 5, 6)이고

  나머지 1개의 수는 9입니다.

- 9가 연속한 수 3개 중 하나인 경우

  3개의 연속한 수는 (7, 8, 9)이고 나머지 1개의 수는 4입니다.

따라서 조건에 맞게 수 카드를 고르는 방법은

(2, 3, 4, 9), (3, 4, 5, 9), (4, 5, 6, 9), (4, 7, 8, 9)입니다.

2 먼저 각각의 조건을 만족하는 수를 구해 봅니다.

① □은(는) 2보다 크고 8보다 작습니다.

➡ □에 들어갈 수 있는 수는 3, 4, ⑤, ⑥, ⑦입니다.

② 4는 □보다 작습니다. 즉, □는 4보다 큽니다.

➡ □에 들어갈 수 있는 수는 ⑤, ⑥, ⑦, 8, 9입니다.

따라서 □ 안에 공통으로 들어갈 수 있는 수는 5, 6, 7입니다.

최상위 사고력 수의 위치를 알 수 있는 |조건|부터 해결합니다.

① 가장 큰 수를 왼쪽에서 두 번째 칸에 놓습니다.

➡ 가장 큰 수는 9입니다.

(왼쪽) □ 9 □ □ □ (오른쪽)

② 6의 오른쪽에는 6보다 작은 수만 놓습니다.

➡ 6보다 작은 수는 5뿐이므로 6의 오른쪽에 5만 놓으려면 6은 오른쪽에서 두 번째에 써넣어야 합니다.

(왼쪽) □ 9 □ 6 5 (오른쪽)

③ 7의 왼쪽에는 수를 놓지 않습니다.

➡ 7을 가장 왼쪽에 써넣습니다.

(왼쪽) 7 9 □ 6 5 (오른쪽)

④ 나머지 빈칸에 8을 써넣습니다.

(왼쪽) 7 9 8 6 5 (오른쪽)

해결 전략

조건 1 → 조건 2 → 조건 3 순서로 해결해 나갑니다.

3-3. 수 카드 옮기기

30~31쪽

1 9 3 2 6 8 5 1 7 4

2 7가지

최상위 사고력 (1) 4번 (2) 3번

1 주어진 순서대로 카드를 옮겨 봅니다.

①: 3 7 6 4 8 2 9 1 5

②: 9 3 7 6 8 2 1 5 4

③: 9 3 5 6 8 2 1 7 4

따라서 바꾼 후의 카드의 위치는 다음과 같습니다.

9 3 2 6 8 5 1 7 4

주의

주어진 순서를 바꾸어 카드를 옮기면 놓인 수 카드의 위치가 달라집니다.

2 6이 포함된 연속한 3개의 수를 먼저 구하면 (4, 5, 6), (5, 6, 7), (6, 7, 8)입니다.

① 6이 포함된 연속하는 세 수가 (4, 5, 6)일 때 나머지 수 카드로 연속하는 세 수를 만드는 경우
➡ (1, 2, 3), (7, 8, 9)

② 6이 포함된 연속하는 세 수가 (5, 6, 7)일 때 나머지 수 카드로 연속하는 세 수를 만드는 경우
➡ (1, 2, 3), (2, 3, 4)

③ 6이 포함된 연속하는 세 수가 (6, 7, 8)일 때 나머지 수 카드로 연속하는 세 수를 만드는 경우
➡ (1, 2, 3), (2, 3, 4), (3, 4, 5)

따라서 수 카드를 놓을 수 있는 방법은 모두 $2+2+3=7$(가지)입니다.

최상위 사고력 (1)

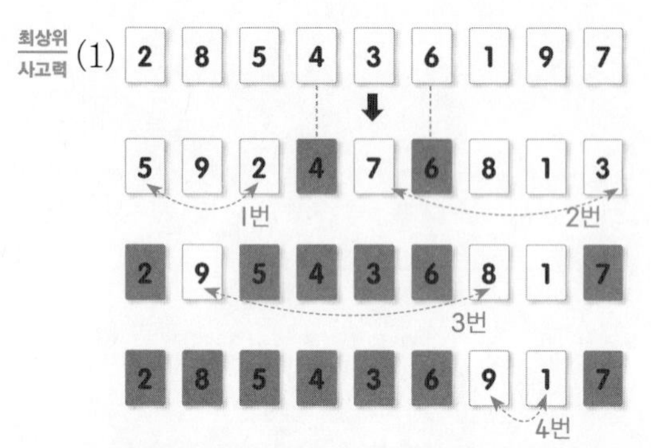

최소한 카드를 4번 바꾸어야 합니다.
이때 4번 만에 카드를 바꾸는 방법은 여러 가지입니다.

(2)

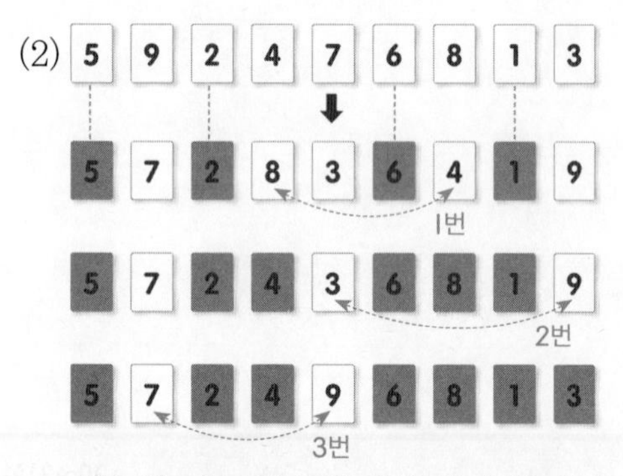

최소한 카드를 3번 바꾸어야 합니다.
이때 3번 만에 카드를 바꾸는 방법은 여러 가지입니다.

해결 전략
위치가 바뀌지 않은 수 카드를 먼저 찾아봅니다.

주의
두 장씩 수 카드의 자리를 바꾸는 경우 카드를 바꾸는 순서는 상관없습니다.

최상위 사고력

32~33쪽

1 8가지
2 ★=8, ♥=7
3 1장
4 4, 5, 6

1 0과 1 사이에 놓는 수가 8 또는 9인 경우로 각각 나누어 생각해 봅니다.

① 0과 1 사이에 8이 놓인 경우 ➡ 0과 1의 순서를 바꾸어 놓는 경우

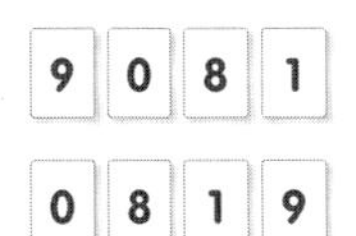

9	0	8	1

9	1	8	0

0	8	1	9

1	8	0	9

② 0과 1 사이에 9가 놓인 경우 ➡ 0과 1의 순서를 바꾸어 놓는 경우

8	0	9	1

8	1	9	0

0	9	1	8

1	9	0	8

따라서 수 카드를 놓는 방법은 모두 8가지입니다.

2

	2		4					
						★		
	②5	6	7	①8				
			8	9				
♥								

위로 갈수록 1씩 작아지고, 아래로 갈수록 1씩 커지는 규칙입니다.

왼쪽으로 갈수록 1씩 작아지고, 오른쪽으로 갈수록 1씩 커지는 규칙입니다.

★의 수는 ①에서 위로 2칸, 오른쪽으로 2칸 이동한 위치에 있습니다.

➡ 8 → 7 → 6 → 7 → 8

♥의 수는 ②에서 왼쪽으로 1칸, 아래로 3칸 이동한 위치에 있습니다.

➡ 5 → 4 → 5 → 6 → 7

따라서 ★=8, ♥=7입니다.

다른 풀이

다음과 같이 대각선으로 연결된 칸끼리 수가 같은 규칙으로 해결할 수도 있습니다.

1	2	3	4	5	6	7	8	9
2	3	4	5	6	7	⑧	9	
3	4	5	6	7	8	9		
4	5	6	7	8	9			
5	6	7	8	9				
6	7	8	9					
⑦	8	9						
8	9							
9								

(⑧: ★, ⑦: ♥)

3 ①: 2 9 5 4 7 6 1 8 3

②: 2 8 5 4 7 6 1 9 3

③: 2 8 5 4 7 1 9 3 6

따라서 옮긴 후의 카드의 위치는 9 2 8 5 4 7 1 3 6 이고

처음 수 카드는 2 9 5 4 7 6 1 8 3 이므로

놓여 있는 위치가 바뀌지 않는 수 카드는 1장입니다.

해결 전략

주어진 순서대로 카드를 옮긴 다음 처음 수 카드의 위치와 비교해 봅니다.

4 먼저 각각의 조건을 만족하는 ●를 구해 봅니다.

• ●보다 1 작은 수는 2보다 큽니다.

➡ ●보다 1 작은 수가 3, 4, 5, 6 ……이므로
●이 될 수 있는 수는 4, 5, 6, 7 ……입니다.

• ●보다 1 큰 수는 8보다 작습니다.

➡ ●보다 1 큰 수가 7, 6, 5, 4 ……이므로
●가 될 수 있는 수는 6, 5, 4, 3 ……입니다.

따라서 두 가지 조건을 모두 만족하는 수는 4, 5, 6입니다.

Review Ⅰ 수(1)

34~36쪽

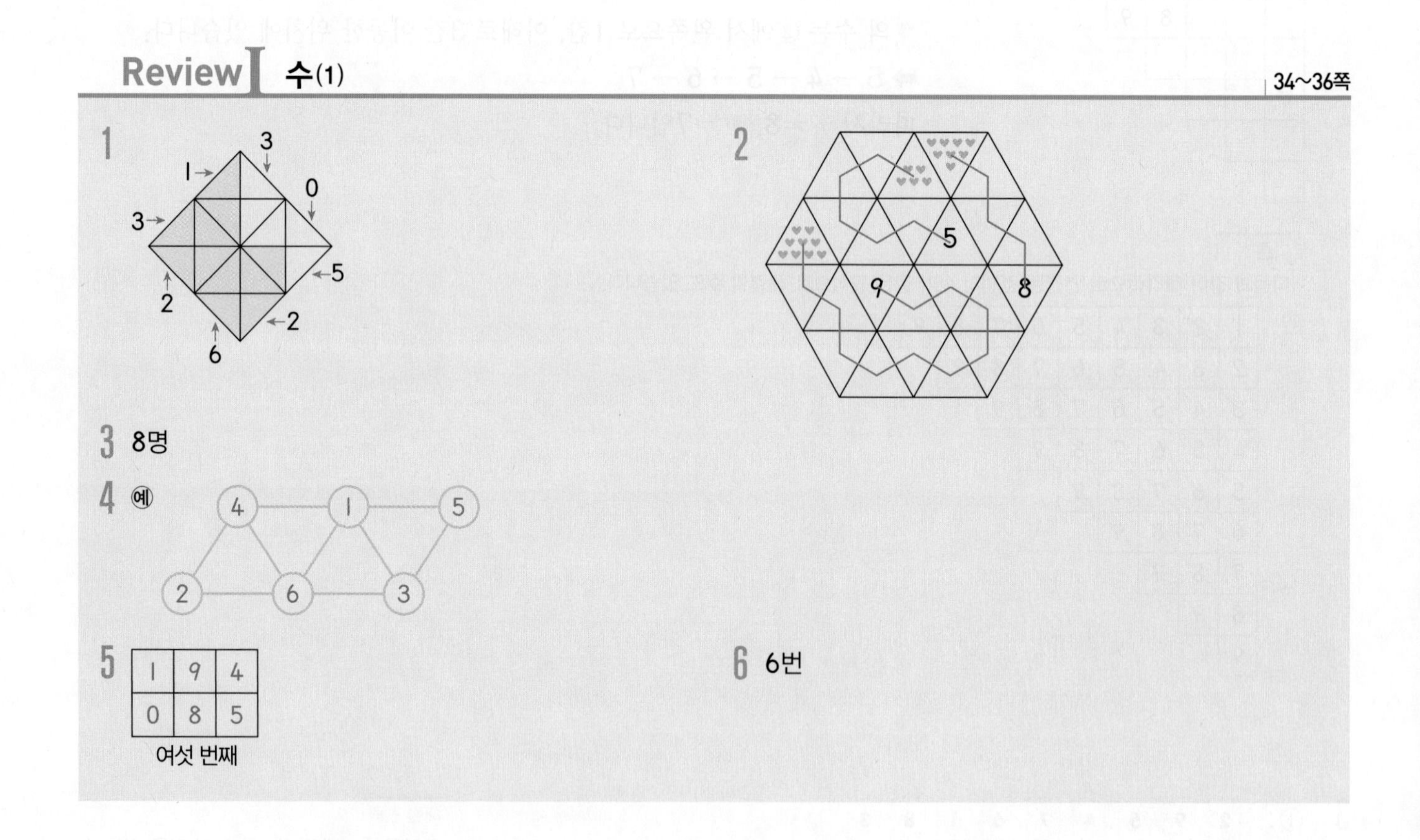

1 먼저 모든 줄을 색칠해야 하는 칸과 모든 줄을 색칠하지 않아야 하는 칸부터 찾아봅니다.

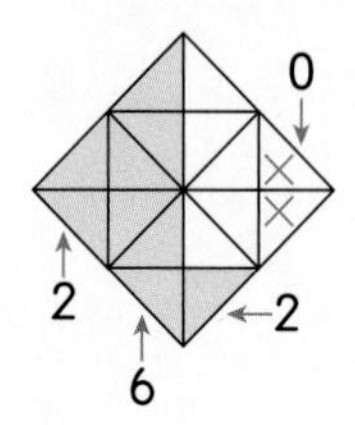

해결 전략
주어진 수와 칸의 수가 같은 곳은 모든 칸을 색칠하고, 0이 쓰여진 줄은 모든 칸에 × 표시를 합니다.

나머지 수를 보고 빈칸을 알맞게 색칠합니다.

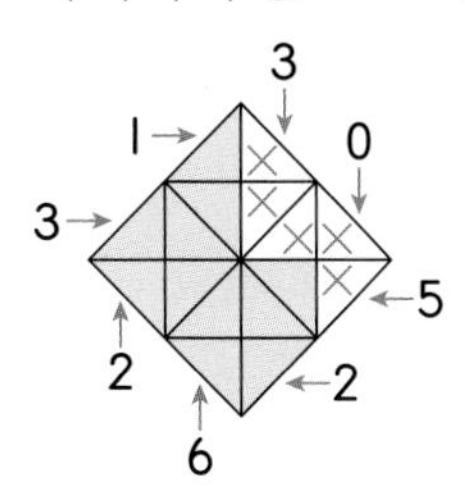

색칠한 칸의 수가 화살표 방향으로 주어진 수를 모두 만족하는지 확인합니다.

2 ♥의 개수와 그 개수를 나타낸 수를 선으로 잇습니다.
가장 먼저 8을 나타내는 것끼리 이을 수 있고, 모든 칸을 겹치지 않고 한 번씩 지나도록 5와 9를 나타내는 것끼리 선으로 이어 봅니다.

3 주희와 지훈이의 앞과 뒤에 줄을 선 학생을 ○로 나타내어 봅니다.

네 번째 → ← 두 번째

(앞) ○○○(주희), (지훈)○ (뒤)

주희와 지훈이 사이에 두 명이 서 있으므로 다음과 같습니다.

(앞) ○○○(주희)○○(지훈)○ (뒤)

따라서 줄을 선 학생은 모두 8명입니다.

해결 전략
먼저 주희와 지훈이의 위치를 그림을 그려 나타내어 봅니다.

4

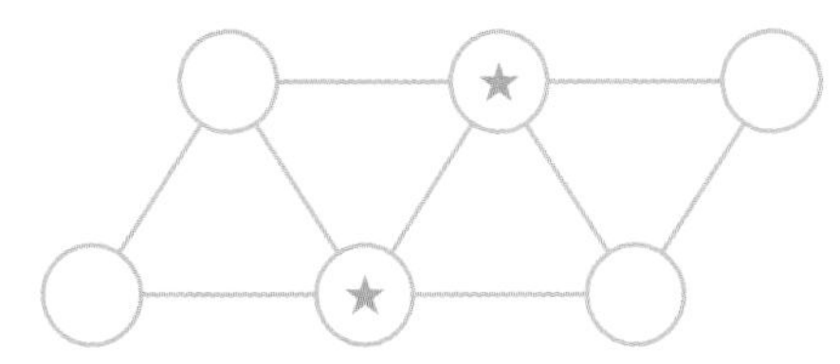

★은 이웃한 수가 4개이므로 1 큰 수 또는 1 작은 수가 다른 수보다 적은 1과 6을 ★에 써넣습니다.
나머지 2, 3, 4, 5를 1 큰 수 또는 1 작은 수와 선으로 연결되지 않도록 써넣습니다.

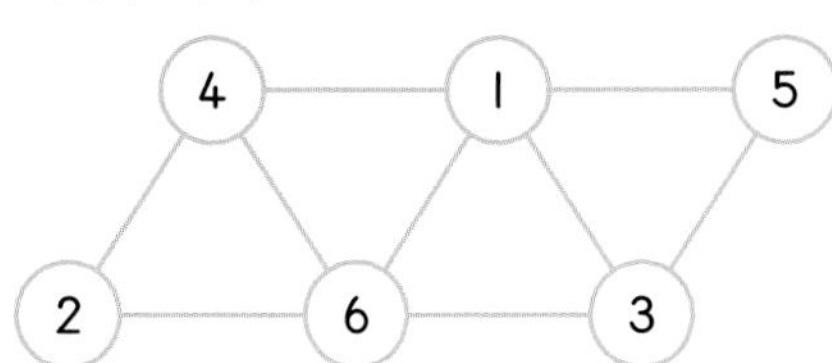

수를 써넣는 방법에 따라 답은 여러 가지입니다.

보충 개념
1부터 6까지의 수이므로 1보다 1 작은 수와 6보다 1 큰 수는 써넣을 수 없습니다.

0 ←(1 작은 수)— 1 —(1 큰 수)→ 2

5 ←(1 작은 수)— 6 —(1 큰 수)→ 7

5

		㉠
		㉡

㉠의 수는 9부터 1씩 작아집니다.

여섯 번째 표에서 ㉠은 9 → 8 → 7 → 6 → 5 → 4로 4입니다.

㉡의 수는 0부터 1씩 커집니다.

여섯 번째 표에서 ㉡은 0 → 1 → 2 → 3 → 4 → 5로 5입니다.

나머지 4개의 수는 ↻ 방향으로 1칸씩 옮겨갑니다.

네 번째 표에서 ↻ 방향으로 옮긴 4개의 수는

8	0	㉠
9	1	㉡

이고

다섯 번째 표에서 ↻ 방향으로 옮긴 4개의 수는 첫 번째 표와 같습니다.

따라서 여섯 번째 표에서 ↻ 방향으로 옮긴 4개의 수는 두 번째 표와 같습니다.

➡ 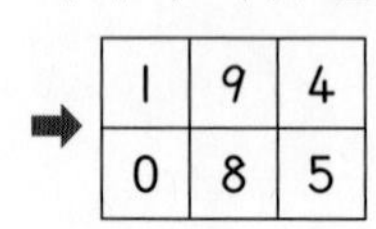

1	9	4
0	8	5

해결 전략

각 칸의 수를 보고 두 가지 규칙을 찾을 수 있습니다.

6 명주는 시작에서 오른쪽으로 2칸, 앞으로 2칸 움직인 위치에 있으므로 가위바위보에서 최소한 4번 이겨야 합니다.

명주가 4번을 이겼다면 나머지 4번의 가위바위보에서 다른 위치로 움직이면 안됩니다. 즉, 제자리에 있어야 합니다.

가위바위보를 하여 제자리에 있기 위해서는 이긴 횟수와 진 횟수가 같아야 하므로 4번 중 2번은 이기고 2번은 져야 합니다.

따라서 명주는 모두 6번 이겼습니다.

보충 개념

두 사람이 가위바위보를 하여 한 명이 이겼다면 다른 한 명은 졌다는 것입니다.

Ⅱ 도형

입체도형을 인식하고 그 특징을 파악하는 단원입니다. 주변 사물을 관찰함으로써 평면도형과 입체도형을 알 수 있으며 이것은 평면도형에 대한 직관적인 이해로 확장됩니다. 평면도형이나 입체도형의 개념과 성질에 대한 이해는 실생활 문제를 해결하는데 기초가 되고 수학의 다른 영역의 개념과도 밀접한 관련이 있습니다. 먼저 입체도형의 특징을 직관적으로 파악하여 분류해 보고, 분류한 모양을 일상적인 용어로 표현해 봅니다.

최상위 사고력 4 모양 관찰하기

4-1. 같은 모양 찾기 38~39쪽

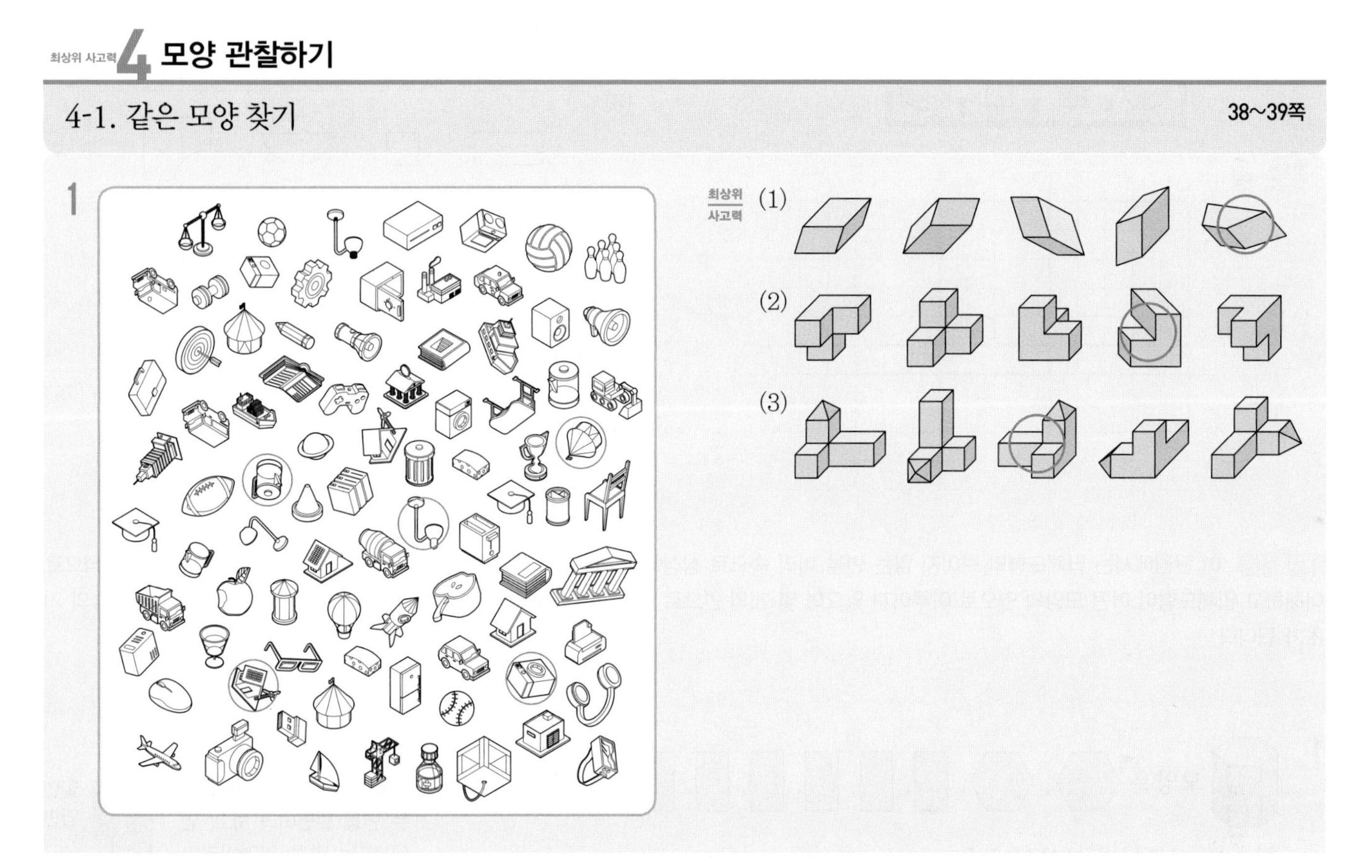

저자 톡! ⬡, ⬡, ● 모양 이외에 여러 가지 입체도형을 다루는데 각각의 입체도형의 특징을 알아보는 것이 중요하므로 도형을 지칭하는 용어를 사용하지는 않습니다. 다양한 입체도형을 충분히 관찰하여 모양의 특징을 직관적으로 이해할 수 있도록 합니다.

1 여러 방향으로 놓인 모양 중 같은 모양을 찾아봅니다. 이때 돌리거나 뒤집어서 같은 모양인지 확인합니다.

지도 가이드
입체도형의 특징을 찾아 분류할 수 있는데 이때 분류된 입체도형의 이름을 상자 모양, 공 모양 등으로 붙여 범주화하지 않습니다.

주의
다른 부분이 없는지 자세히 살펴봅니다.

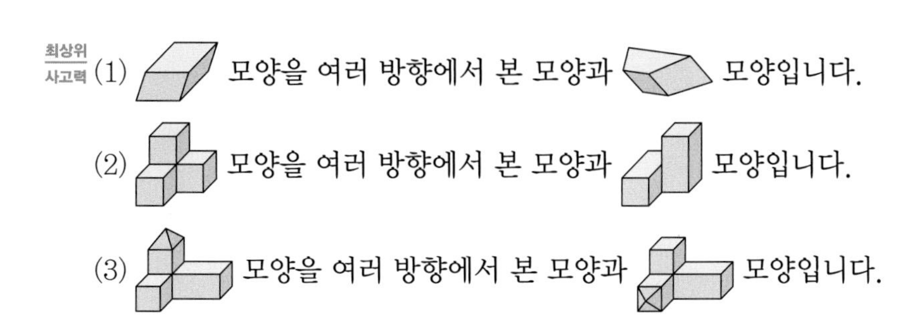

해결 전략
여러 방향에서 볼 때에는 기준을 정한 다음 나머지 부분을 비교해 봅니다.

주의
같은 모양이라도 놓인 방향과 위치에 따라 다르게 보일 수 있습니다.

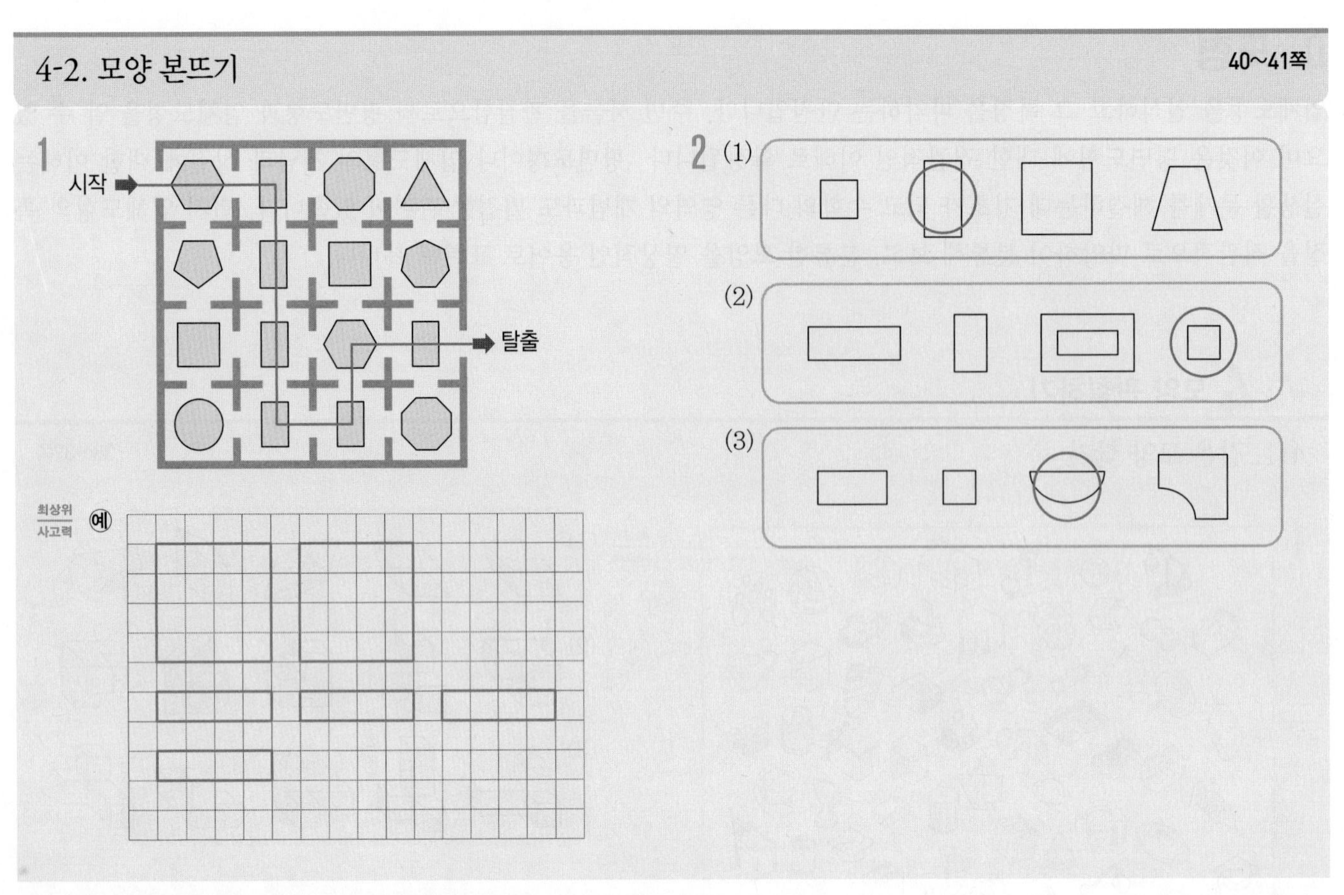

저자 톡! 이 단원에서는 입체도형의 보이지 않는 면을 머리 속으로 상상하여 그려 봅니다. 이를 통해 입체도형의 각 면의 모양을 직관적으로 이해하고 입체도형이 어떤 모양의 면으로 이루어져 있으며 몇 개의 면으로 이루어진 도형인지 알 수 있습니다. 이러한 활동은 전개도 학습의 기초가 됩니다.

1 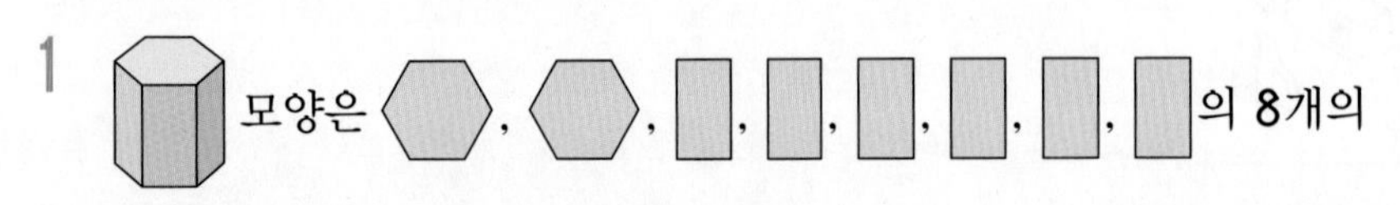

면으로 이루어진 모양입니다.
따라서 8개의 면과 같은 모양의 색종이가 있는 길을 따라 미로를 탈출합니다.

보충 개념

입체도형의 위와 아래에 있는 면을 밑면이라 하고, 옆에 있는 면을 옆면이라고 합니다.

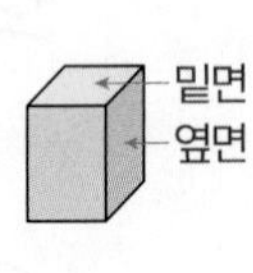

2 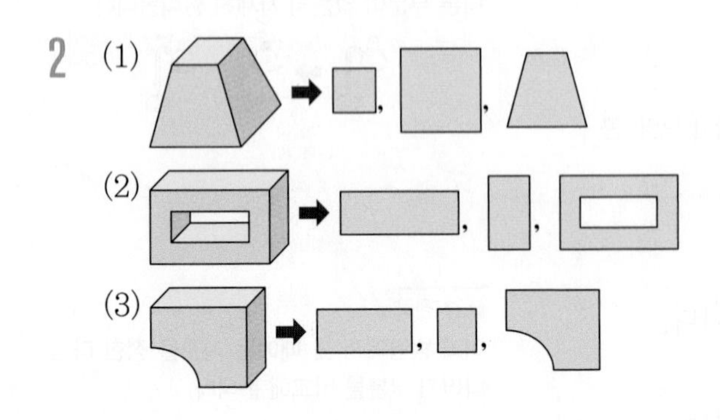

해결 전략

모양의 보이지 않는 면의 모양은 마주 보고 있는 면의 모양을 통해 유추할 수 있습니다.

최상위 사고력 각 면에 색종이를 한 장씩만 붙이므로 밑면 2장, 옆면 4장이 되도록 색종이를 잘라야 합니다. 밑면과 옆면을 ■의 수에 주의하여 그려 봅니다.

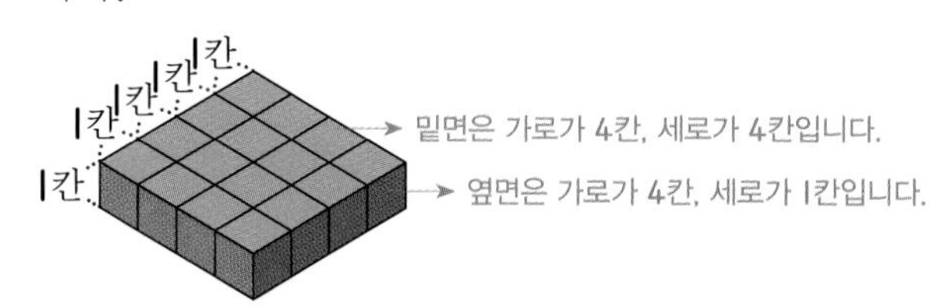

4-3. 숨은 모양 찾기

42~43쪽

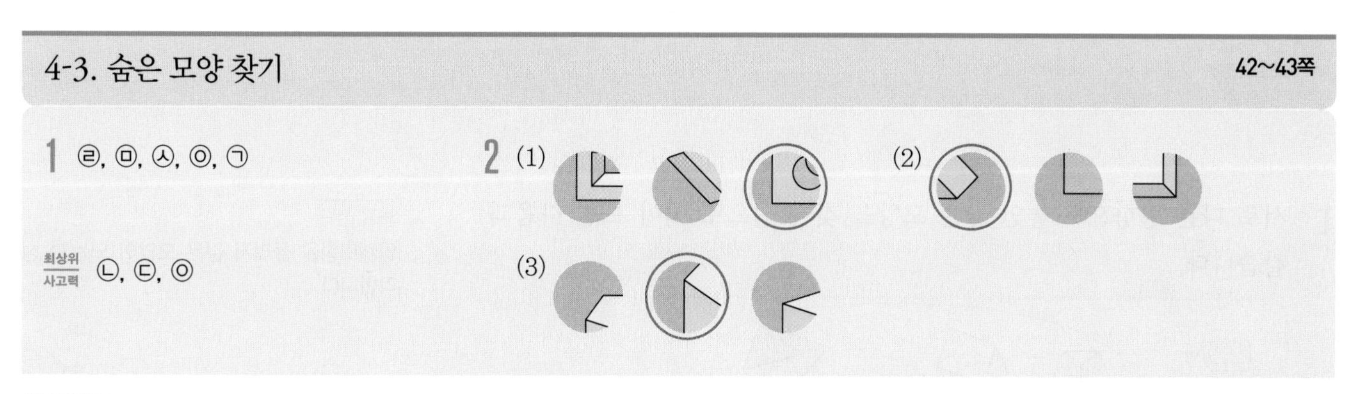

저자 톡! 부분을 보고 전체 모양을 찾기 위해 입체도형의 특징을 생각해 봅니다. 뾰족한 부분, 평평한 부분, 둥근 부분이 있는지 생각하여 도형을 분류할 수 있습니다.

1 상자 안에 들어 있는 모양은

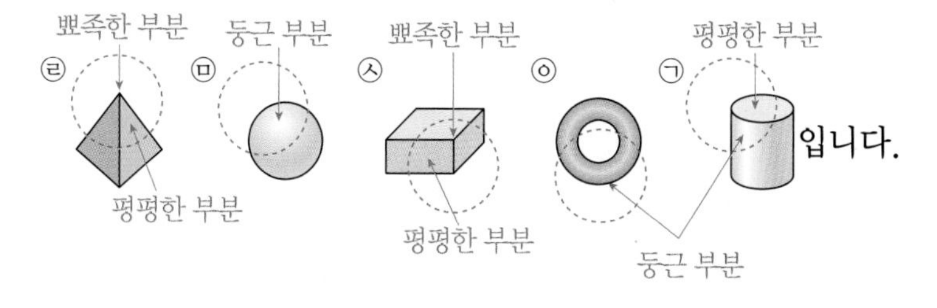

입니다.

해결 전략

부분의 모양을 보고 전체 모양을 찾을 때에는 뾰족한 부분, 둥근 부분 등과 같은 특징으로 모양을 먼저 비교합니다.

2 보이는 부분의 모양을 이용하여 가려진 부분의 모양을 생각해 봅니다.

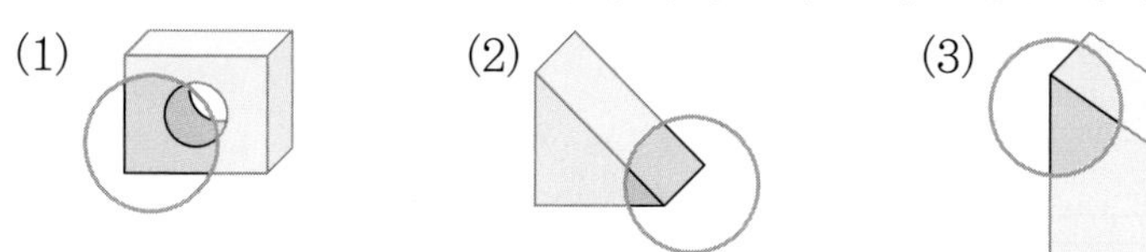

최상위 사고력 종이에 가려진 모양은

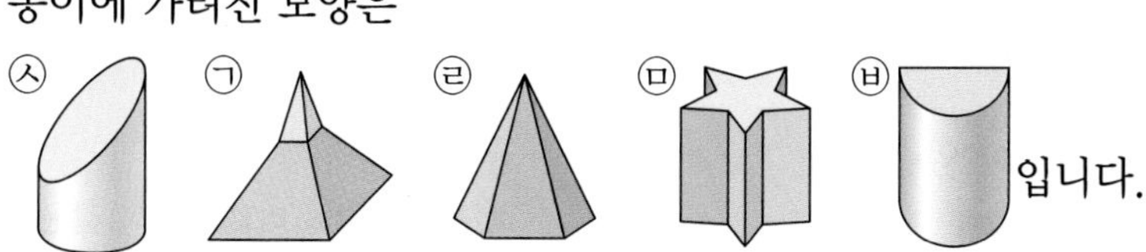

입니다.

따라서 가려진 모양을 보고 찾을 수 없는 모양은 ㉡, ㉢, ㉧입니다.

주의

모양이 놓여 있는 방향이 다른 것에 주의합니다.

최상위 사고력

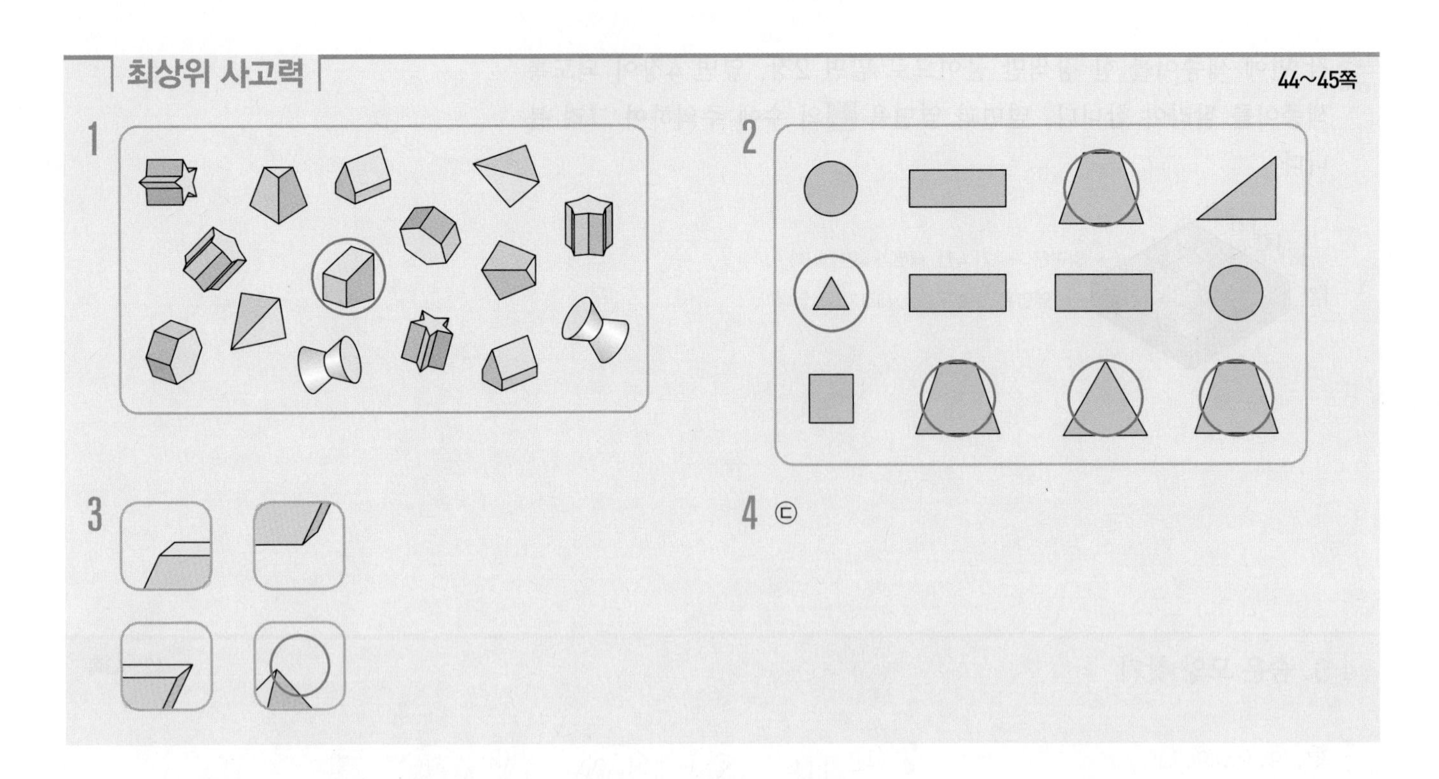

1 서로 다른 방향으로 놓인 같은 모양을 찾아 선으로 이어 보면 다음과 같습니다.

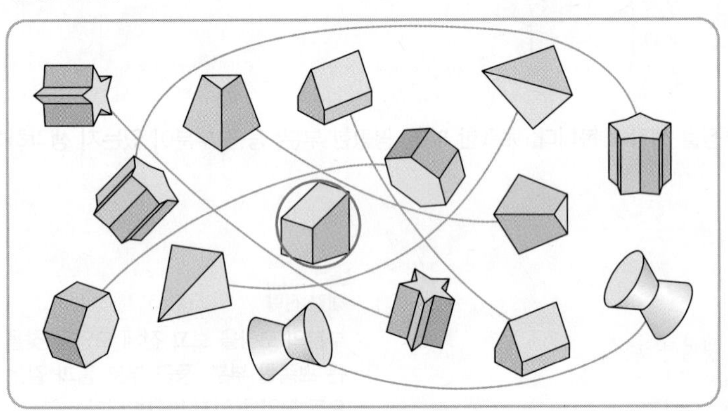

해결 전략
입체도형을 돌려서 같은 모양이 되는지 생각합니다.

2 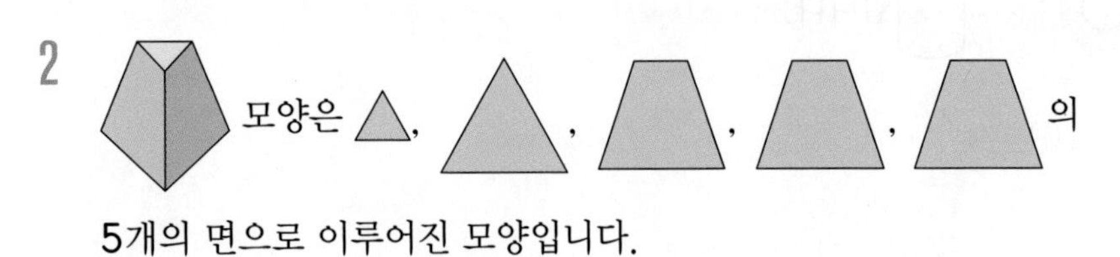
모양은 △, △, ▱, ▱, ▱의 5개의 면으로 이루어진 모양입니다.

주의
보이지 않는 면도 생각해야 합니다.

3 뾰족한 부분의 면의 모양을 비교해 봅니다.

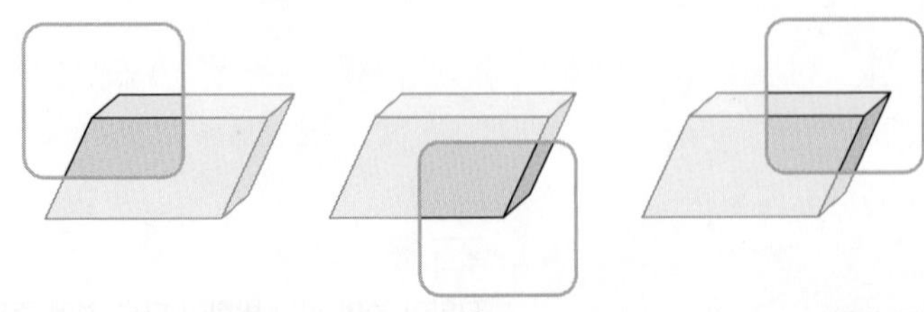

4 맨 아래층과 맨 위층은 평평한 부분과 뾰족한 부분이 있습니다.
가운데 층은 평평한 부분과 둥근 부분이 있습니다.
따라서 돋보기로 관찰한 모양은 ㉢입니다.

해결 전략
각 층의 모양을 비교해 보며 같은 모양을 찾습니다.

5-1. 그림자 찾기

46~47쪽

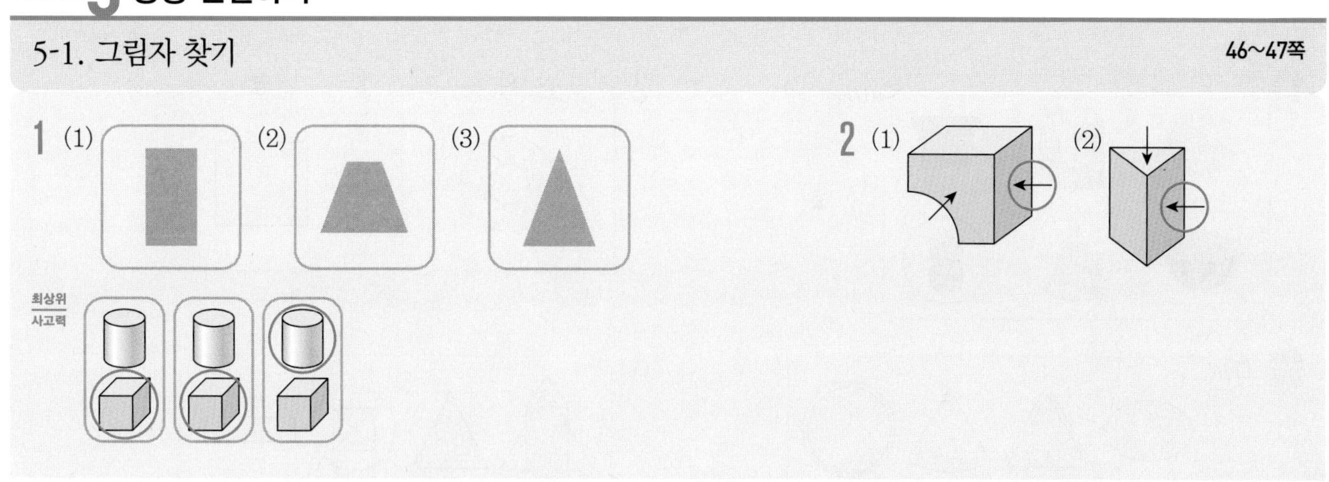

저자 톡! 그림자는 주어진 방향에서 입체도형을 바라 본 윤곽선과 모양이 같습니다. 그림자 관찰을 통해 주어진 방향에서 입체도형의 면의 모양을 알 수 있습니다. 이를 토대로 위, 앞, 옆에서 본 입체도형의 모양을 찾고 그릴 수 있습니다.

1 벽에 손전등을 비추었을 때 벽면에 생기는 그림자는 빛을 비춘 방향에서 본 모양의 윤곽선과 같습니다.

2

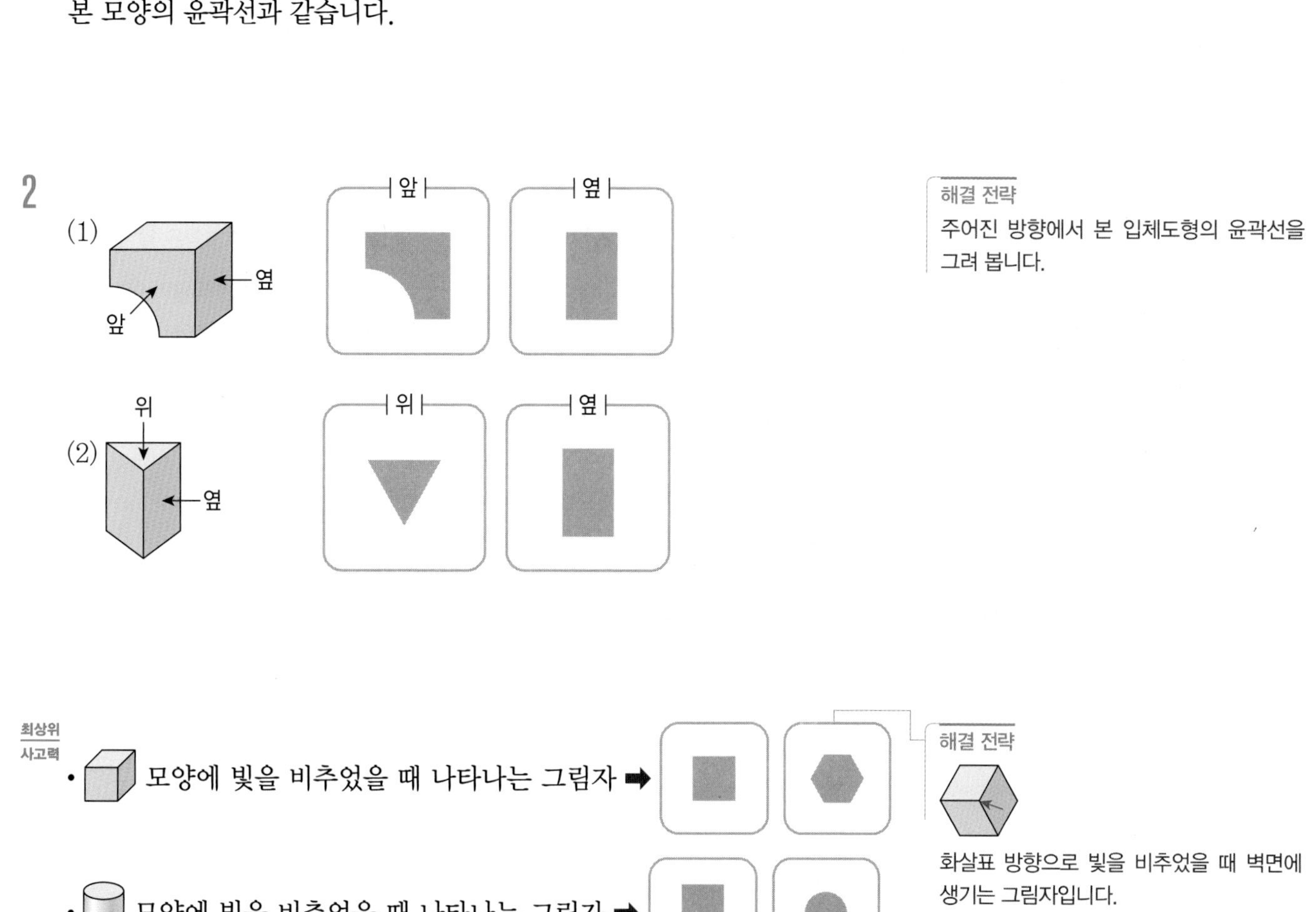

해결 전략
주어진 방향에서 본 입체도형의 윤곽선을 그려 봅니다.

최상위 사고력

해결 전략
화살표 방향으로 빛을 비추었을 때 벽면에 생기는 그림자입니다.

지도 가이드
모양의 그림자를 찾는 방법은 동영상과 함께 학습하면 이해하기 쉽습니다.

5-2. 두 방향에서 본 모양 찾기

48~49쪽

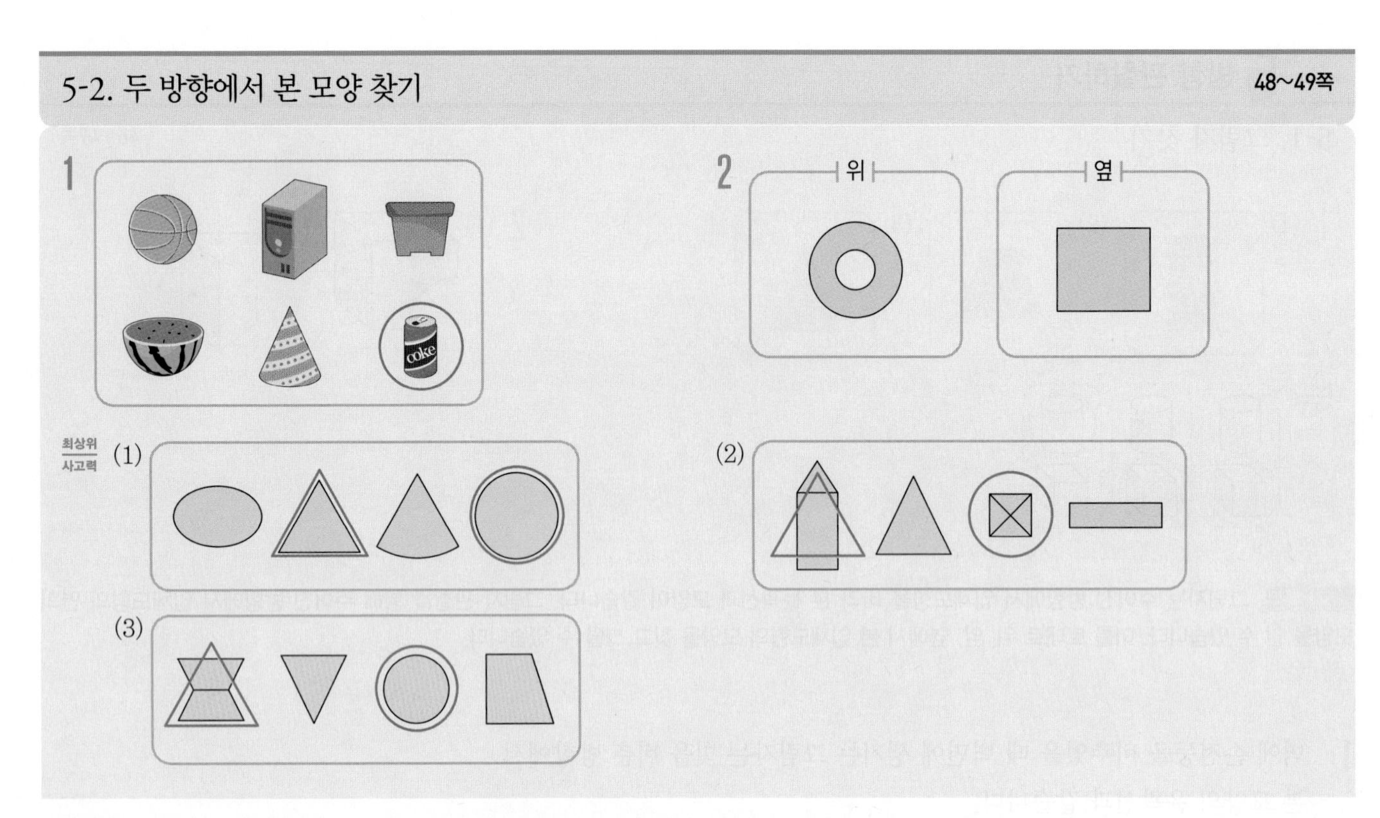

저자 톡! 위에서 본 모양은 밑면을 본뜬 모양과 같고, 앞 또는 옆에서 본 모양은 같은 방향에서 본 윤곽선과 같습니다. 앞 단원에서 배운 입체도형의 면을 본뜬 것과 그림자를 이용하여 두 방향에서 본 모양을 찾아봅니다.

1 위에서 본 모양이 ● 모양인 물건은 농구공, 수박, 고깔모자, 캔이고,

앞에서 본 모양이 ■ 모양인 물건은 컴퓨터 본체, 캔입니다.

따라서 상자 안에 들어 있는 물건은 캔입니다.

보충 개념
화분의 위에서 본 모양은 알 수 없으나 앞에서 본 모양이 ■ 모양이 아니므로 상자 안에 들어 있는 물건이 아닙니다.

2 주어진 입체도형을 위에서 본 모양은 바닥면의 모양과 같고, 옆에서 본 모양은 옆에서 빛을 비추었을 때 벽면에 생기는 그림자와 같습니다.

보충 개념
두루마리 휴지와 같은 모양입니다.

최상위 사고력 위에서 본 모양은 바닥면을 본뜬 모양과 같으나 뾰족한 부분을 표시해야 하고, 옆에서 본 모양은 같은 방향에서 본 윤곽선과 같습니다.

(1)

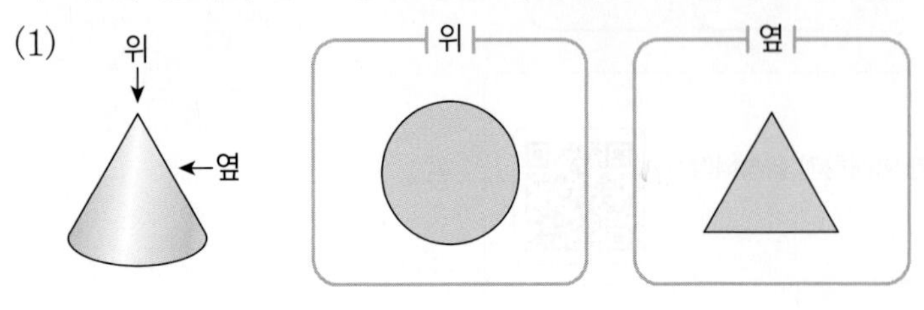

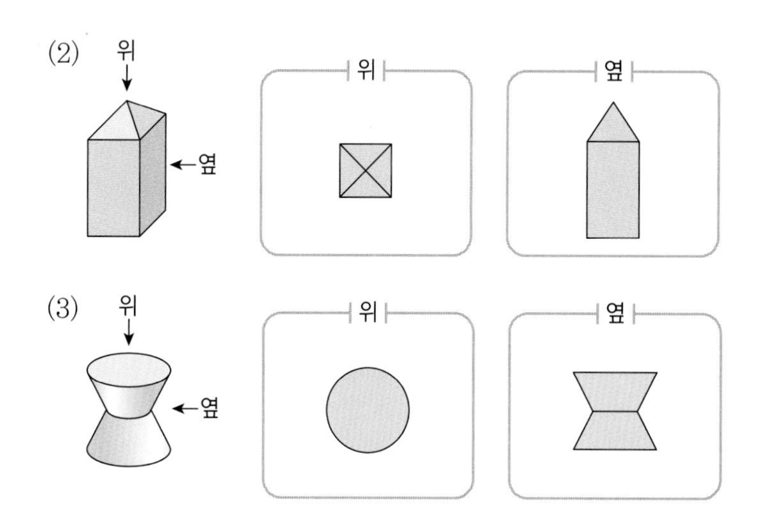

5-3. 위, 앞, 옆에서 본 모양 찾기

50~51쪽

저자 톡! 입체도형을 위, 앞, 옆에서 본 모양을 추측하고, 그려 보는 활동을 통해 입체도형에 대한 공간 감각을 기를 수 있습니다.

1 여러 방향에서 본 입체도형의 면을 찾아봅니다.

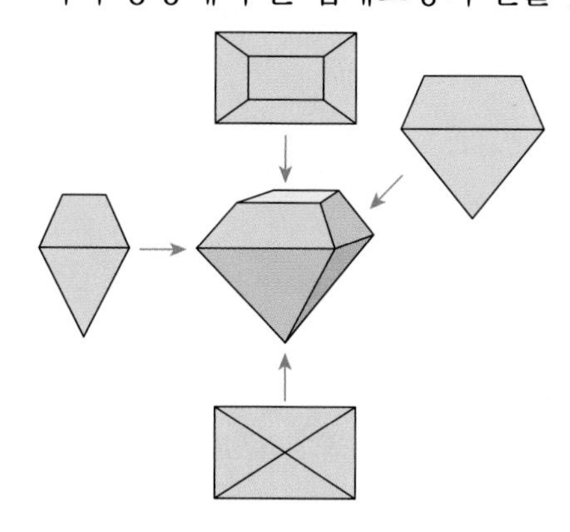

해결 전략
모양을 위, 앞, 옆, 아래에서 본 모양을 찾습니다.

지도 가이드
정투상법
입체도형을 평면에 나타내는 방법에는 전개도로 나타내는 방법, 겨냥도로 나타내는 방법 등이 있지만 이 방법들 중에서 가장 효과적인 방법은 위, 앞, 옆에서 본 모양을 나타내는 방법인 정투상법입니다.

최상위 사고력 A 주어진 방향에서 본 모양은 같은 방향에서 본 윤곽선과 같으나 그림으로 나타낼 때 면과 면이 만나는 부분과 뾰족한 부분을 표시해야 합니다.

주의
면과 면이 만나는 부분에 유의하여 위, 앞, 옆에서 본 모양을 그려 봅니다.

최상위 사고력 B 주어진 모양 중 ㉣, ㉤을 다음과 같이 쌓았을 때 위, 앞, 옆에서 본 모양입니다.

> 주의
> 면과 면이 만나는 부분은 선으로 나타내야 합니다.

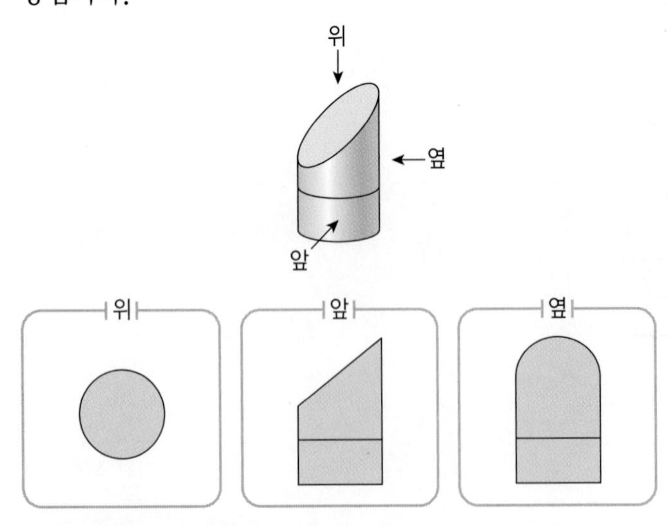

최상위 사고력

52~53쪽

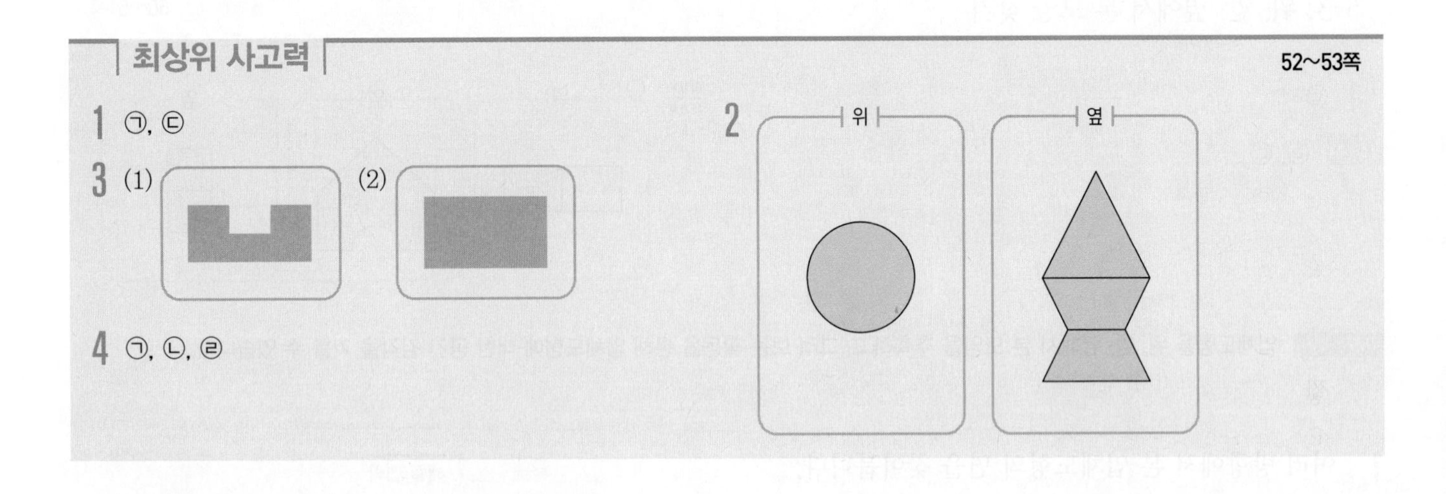

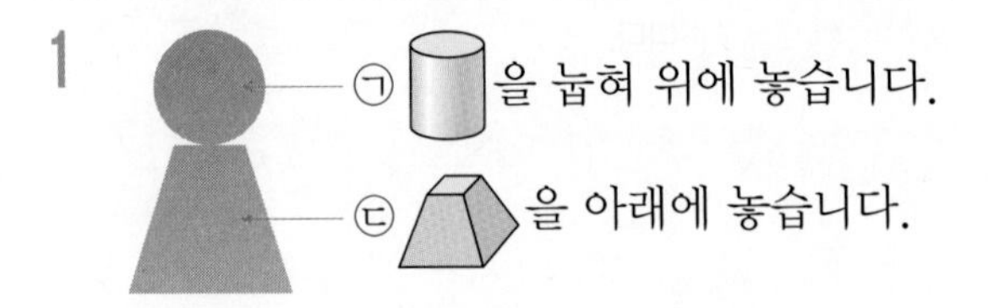

4 주어진 모양을 앞, 뒤, 위에서 본 모양은 다음과 같습니다.

> 주의
> 뒤에서 본 모양과 앞에서 본 모양은 같지 않습니다.

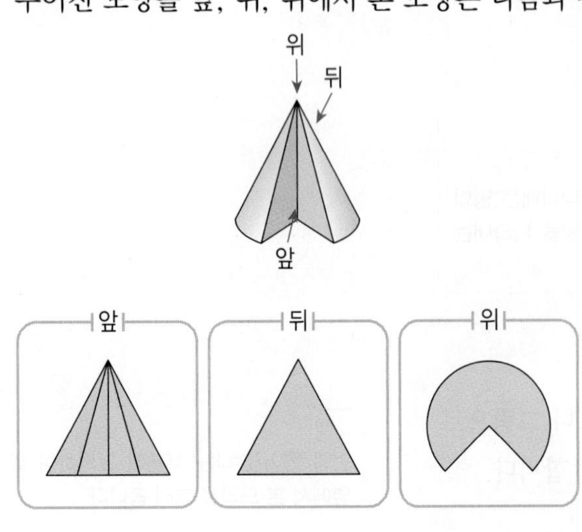

6-1. 여러 가지 모양으로 쌓기

54~55쪽

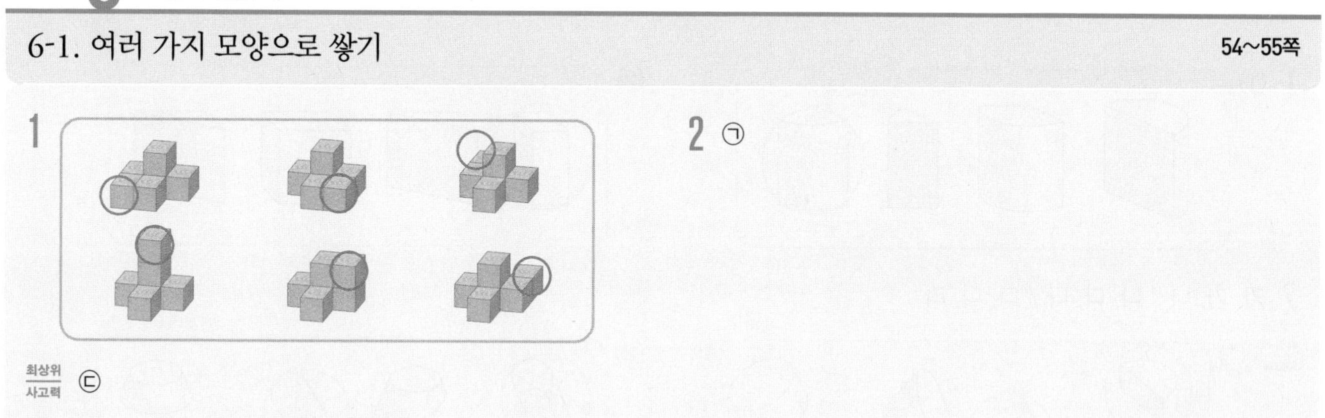

1

2 ㉠

최상위 사고력 ㉢

저자 톡! 이 단원에서는 도형을 여러 방향에서 관찰하는 것에 그치지 않고 개수와 모양을 직접 조작하고 그려 보는 활동을 통해 입체도형에 대한 흥미와 호기심을 유발하고 공간 감각을 키울 수 있습니다.

1 다음과 같이 주어진 모양을 먼저 찾은 후 더 쌓은 쌓기나무를 찾습니다.

해결 전략
서로 공통되는 모양을 기준으로 다른 점을 찾아갑니다.

2 쌓기나무 한 개를 옮긴 모양은 다음과 같습니다.

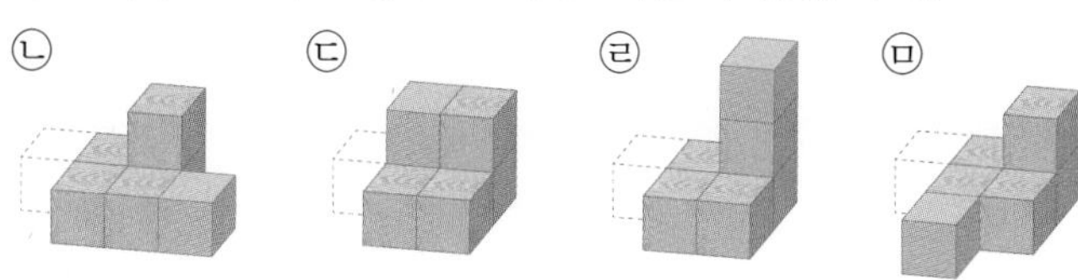

㉠은 쌓기나무 두 개를 옮겨 만들 수 있는 모양입니다.

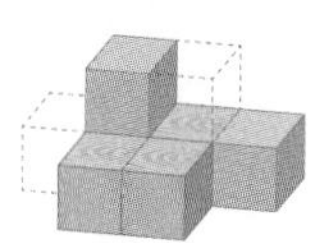

해결 전략
먼저 주어진 모양을 찾은 다음 옮겨진 쌓기나무를 찾습니다.

최상위 사고력 다음과 같이 주어진 모양을 먼저 찾은 후 더 쌓은 쌓기나무를 찾습니다.

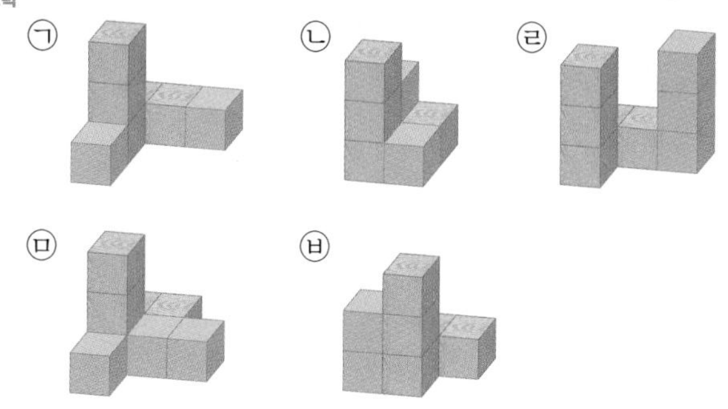

㉢은 주어진 모양을 찾을 수 없으므로 쌓기나무를 더 쌓아 만든 모양이 아닙니다.

6-2. 모양 자르고 합치기

56~57쪽

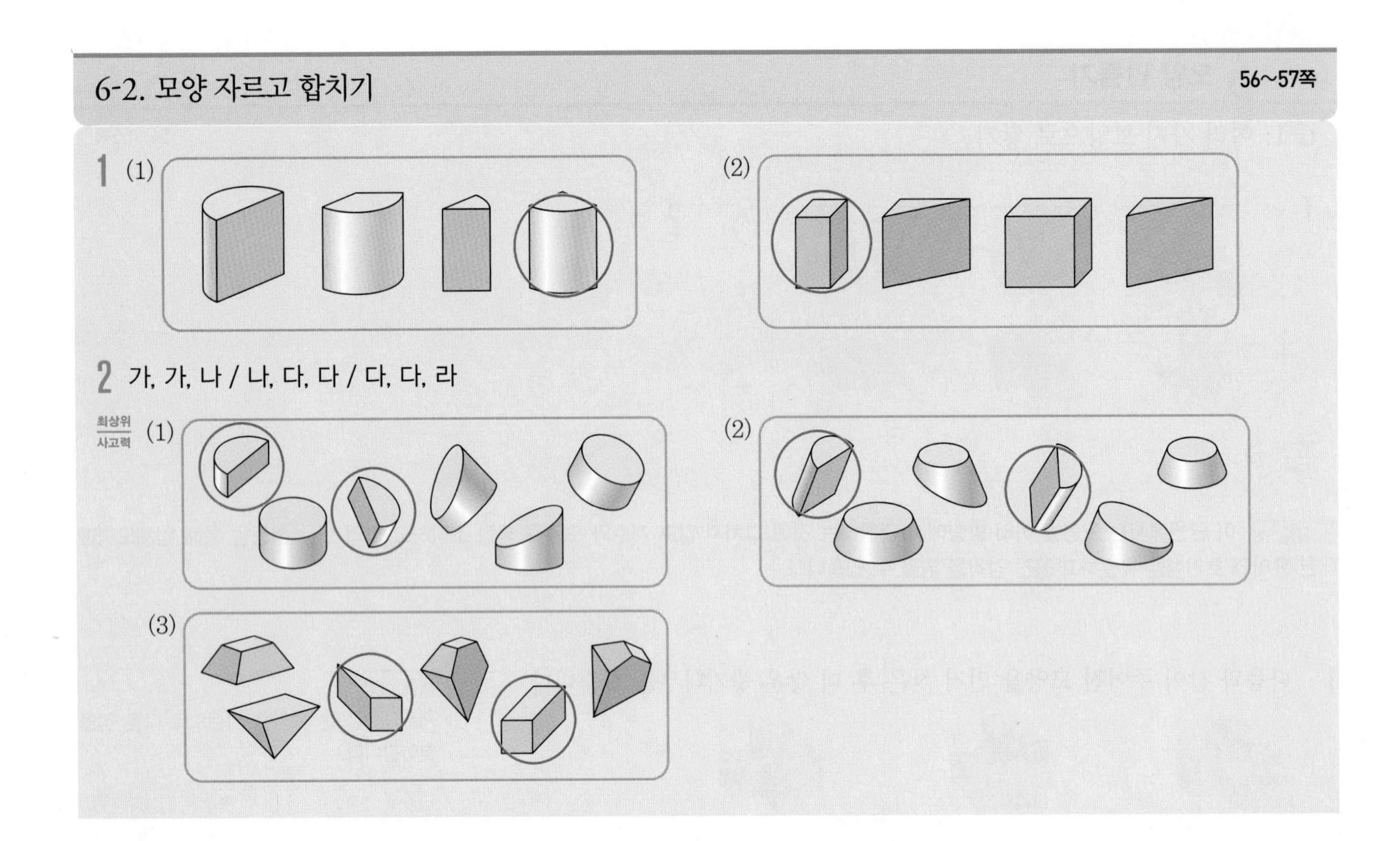

1 주어진 모양 조각을 모아 오른쪽 모양을 만들어 봅니다.

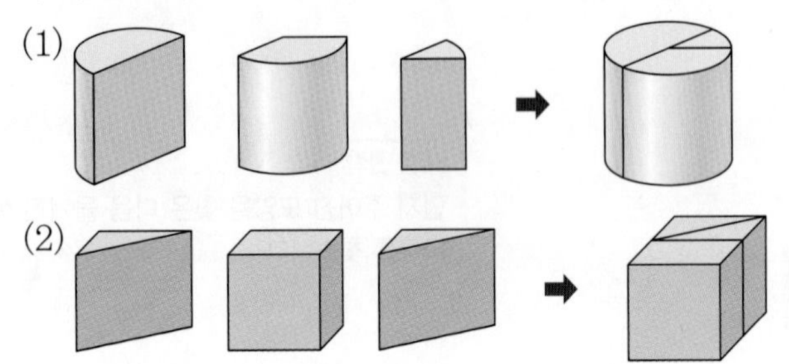

주의
평평한 면끼리 만나도록 붙여야 합니다.

2 주어진 조각으로 모양을 만드는 방법은 다음과 같습니다.

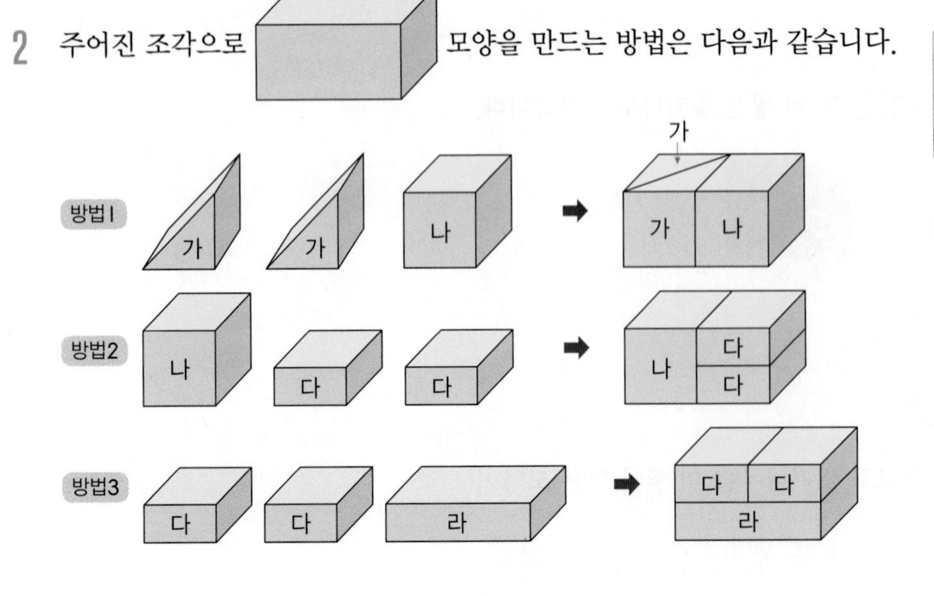

보충 개념
- 나 조각은 가 조각 2개로 나눌 수 있습니다.
- 나 조각은 다 조각 2개로 나눌 수 있습니다.
- 라 조각은 다 조각 2개로 나눌 수 있습니다.

최상위 사고력 다음과 같은 방법으로 입체도형을 자릅니다.

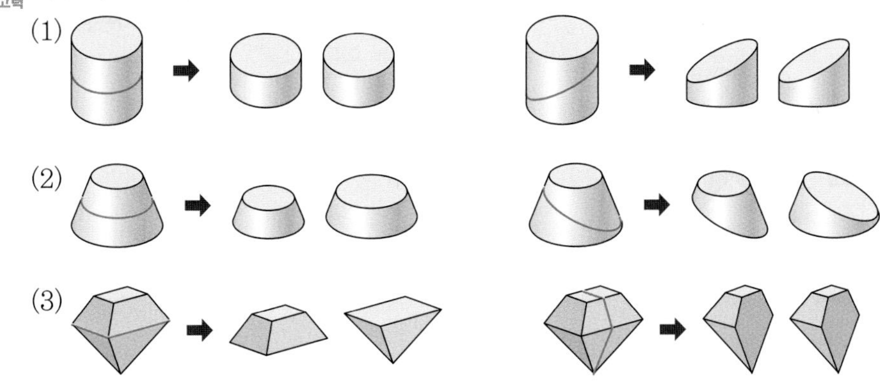

6-3. 조각 찾기

58~59쪽

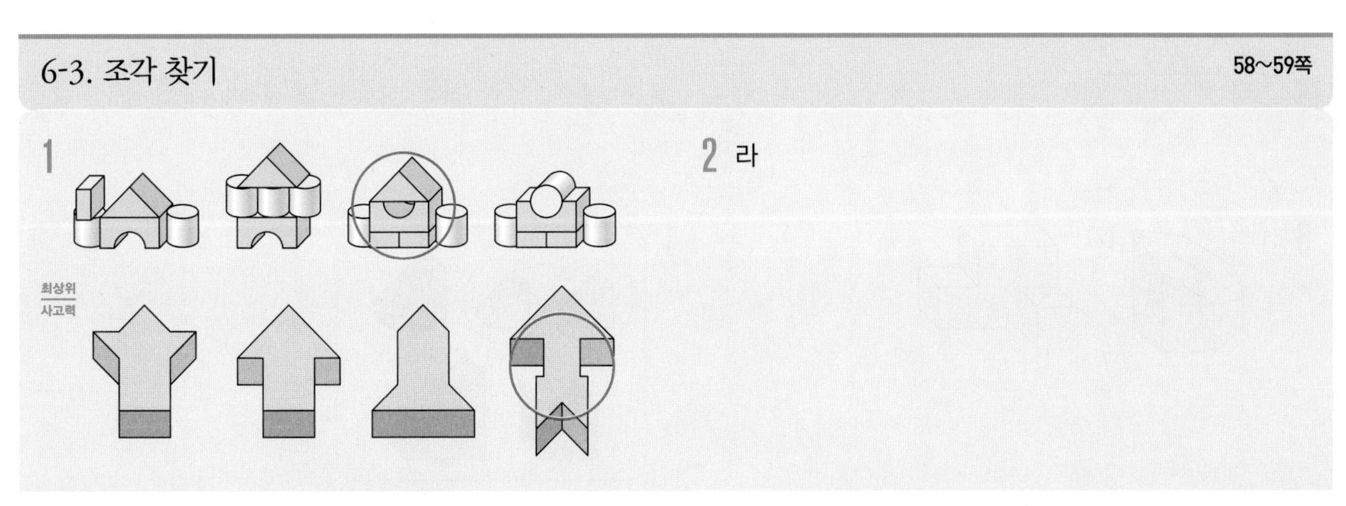

저자 톡! 전체 모양과 조각 모양을 보고 필요한 조각을 찾을 수 있습니다. 이때 입체도형을 한 방향에서 본 것만으로 판단하지 않고 각 방향에서 본 모양을 이용해서 종합적으로 판단해야 합니다. 조각을 이용하여 여러 가지 모양을 만들어 보는 활동을 통해 즐거움을 느끼고 공간 감각을 기를 수 있습니다.

1

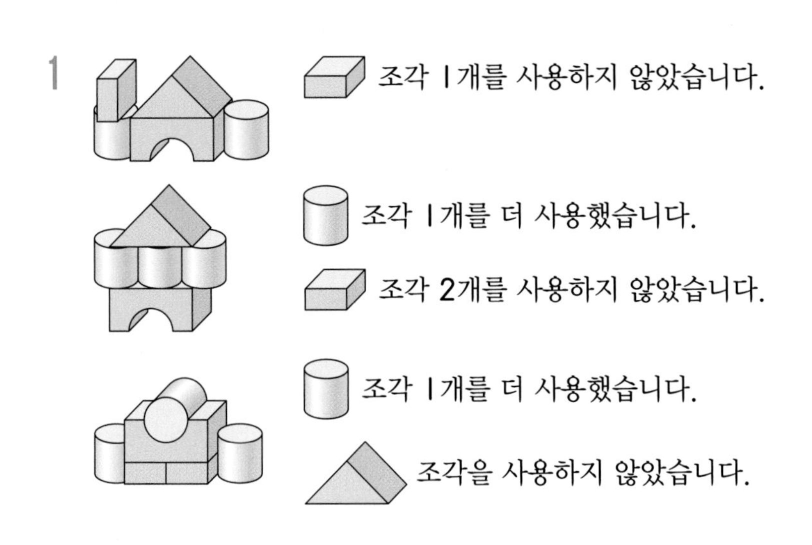

해결 전략
모양을 셀 때 일부분만 보이는 모양도 빠짐없이 세야 합니다.

2 다음 조각을 사용하여 오른쪽 모양을 만들어 봅니다.

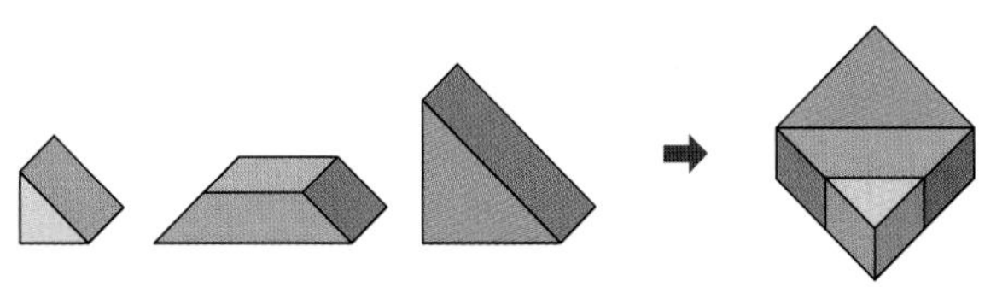

최상위 사고력 조각을 사용하여 주어진 모양을 만들어 봅니다.

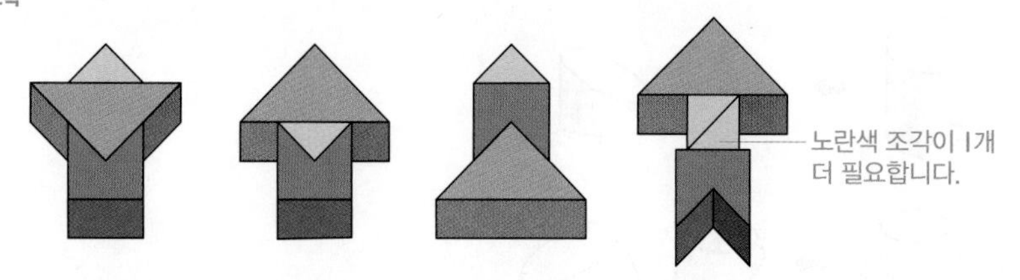

해결 전략
조각이 덜 사용되거나 더 사용된 모양을 찾아봅니다.

최상위 사고력

60~61쪽

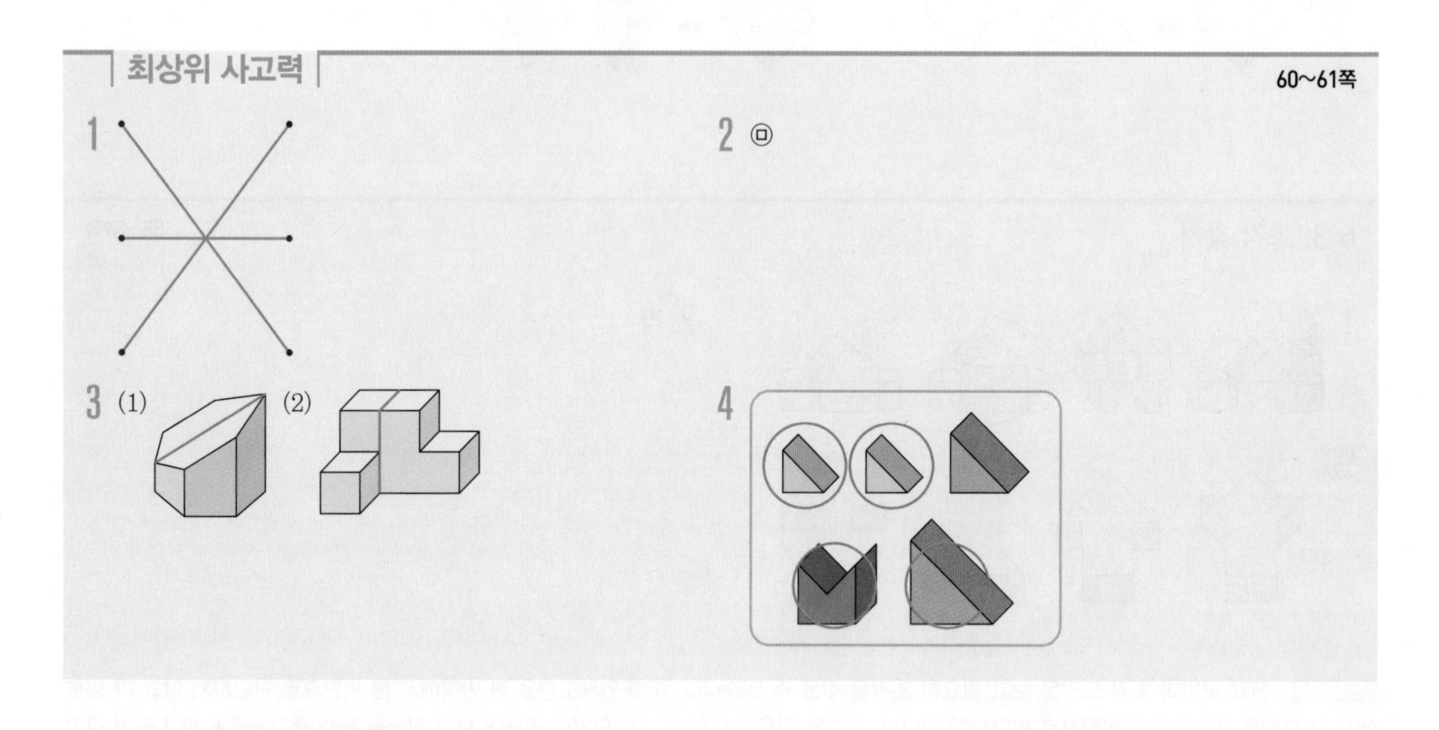

1 입체도형을 잘랐을 때의 조각은 다음과 같습니다.

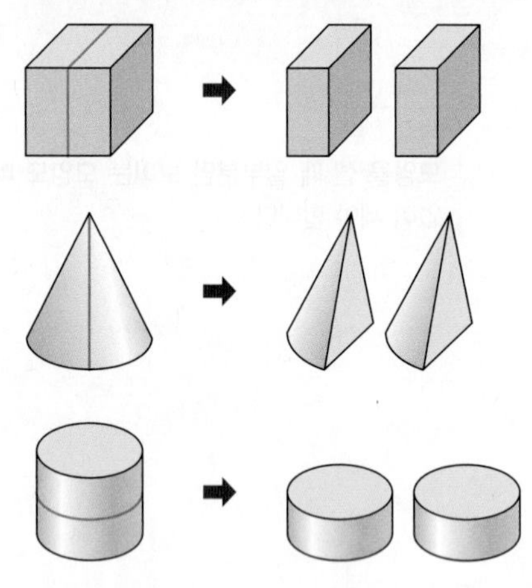

해결 전략
주어진 모양을 잘랐을 때 만들어지는 조각을 찾아봅니다.

2 쌓기나무 몇 개를 더 쌓아 만들 수 있는 모양은 다음과 같습니다.

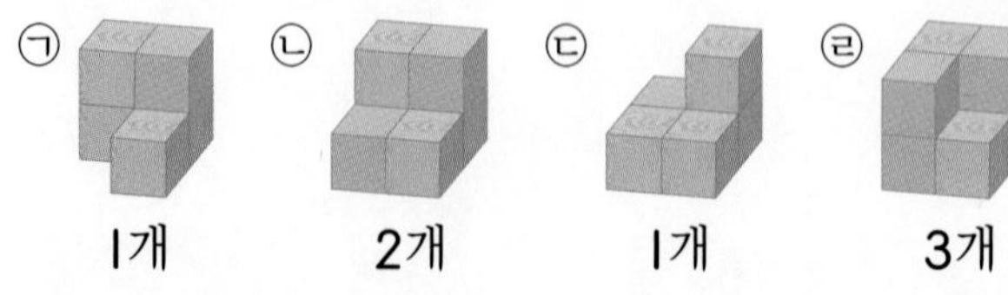

㉤은 주어진 모양을 찾을 수 없으므로 쌓기나무 몇 개를 더 쌓아 만들 수 있는 모양이 아닙니다.

해결 전략
쌓기나무를 붙여서 만든 모양을 돌려서도 생각해 봅니다.

3 입체도형을 똑같은 모양 2개로 자르는 방법과 잘린 조각의 모양은 다음과 같습니다.

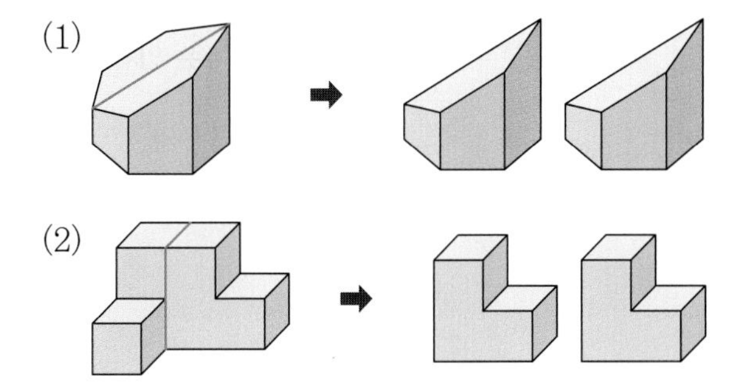

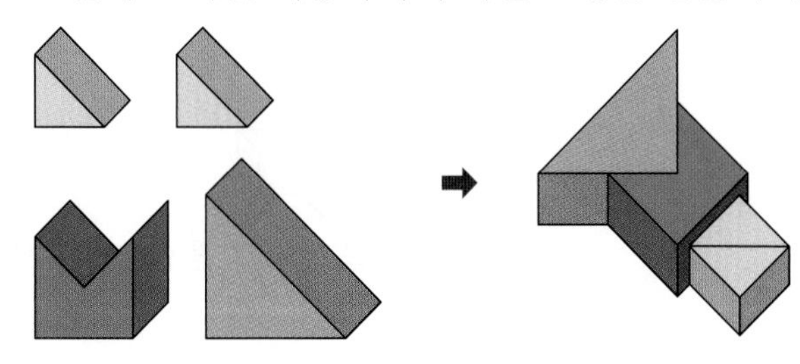

4 오른쪽 조각을 이용하여 주어진 모양을 만들 수 있습니다.

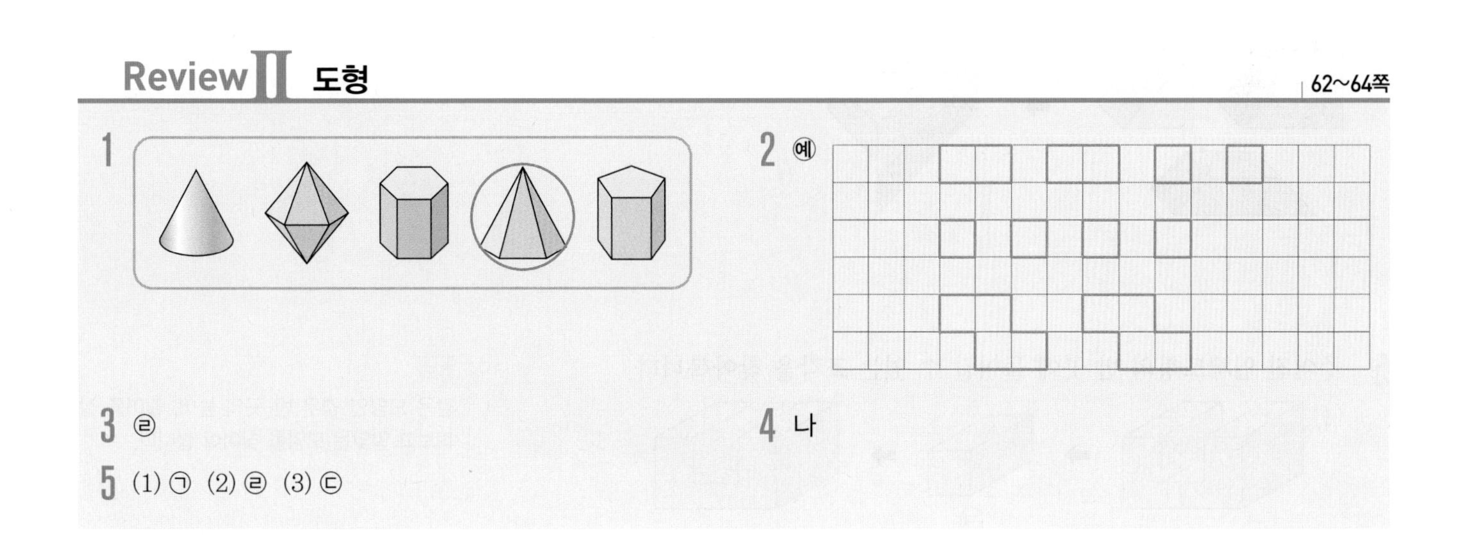

Review Ⅱ 도형

62~64쪽

1

2 예

3 ㉣

4 나

5 (1) ㉠ (2) ㉣ (3) ㉢

1 뾰족한 부분과 만나는 면의 개수를 비교해 봅니다.

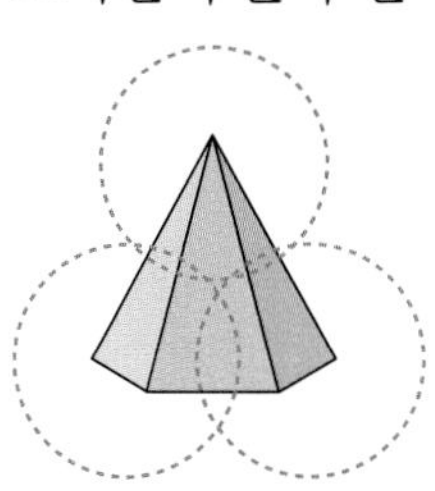

2 방향을 정하여 그 방향에서 볼 수 있는 모양을 모두 찾아봅니다.

찾을 수 있는 모양 :

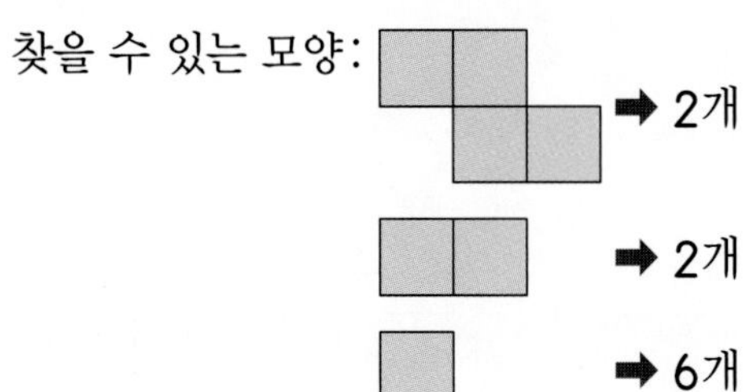

해결 전략

잘라야 할 색종이의 수는 입체도형의 면의 수와 같습니다.

3 2가지 조각으로만 만들 수 있는 모양은 ㉠, ㉡, ㉢입니다.

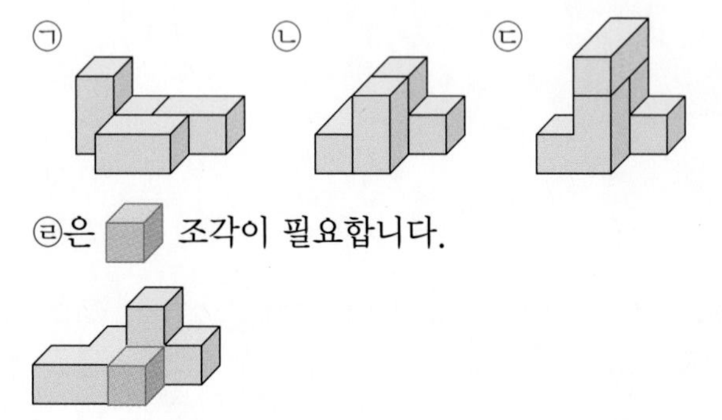

㉣은 조각이 필요합니다.

보충 개념

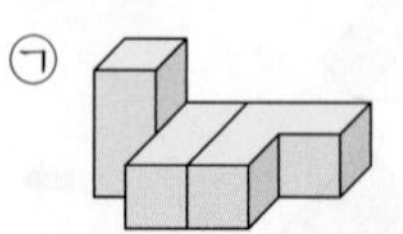

제시된 방법 외에도 다른 방법으로 만들 수 도 있습니다.

4 다음 세 가지 조각을 이용하여 오른쪽 모양을 만들어 봅니다.

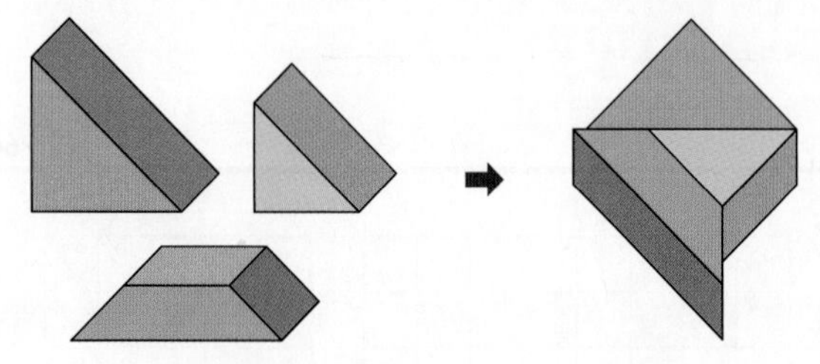

5 주어진 입체도형의 빈 곳에 들어갈 수 있는 조각을 찾아봅니다.

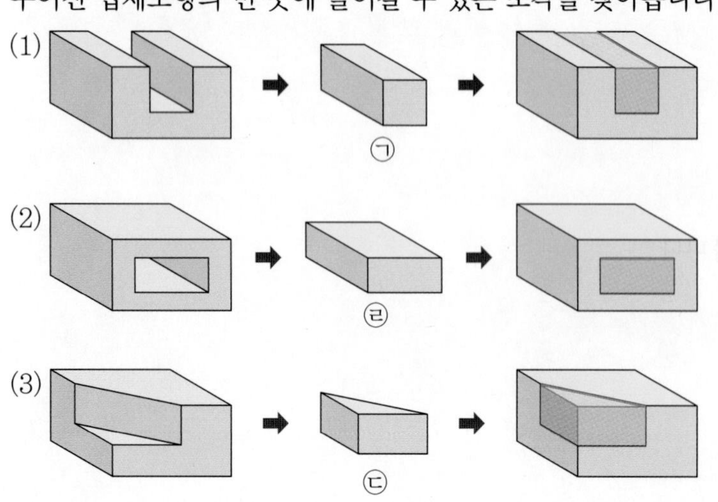

주의

같은 모양인 경우 빈 곳의 높이, 길이를 살펴보고 알맞은 모양을 찾아야 합니다.

Ⅲ 연산

이 단원에서는 수학에서 가장 기초가 되는 한 자리 수 범위에서의 덧셈과 뺄셈을 배웁니다. 학생들은 덧셈과 뺄셈의 상황을 인식하고 직접 보태거나 덜어내는 활동을 통해 덧셈과 뺄셈의 의미를 이해합니다. 이를 '+', '−', '='의 기호를 사용하여 덧셈식과 뺄셈식으로 나타내고 효율적으로 계산하는 방법을 학습합니다. 이와 같은 덧셈과 뺄셈은 동수누가나 동수누감과 같은 상황에서 곱셈과 나눗셈으로 확장되고, 일상생활과 수학학습의 기초가 됩니다.

최상위 사고력 7 모으기와 가르기

7-1. 모으기, 가르기의 가짓수

66~67쪽

1 6가지 2 4가지 최상위 사고력 (1) 3가지 (2) 5가지

저자 톡! 수의 개념에 대한 이해력이 발달함에 따라 수를 다양한 묶음으로 합성하거나 분해할 수 있습니다. 수의 합성과 분해는 덧셈과 뺄셈의 중요한 기초가 됩니다. 모으기와 가르기의 가짓수 구하기, 모으기 가르기 퍼즐 등의 유형을 통해 수의 합성과 분해를 학습해 봅니다.

1 7이 되도록 모은 두 수는 7을 가르기 한 두 수와 같습니다. 7을 두 수로 가르면 (1, 6), (2, 5), (3, 4), (4, 3), (5, 2), (6, 1)입니다.
따라서 두 수를 모으기 하여 7이 되는 경우는 모두 6가지입니다.

해결 전략
(1, 6)으로 모으기 한 경우와 (6, 1)로 모으기 한 경우는 다른 방법입니다.

2 ㉠에 8부터 1씩 작아지는 수를 차례로 넣어 봅니다.

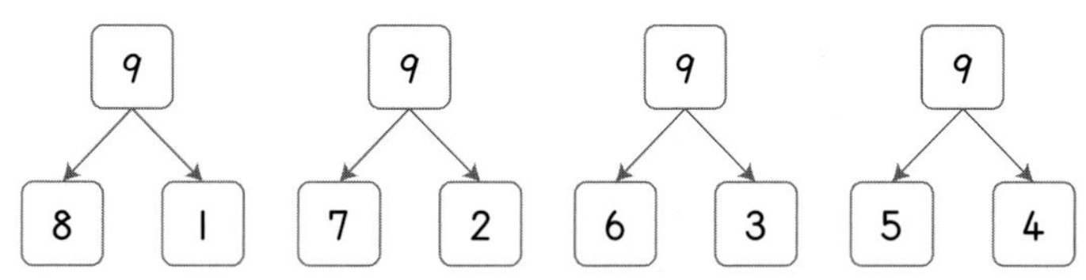

㉠=4, 3, 2, 1일 때는 ㉡이 ㉠보다 크므로 답이 아닙니다.
따라서 ㉠이 ㉡보다 큰 경우는 모두 4가지입니다.

해결 전략
모으기와 가르기를 할 때 0은 생각하지 않으므로 9를 가르기 하여 나올 수 있는 가장 큰 수는 8입니다.

최상위 사고력 (1) ㉠에는 1부터 3까지의 수가 들어갈 수 있습니다. (3가지)

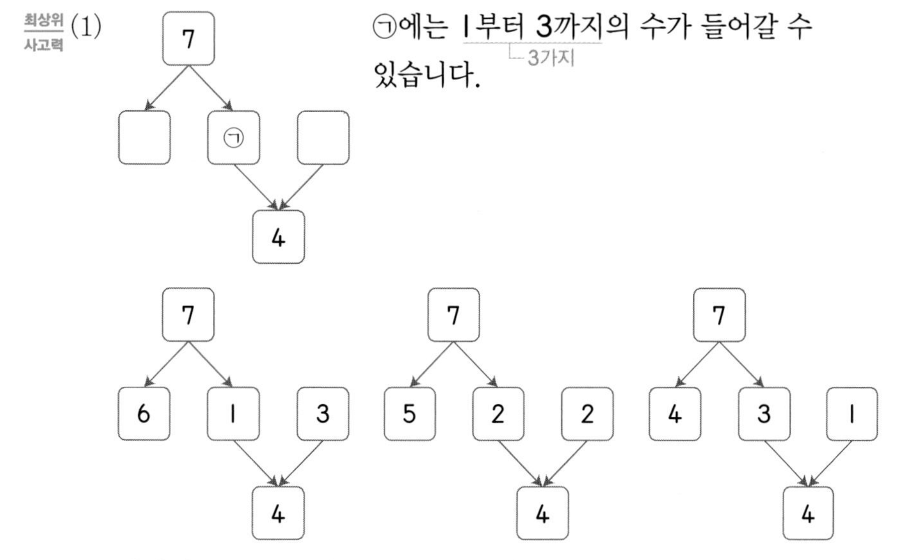

따라서 모으기와 가르기를 할 수 있는 방법은 모두 3가지입니다.

해결 전략
모으기와 가르기가 겹쳐지는 부분에 들어갈 수 있는 수의 가짓수가 모으기와 가르기를 할 수 있는 방법의 가짓수입니다.

(2) ㉡에는 1부터 5까지의 수가 들어갈 수 있습니다.
└5가지

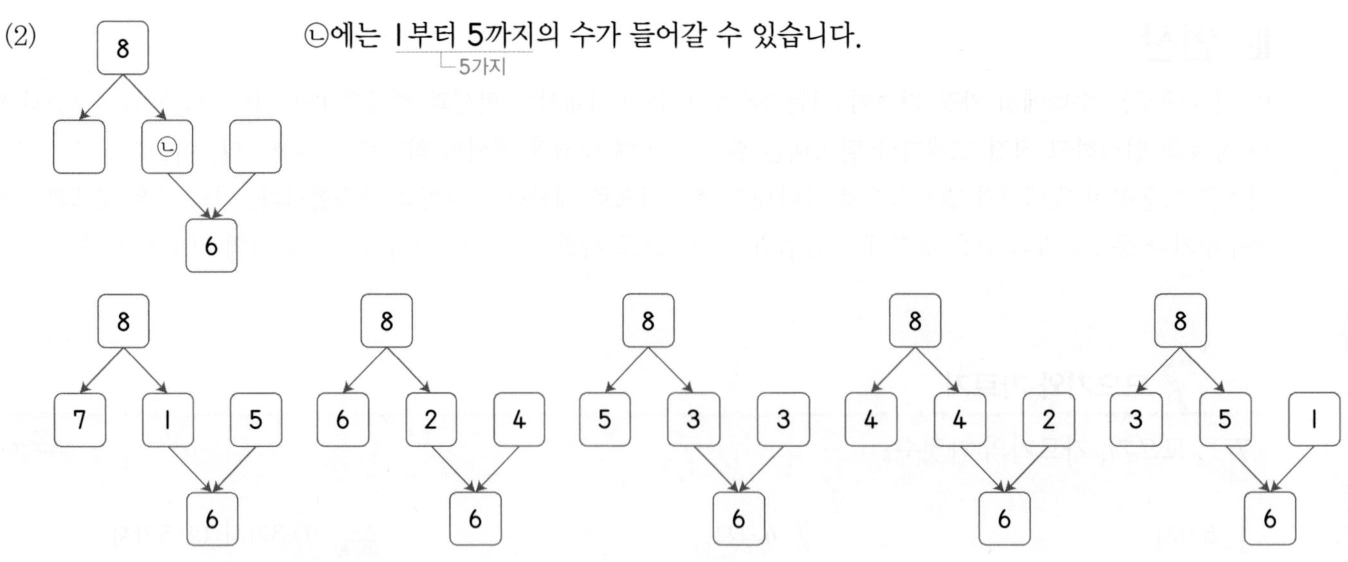

따라서 모으기와 가르기를 할 수 있는 방법은 모두 5가지입니다.

7-2. 모으기 가르기 퍼즐

68~69쪽

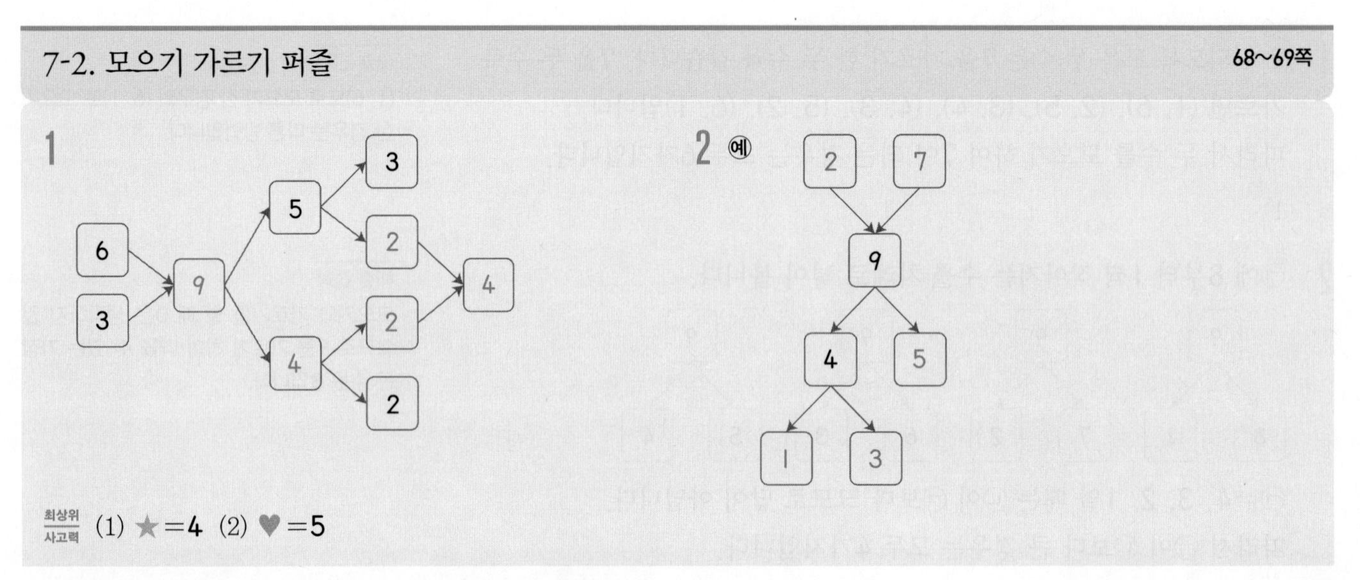

최상위 사고력 (1) ★=4 (2) ♥=5

저자 톡! 이 단원에서는 모으기와 가르기를 여러 번 수행하여 빈칸에 알맞은 수를 찾아보는 활동을 해 봅니다. 먼저 채울 수 있는 빈칸을 찾고, 나머지 빈칸을 차례로 채워 보며 수 사이의 다양한 관계를 이해합니다.

1

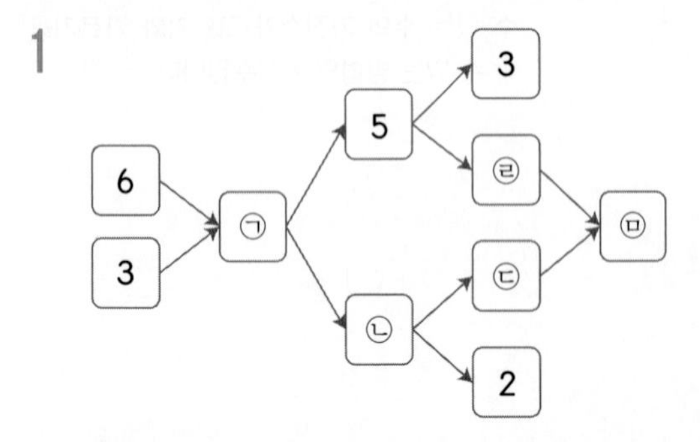

해결 전략
빈칸이 많은 경우에는 먼저 어떤 순서로 빈칸을 채워야 하는지 생각해 봅니다.

6과 3을 모으면 9이므로 ㉠은 9입니다. 9는 5와 4로 가르기 할 수 있으므로 ㉡은 4입니다. 4는 2와 2로 가르기 할 수 있으므로 ㉢은 2입니다. 5는 3과 2로 가르기 할 수 있으므로 ㉣은 2입니다. 2와 2를 모으면 4이므로 ㉤은 4입니다.

2

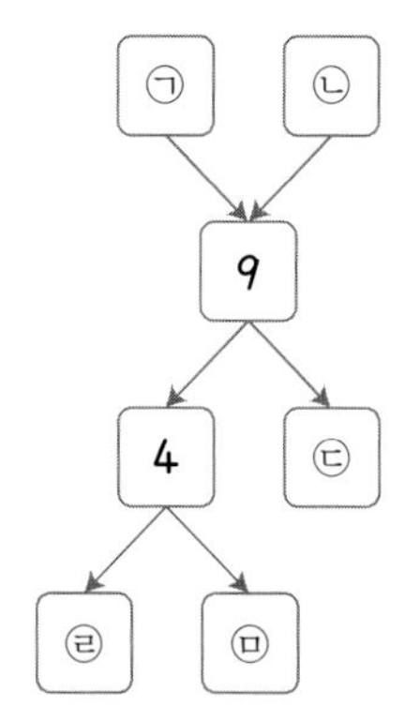

> 해결 전략
> ㉢ → (㉣, ㉤) → (㉠, ㉡) 순서로 알맞은 수를 구해 봅니다.

- 9는 4와 5로 가르기 할 수 있으므로 ㉢은 5입니다.
- 4를 두 수로 가르면 (1, 3), (2, 2), (3, 1)이고 빈칸에 모두 다른 수가 들어가야 하므로 (2, 2)는 써넣을 수 없습니다.
  따라서 ㉣, ㉤에 알맞은 수는 (1, 3) 또는 (3, 1)입니다.
- 9를 두 수로 가르면 (1, 8), (2, 7), (3, 6), (4, 5), (5, 4), (6, 3), (7, 2), (8, 1)이고, 1, 3, 5는 사용할 수 없으므로 ㉠, ㉡에 알맞은 수는 (2, 7) 또는 (7, 2)입니다.

2와 7, 1과 3의 위치를 바꾸는 방법에 따라 답은 여러 가지입니다.

최상위 사고력 (1)

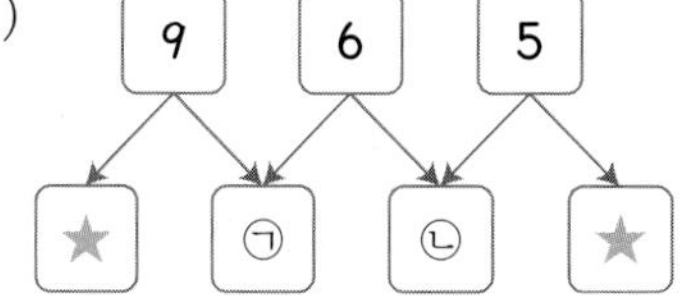

★은 5를 가르기 한 수이므로 ★이 될 수 있는 수는 1, 2, 3, 4입니다.
★이 1, 2, 3인 경우 ㉠에 알맞은 수가 없습니다.
따라서 ★=4입니다.

> 보충 개념
> ㉠에는 6보다 작은 수가 들어가야 합니다.

(2)

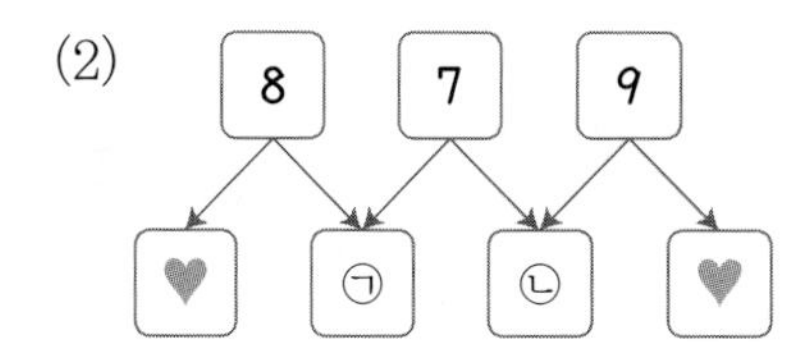

♥이 1이나 2인 경우 ㉡에 알맞은 수가 없으므로 ♥가 될 수 있는 수는 3부터 7까지의 수입니다.
♥이 3인 경우 ㉠=5, ㉡=6이므로 ㉠과 ㉡을 모으면 7이 되지 않습니다.
♥이 4인 경우 ㉠=4, ㉡=5이므로 ㉠과 ㉡을 모으면 7이 되지 않습니다.
♥이 5인 경우 ㉠=3, ㉡=4이므로 ㉠과 ㉡을 모으면 7이 됩니다.
같은 방법으로 ♥이나 6이나 7인 경우 ㉠과 ㉡을 모으면 7이 되지 않습니다.
따라서 ♥=5입니다.

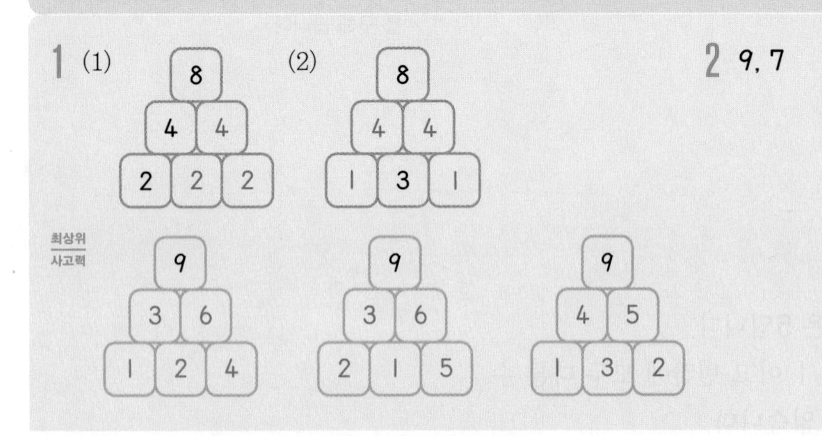

2 9, 7

저자 톡! 아래층에 놓인 두 수를 모은 수를 위층에 써넣는 규칙의 수 쌓기 퍼즐을 풀어 보는 단원입니다. 거꾸로 위층부터 가르기 하여 아래층에 수를 써넣는 방법을 생각해 보며 문제 해결 능력과 추론 능력을 길러 봅니다.

1 위층에 놓인 수를 가르기 한 수를 아래 층에 씁니다.

해결 전략
빈칸에 들어가는 수가 확실하게 정해진 수부터 차례로 수를 써넣습니다.

(1)

8은 4와 4로 가르기 할 수 있으므로 ㉠은 4입니다.
4는 2와 2로 가르기 할 수 있으므로 ㉡과 ㉢은 모두 2입니다.

다른 풀이
모으기로 빈칸에 들어갈 수를 찾아봅니다.
4와 4를 모으면 8이므로 ㉠은 4입니다.
2와 2를 모으면 4이므로 ㉡과 ㉢은 모두 2입니다.

(2)

보충 개념
어떤 수를 두 수로 가르기 했을 때, 어떤 수는 두 수보다 커야 합니다.

㉠, ㉡을 가르기 한 수 중 하나가 3이므로 ㉠, ㉡은 3보다 커야 합니다. 8을 3보다 큰 두 수로 가르는 방법은 (4, 4)뿐입니다.
따라서 ㉠과 ㉡은 모두 4입니다.
4는 1과 3으로 가르기 할 수 있으므로 ㉢은 1이고, 같은 방법으로 ㉣도 1입니다.

지도 가이드
빈 곳이 많은 경우에 어떤 순서로 빈 곳을 채워야 하는지 먼저 생각할 수 있도록 지도합니다.

2 아래층에서 위층으로 올라가면서 수를 모은다고 생각합니다.

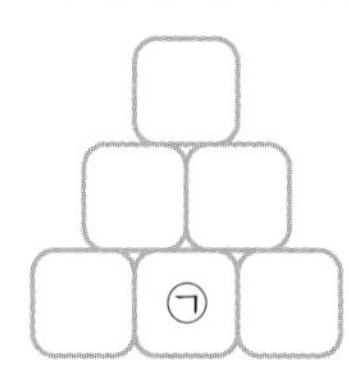

㉠의 수는 양쪽 끝의 수보다 한 번씩 더 모여지므로 가장 큰 수를 만들 때는 ㉠에 1, 2, 3 중 가장 큰 수인 3을 써넣고, 가장 작은 수를 만들 때는 ㉠에 1, 2, 3 중 가장 작은 수인 1을 써넣습니다.

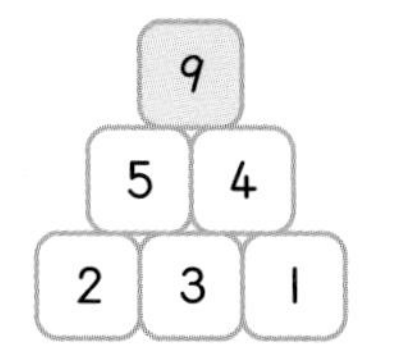

〈3층의 수가 가장 큰 경우〉

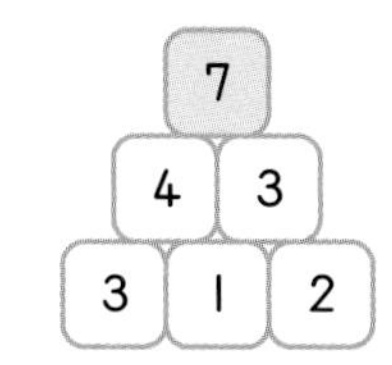

〈3층의 수가 가장 작은 경우〉

따라서 3층의 수가 될 수 있는 수 중 가장 큰 수는 9, 가장 작은 수는 7입니다.

해결 전략

㉠은 두 번씩 모여지므로 ㉠에 써넣는 수에 따라 ㉡에 가장 큰 수 또는 가장 작은 수를 구할 수 있습니다.

보충 개념

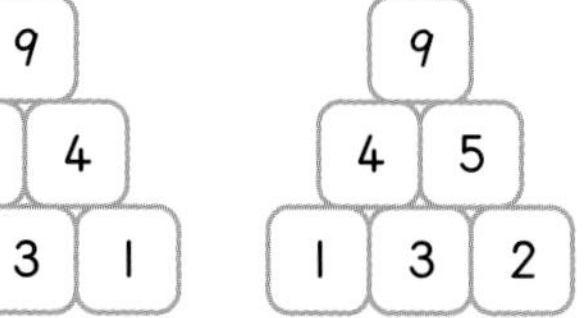

1층의 가운데 써넣은 수가 같을 때, 1층의 양쪽 끝에 써넣은 두 수의 자리를 바꾸어도 3층의 값은 그대로입니다.

최상위 사고력 9를 두 수로 가르면 (1, 8), (2, 7), (3, 6), (4, 5), (5, 4), (6, 3), (7, 2), (8, 1)입니다.

이 중에서 ㉠<㉡을 만족하는 두 수는

(㉠, ㉡)=(1, 8), (2, 7), (3, 6), (4, 5)입니다.

㉠=1, ㉡=8일 때, 1을 두 수로 가르기 할 수 없으므로 알맞은 수가 아닙니다.

㉠=2, ㉡=7일 때, 2를 서로 다른 두 수로 가르기 할 수 없으므로 알맞은 수가 아닙니다.

㉠=3, ㉡=6일 때, 3을 1과 2로 가르기 하면 6은 2와 4로 가르기 할 수 있습니다.

㉠=3, ㉡=6일 때, 3을 2와 1로 가르기 하면 6은 1과 5로 가르기 할 수 있습니다.

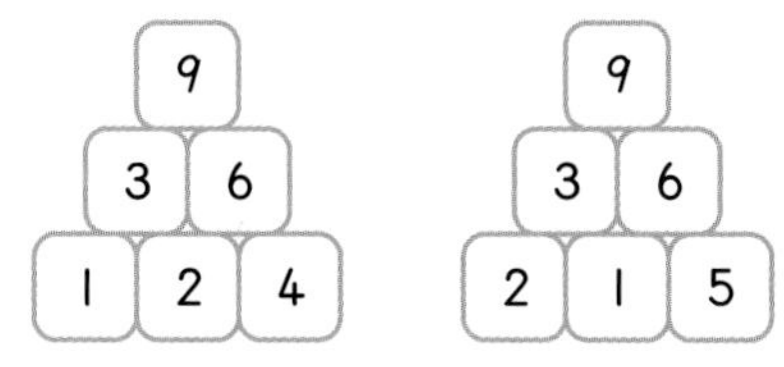

㉠=4, ㉠=5일 때, 4를 1과 3으로 가르기 하면 5는 3과 2로 가르기 할 수 있습니다.

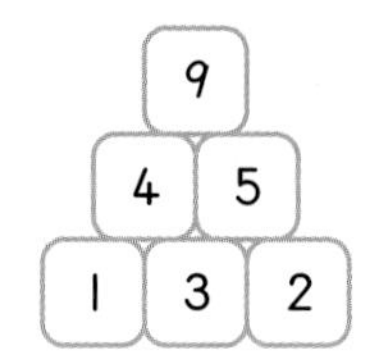

보충 개념

2는 1과 1로만 가르기 할 수 있습니다.

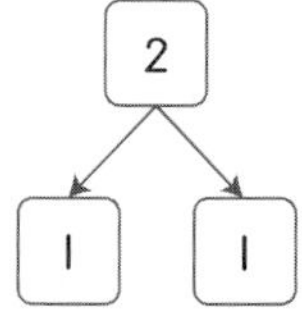

주의

4를 3과 1로 가르기 하면 5는 1과 4로 가르기 할 수 있는데, 4가 중복되어 사용되므로 조건을 만족하지 않습니다.

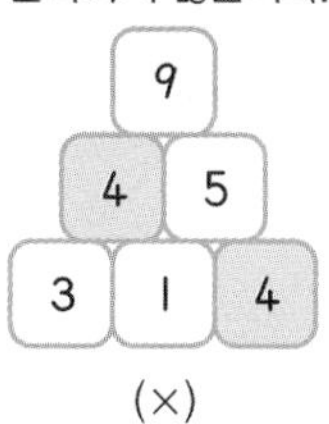

(×)

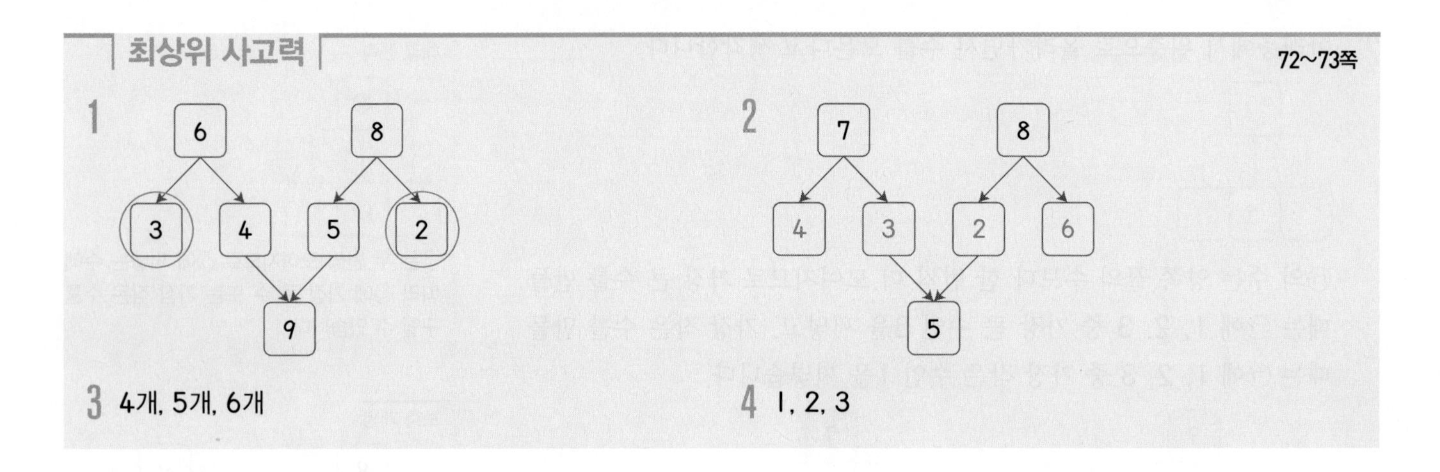

1

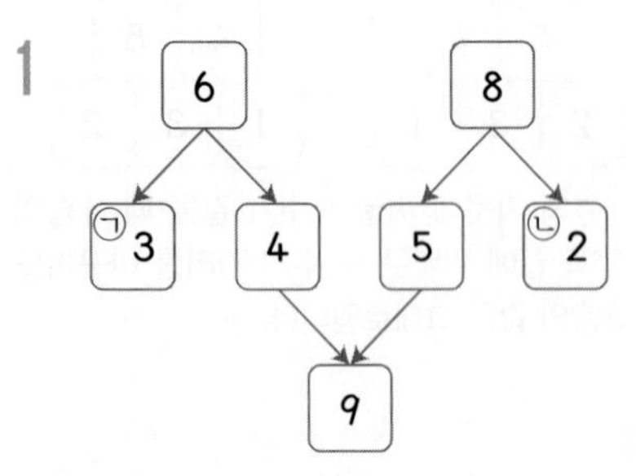

먼저 모으기 또는 가르기가 바르게 된 것을 찾습니다.
4와 5를 모으면 9이고, 4와 5의 위치를 서로 바꾸어도 올바르게 되지 않습니다. 따라서 4와 5, 9의 위치는 바꾸지 않아도 됩니다.
6은 4와 2로 가르기 할 수 있으므로 ㉠=2이어야 하고,
8은 5와 3으로 가르기 할 수 있으므로 ㉡=3이어야 합니다.
따라서 2와 3의 위치를 바꾸면 올바르게 고칠 수 있습니다.

보충 개념
3과 4를 모으기 하면 7이고, 5와 2를 모으기 하면 7입니다. 빈칸에 주어진 수 중에서 7은 없으므로 모으기 한 수 6, 8의 위치는 바뀌지 않습니다.

2 두 수를 모아서 5가 되는 경우는 1과 4, 2와 3, 3과 2, 4와 1입니다.

• 1과 4인 경우

7은 6과 1로 가르기 할 수 있으나 8은 서로 다른 두 수로 가르기 할 수 없습니다.

(×)

• 2와 3인 경우

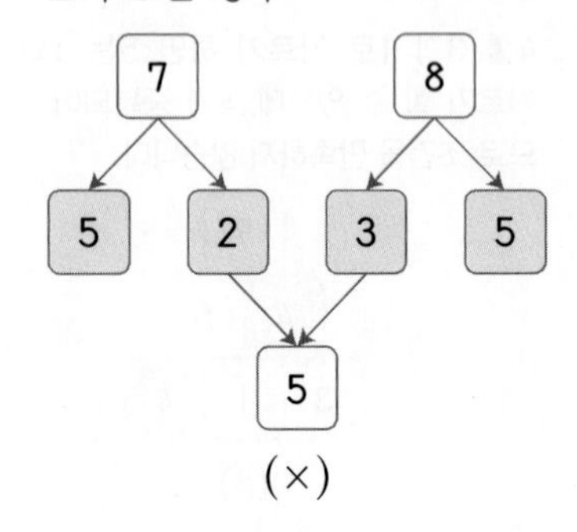

7을 5와 2로 가르기 하면 8을 3과 5로 가르기 하여 5를 두 번 사용하게 됩니다.

해결 전략
두 수를 모아서 5를 만드는 가짓수가 7 가르기와 8 가르기의 가짓수보다 적으므로 두 수를 모아서 5가 되는 경우를 먼저 구합니다.

• 3과 2인 경우

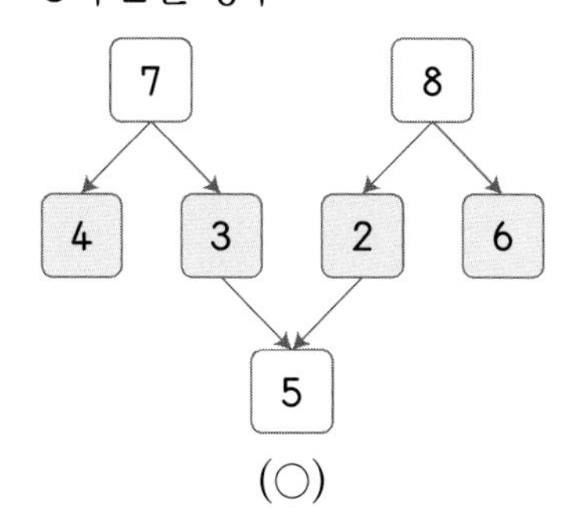

7은 4와 3으로 가르기 할 수 있고 8은 2와 6으로 가르기 할 수 있습니다.

• 4와 1인 경우

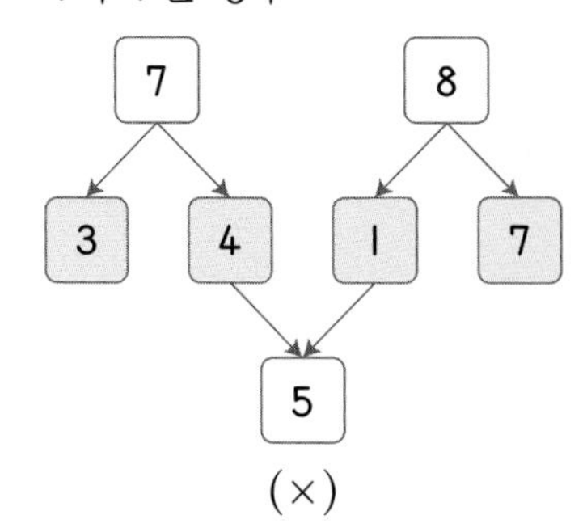

7을 3과 4로 가르기 하면 8을 1과 7로 가르기 하여 7을 두 번 사용하게 됩니다.

3 사탕을 나누어 먹을 수 있는 방법이 모두 6가지이므로 두 사람이 가진 사탕은 모두 6+1=7(개)입니다.
7을 두 수로 가르면 (1, 6), (2, 5), (3, 4), (4, 3), (5, 2), (6, 1)입니다.
따라서 수지가 더 많이 가질 때, 수지가 가지는 사탕의 수가 될 수 있는 수는 4개, 5개, 6개입니다.

	사탕 수					
도원	1	2	3	4	5	6
수지	6	5	4	3	2	1

해결 전략
어떤 수 ■를 모으기 또는 가르기 하는 방법의 가짓수는 (■−1)가지입니다.

4 1층 양쪽 끝의 수를 ㉡, ㉢이라 하면 각 칸에 들어갈 수는 오른쪽과 같습니다.
9는 ㉠+㉠+㉡+㉢과 같으므로 ㉠에 1부터 수를 차례로 넣어 봅니다.

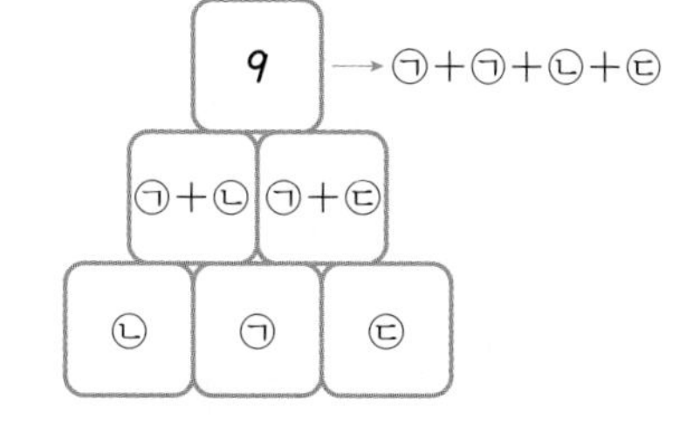

• ㉠=1일 때 1+1+㉡+㉢=9,
㉡+㉢=9−2=7입니다.
㉡, ㉢을 만족하는 수가 (1, 6), (2, 5), (3, 4), (4, 3), (5, 2), (6, 1)이 있으므로 ㉠에 1을 써넣을 수 있습니다.
• ㉠=2일 때 2+2+㉡+㉢=9, ㉡+㉢=9−4=5입니다.
㉡, ㉢을 만족하는 수가 (1, 4), (2, 3), (3, 2), (4, 1)로 있으므로 ㉠에 2를 써넣을 수 있습니다.
• ㉠=3일 때 3+3+㉡+㉢=9, ㉡+㉢=9−6=3입니다.
㉡, ㉢을 만족하는 수가 (1, 2), (2, 1)로 있으므로 ㉠에 3을 써넣을 수 있습니다.
• ㉠=4일 때 4+4+㉡+㉢=9, ㉡+㉢=9−8=1입니다.
㉡, ㉢을 만족하는 수가 없으므로 ㉠에 4를 써넣을 수 없습니다.
㉠이 4인 경우와 4보다 큰 경우에는 ㉡과 ㉢에 들어갈 수 있는 수가 없습니다.
➡ ㉠에 들어갈 수 있는 수는 1, 2, 3입니다.

8-1. 두 수의 계산

74~75쪽

1 6−0=6, 7−1=6, 8−2=6, 9−3=6

2 6가지 중 한 가지만 써도 답으로 인정합니다.

[8]−[7]=1 [4]−[2]=2 [6]−[3]=3 [5]−[1]=4

[3]−[2]=1 [8]−[6]=2 [7]−[4]=3 [5]−[1]=4

[8]−[7]=1 [5]−[3]=2 [4]−[1]=3 [6]−[2]=4

[2]−[1]=1 [6]−[4]=2 [8]−[5]=3 [7]−[3]=4

[7]−[6]=1 [3]−[1]=2 [5]−[2]=3 [8]−[4]=4

[2]−[1]=1 [7]−[5]=2 [6]−[3]=3 [8]−[4]=4

최상위 사고력 6, 1

저자 톡! 이 단원에서는 조건을 만족하는 덧셈식과 뺄셈식을 만들어 보는 활동을 합니다. 두 수의 덧셈과 뺄셈, 세 수의 덧셈과 뺄셈, 모양이 나타내는 수 찾기 등의 유형을 통해 식 만들기 전략, 합이 같아지는 경우와 차가 같아지는 경우의 특징 등을 생각해 보고, 직접 활용하여 문제를 해결해 봅니다.

1 먼저 차가 6이 되는 뺄셈식 한 개를 찾은 다음 빼어지는 수와 빼는 수를 동일하게 1씩 커지거나 작아지게 만들면 차가 6이 되는 뺄셈식을 모두 찾을 수 있습니다.

6−0=6
(+1 ↓ +1 ↓)
7−1=6
(+1 ↓ +1 ↓)
8−2=6
(+1 ↓ +1 ↓)
9−3=6

따라서 차가 6이 되는 식은 6−0=6, 7−1=6, 8−2=6, 9−3=6입니다.

해결 전략
뺄셈에서 차가 일정하려면 빼어지는 수와 빼는 수가 동일하게 커지거나 작아져야 합니다.

2−1=1
(+1 ↓ +1 ↓)
3−2=1
(+1 ↓ +1 ↓)
4−3=1

보충 개념
어떤 수에 0을 더하거나 빼는 경우 계산 결과는 변하지 않습니다.
2+0=2
2−0=2

2 먼저 두 수의 차가 4인 뺄셈식을 찾은 다음, 차가 3인 뺄셈식, 차가 2인 뺄셈식, 차가 1인 뺄셈식의 순서로 서로 다른 수를 사용한 식을 구해 봅니다.

해결 전략
차가 클수록 뺄셈식을 만드는 방법의 가짓수가 적습니다. 따라서 차가 가장 큰 뺄셈식부터 찾아봅니다.

차가 4인 뺄셈식	5−1=4		6−2=4			7−3=4			8−4=4	
차가 3인 뺄셈식	6−3=3	7−4=3	4−1=3	7−4=3	8−5=3	4−1=3	5−2=3	8−5=3	5−2=3	6−3=3
차가 2인 뺄셈식	4−2=2	8−6=2	5−3=2 7−5=2	3−1=2 5−3=2	3−1=2	8−6=2	6−4=2 8−6=2	4−2=2 6−4=2	3−1=2	7−5=2
차가 1인 뺄셈식	8−7=1	3−2=1	8−7=1 ×	× ×	×	×	× ×	× 2−1=1	7−6=1	2−1=1

최상위 사고력 계산 결과 중 가장 큰 수인 9는 어떤 두 수의 합입니다.
합이 9인 두 수는 (1, 8), (2, 7), (3, 6), (4, 5)입니다.
3장의 수 카드에 적힌 수는 서로 다르므로 3장에 적힌 수가
(3, 1, 8), (3, 2, 7), (3, 6, □), (3, 4, 5)일 때, 만들 수 있는
덧셈식 또는 뺄셈식의 계산 결과를 각각 알아봅니다.

해결 전략
주어진 계산 결과 중 만들 수 없는 수를 찾거나 그 외에도 만들 수 있는 수가 있는지 찾아봅니다.

세 카드에 적힌 수	(3, 1, 8)	(3, 2, 7)	(3, 6, □)	(3, 4, 5)
만들 수 있는 덧셈식	3+1=4 3+8=11 1+8=9	3+2=5 3+7=10 2+7=9	3+6=9 3+□ 6+□	3+4=7 3+5=8 4+5=9
만들 수 있는 뺄셈식	3−1=2 8−3=5 8−1=7	3−2=1 7−3=4 7−2=5	6−3=3 3−□ 또는 □−3 6−□ 또는 □−6	4−3=1 5−3=2 5−4=1
계산 결과	2, 4, 5, 7, 9, 11	1, 4, 5, 9, 10	3, 9, ⋯	1, 2, 7, 8, 9

계산 결과가 알맞은 경우는 세 카드에 적힌 수가 (3, 6, □)인 경우입니다.
계산 결과 2, 4, 5, 7도 나와야 하므로 □에 3, 6이 아닌 한 자리 수를
넣어서 덧셈식과 뺄셈식을 만들어 봅니다. □가 1일 때 3+1=4, 6+1=7,
3−1=2, 6−1=5이므로 □는 1입니다.
따라서 세 카드에 적힌 수가 (3, 6, 1)일 때 주어진 계산 결과가 나오므로
나머지 수 카드 2장에 적힌 수는 6과 1입니다.

8-2. 세 수의 계산

76~77쪽

1 2+5−3=4, 2+5−4=3, 3+4−2=5, 3+4−5=2

2 예 1+8−2=7 / 3+6−4=5

최상위 사고력 4가지

저자 톡! 이 단원에서는 세 수의 계산을 이용한 여러 가지 문제를 해결해 봅니다. 세 수의 계산에서는 계산 순서에 따라 계산 결과가 달라질 수 있음에 유의하여 계산하도록 합니다.

1 □+□−□=□는 □+□=□+□로 나타낼 수 있으므로
두 수끼리 합이 같도록 짝지어 봅니다.
2, 3, 4, 5를 모두 더하면 2+3+4+5=14이고,
7+7=14이므로 두 수의 합이 각각 7이 되도록 짝을 지어 식을 만듭니다. 2+5=3+4이므로 =의 양쪽에서 2, 3, 4, 5를 빼서
□+□−□=□ 형태로 만듭니다.
➡ 2+5−3=4, 2+5−4=3, 3+4−2=5, 3+4−5=2

해결 전략
두 수의 합이 같을 때, 두 수의 합은 네 수를 모두 더한 수의 반과 같습니다.

보충 개념
■+●−▲=◆
■+●=◆+▲

2 □+□−□=□는 □+□=□+□로 나타낼 수 있으므로 두 수끼리 합이 같도록 짝지어 봅니다.

다음과 같이 합이 9인 두 수들을 찾을 수 있습니다.

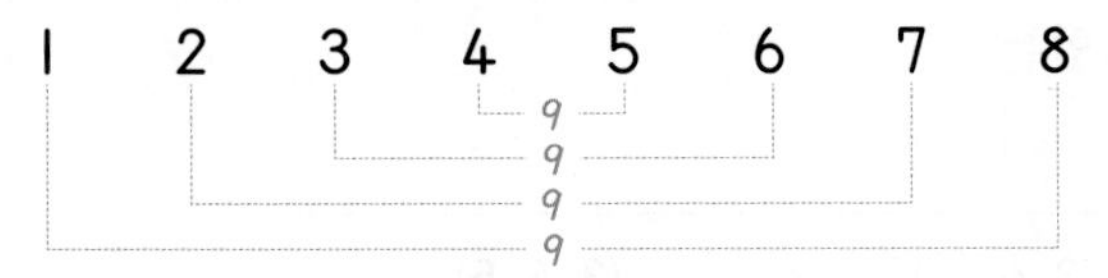

1부터 8까지의 수를 모두 더하면

$1+2+3+4+5+6+7+8=36$이고, $9+9+9+9=36$이므로

두 수의 합이 각각 9가 되도록 짝을 지어 식을 만듭니다.

$1+8=2+7$ ➡ $1+8-2=7$, $3+6=4+5$ ➡ $3+6-4=5$와 같이

여러 가지 방법으로 합이 9인 두 수끼리 짝을 지어 식을 만들 수 있습니다.

최상위 사고력 ㉠+㉡−□=4는 ㉠+㉡=4+□로 나타낼 수 있습니다.

4와 더해지는 수를 ㉢이라고 할 때, ㉢에 들어갈 수 있는 수는 1, 2, 3, 4, 5이고, ㉠은 ㉡보다 작아야 합니다.

㉠+㉡=4+㉢

- ㉢=1일 때 ㉠+㉡=5 ➡ 더해서 5가 되는 두 수는 2와 3입니다.
  완성할 수 있는 식은 $2+3=4+1$ ➡ $2+3-1=4$입니다.
- ㉢=2일 때 ㉠+㉡=6 ➡ 더해서 6이 되는 두 수는 1과 5입니다.
  완성할 수 있는 식은 $1+5=4+2$ ➡ $1+5-2=4$입니다.
- ㉢=3일 때 ㉠+㉡=7 ➡ 더해서 7이 되는 두 수는 2와 5입니다.
  완성할 수 있는 식은 $2+5=4+3$ ➡ $2+5-3=4$입니다.
- ㉢=4일 때 ㉠+㉡=8 ➡ 더해서 8이 되는 두 수는 3과 5입니다.
  완성할 수 있는 식은 $3+5=4+4$ ➡ $3+5-4=4$입니다.
- ㉢=5일 때 ㉠+㉡=9 ➡ 더해서 9가 되는 두 수는 없습니다.

따라서 식을 완성할 수 있는 방법은 모두 4가지입니다.

주의
더해서 5가 되는 두 수는 1과 4, 2와 3입니다. 그러나 ㉢이 1이므로 1과 4는 될 수 없습니다.

8-3. 모양이 나타내는 수

78~79쪽

1 ♣=3, ★=1, ♥=2 **2** 8, 8

최상위 사고력 ♣=1, ♥=4, ●=3, ★=5

저자 톡! 수 대신 모양으로 나타낸 여러 개의 식에서 모양이 나타내는 수를 구해 보는 단원입니다. 수를 무작정 대입해 보는 방법 대신, 나타내는 수를 쉽게 알 수 있는 모양부터 찾는 방법을 익혀 봅니다.

1

♣+♣+♣=9
♣+★+★=5
♣+♥+★=6

해결 전략
같은 모양이 같은 수를 나타내는 것을 이용하여 확실하게 구할 수 있는 것부터 차례로 구해 봅니다.

♣+♣+♣=9에서 3+3+3=9이므로 ♣=3입니다.

♣=3이므로 ♣+★+★=5 ➡ 3+★+★=5, ★+★=2이므로

★=1입니다.

♣=3, ★=1이므로 ♣+♥+★=6 ➡ 3+♥+1=6,

4+♥=6, ♥=2입니다.

따라서 ♣=3, ★=1, ♥=2입니다.

2 먼저 가로, 세로 방향으로 놓인 모양의 합을 식으로 나타내어 봅니다.

★+●+♥=7……①

♥+♥+♥=6……②

★+♣+♥=9……③

●+●+♥=4……④

②에서 2+2+2=6이므로 ♥=2입니다.

④에서 ♥=2이므로 ●+●+2=4, ●+●=2이고, 1+1=2이므로 ●=1입니다.

①에서 ♥=2, ●=1이므로 ★+1+2=7, ★+3=7, ★=4입니다.

③에서 ★=4, ♥=2이므로 4+♣+2=9, ♣+6=9, ♣=3입니다.

➡ ♥=2, ●=1, ★=4, ♣=3

따라서 빈칸에 들어갈 수는 ♣+●+★=3+1+4=8, ♥+★+♥=2+4+2=8입니다.

최상위 사고력 먼저 가로, 세로 방향으로 놓인 모양의 합을 식으로 나타내어 봅니다.

★+●=8……①

♥+♣+●=8……②

♣+♣+●+♥=9……③

●+♣+♣=5……④

③과 ②에서 겹쳐지는 식이 있으므로 ♣+♣+●+♥=9 ➡ ♣+8=9, ♣=1입니다.
(♣+●+♥ → 8)

④에서 ♣=1이므로 ●+1+1=5, ●+2=5, ●=3입니다.

①에서 ●=3이므로 ★+3=8, ★=5입니다.

②에서 ♥+1+3=8이므로 ♥+4=8, ♥=4입니다.

따라서 ♣=1, ♥=4, ●=3, ★=5입니다.

최상위 사고력

80~81쪽

1 [3]−[2]=[5]−[4]=[7]−[6]

[5]−[2]=[6]−[3]=[7]−[4]

2 ♥=5, ●=3, ♣=1

3 예 [1]+[6]=[7]
+ +
[3] [2]
‖ ‖
[4]+[5]=[9]

4 6

1 2부터 7까지의 수를 한 번씩 모두 사용하여 식이 성립하는 경우는 두 수의 차가 1 또는 3일 때입니다.

① 두 수의 차가 1인 경우

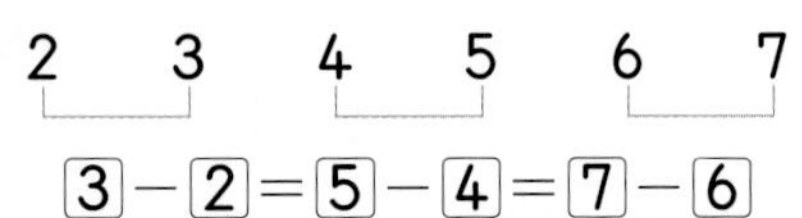

$3 - 2 = 5 - 4 = 7 - 6$

② 두 수의 차가 3인 경우

2 3 4 5 6 7

$5 - 2 = 6 - 3 = 7 - 4$

> 해결 전략
> 두 수의 차가 1인 식과 두 수의 차가 3인 식을 만들어 봅니다.

> 다른 답
> ① 예 $7-6=5-4=3-2$
> ② 예 $7-4=6-3=5-2$

2 첫 번째 식과 두 번째 식을 더해서 하나의 식으로 만듭니다.

♥+●+♥+♣=8+6 ➡ ♥+♥+●+♣=14

세 번째 식이 ●+♣=4로 겹쳐지므로

♥+♥+(●+♣)=14, ♥+♥+4=14, ♥+♥=10입니다.
(●+♣ → 4)

♥+♥=10에서 5+5=10이므로 ♥=5입니다.

♥=5이므로 첫 번째 식에서 5+●=8, ●=3이고,

두 번째 식에서 5+♣=6, ♣=1입니다.

따라서 ♥=5, ●=3, ♣=1입니다.

> 다른 풀이
> 첫 번째 식에서 ♥=8−●, 두 번째 식에서 ♥=6−♣이므로 8−●=6−♣입니다.
> ➡ ●=♣+2
> 세 번째 식에서 ●+♣=4이므로 ♣+2+♣=4, ♣+♣=2이고, 1+1=2이므로 ♣=1입니다.
> 따라서 ♥=6−♣=6−1=5, ●=♣+2=1+2=3입니다.

> 해결 전략
> 두 개의 식을 이용하여 새로운 식을 만들어 봅니다.

3 ㉠은 화살표 방향으로 덧셈을 한 계산 결과에 다른 수를 다시 한 번 더한 수이므로 1에서 9까지의 수 중 가장 큰 수인 9를 써넣습니다.

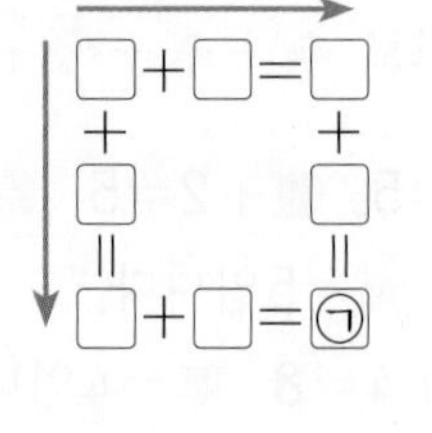

덧셈식이 성립하도록 나머지 빈칸에 1부터 8까지의 수 중 7개를 써넣습니다.

2+6=8, 3+1=4... 이외에도

2+6=8	3+5=8
+ 3 , + 1	+ 4 , + 1
5+4=9	7+2=9

이외에도 (2+6=8, 2+3=5, 8+1=9, 5+4=9), (3+5=8, 3+4=7, 8+1=9, 7+2=9)와 같이 답은 여러 가지입니다.

> 해결 전략
> 덧셈으로만 이루어진 식이므로 덧셈의 계산 결과에 다른 수를 더한 칸에는 큰 수가 들어가야 합니다.

4 ●+●=♥, 3+●+♥=♣이므로 3+●+●+●=♣입니다.

♣가 가장 작은 수가 되려면 ●가 가장 작은 수이어야 합니다.

●는 한 자리 수이므로 ●=1입니다.

●=1일 때 ♥=1+1=2, ♣=3+●+♥=3+1+2=6이므로 서로 다른 한 자리 수입니다.

따라서 ♣이 될 수 있는 수 중 가장 작은 수는 6입니다.

> 보충 개념
> 3+●+♥=♣
> (♥ → ●+●)

9-1. 목표수

82~83쪽

1

2	1+1
3	1+2
4	1+1+2 또는 2+2
5	1+2+2 또는 2+3
6	1+1+2+2
7	2+2+3 또는 3+4
8	1+2+2+3
9	1+1+2+2+3 또는 2+3+4

2 1, 3, 4, 5, 7, 8, 9

최상위 사고력 ⑤

저자 톡! 덧셈과 뺄셈을 이용하여 제시된 목표수를 만드는 활동을 통해 단순한 연산 연습에서 오는 지루함을 피하고 연산 능력과 함께 수학적 사고력을 기를 수 있습니다.

1 나란히 놓여 있는 수 카드 중에서 이웃한 수를 2개부터 6개까지 더해 보며 계산 결과가 2부터 9까지인 식을 만듭니다.

2 만들 수 있는 가장 작은 한 자리 수는 3−2=1이고, 가장 큰 한 자리 수는 3+6=9이므로 1부터 9까지의 수 중에서 만들 수 있는 수를 모두 찾아봅니다.

수	방법	수	방법	수	방법
1	3−2 6−3−2 6−2−3	4	6−2	7	3−2+6 6−2+3 6+3−2
2	×	5	2+3 2+6−3 6+2−3 6−3+2	8	2+6
3	6−3	6	×	9	3+6

따라서 만들 수 있는 수는 1, 3, 4, 5, 7, 8, 9입니다.

해결 전략
먼저 두 수를 사용하여 만들어 보고, 그다음 세 수를 모두 사용하여 만들어 봅니다.

주의
2+3+6=11은 한 자리 수가 아닙니다.

최상위 사고력 수 카드 6장에 쓰여 있는 수를 모두 더한 값은 2+2+2+1+1+1=9이므로 8을 만들려면 6장의 수 카드 중 [1]을 한 장만 사용하지 않고 나머지 수 카드 5장의 수를 모두 더해야 합니다.
⑤에 [2]를 놓는 경우 [1]을 한 장만 사용하지 않고 나머지 수 카드의 수를 모두 더할 수 있는 방법이 없습니다.

[2] [2] [1] [1] [1] [2] ➡ 이웃한 수끼리 더해서 8을 만들 수 없습니다.
(×)

따라서 [2]를 놓을 수 없는 곳은 ⑤입니다.

9-2. 수 퍼즐

84~85쪽

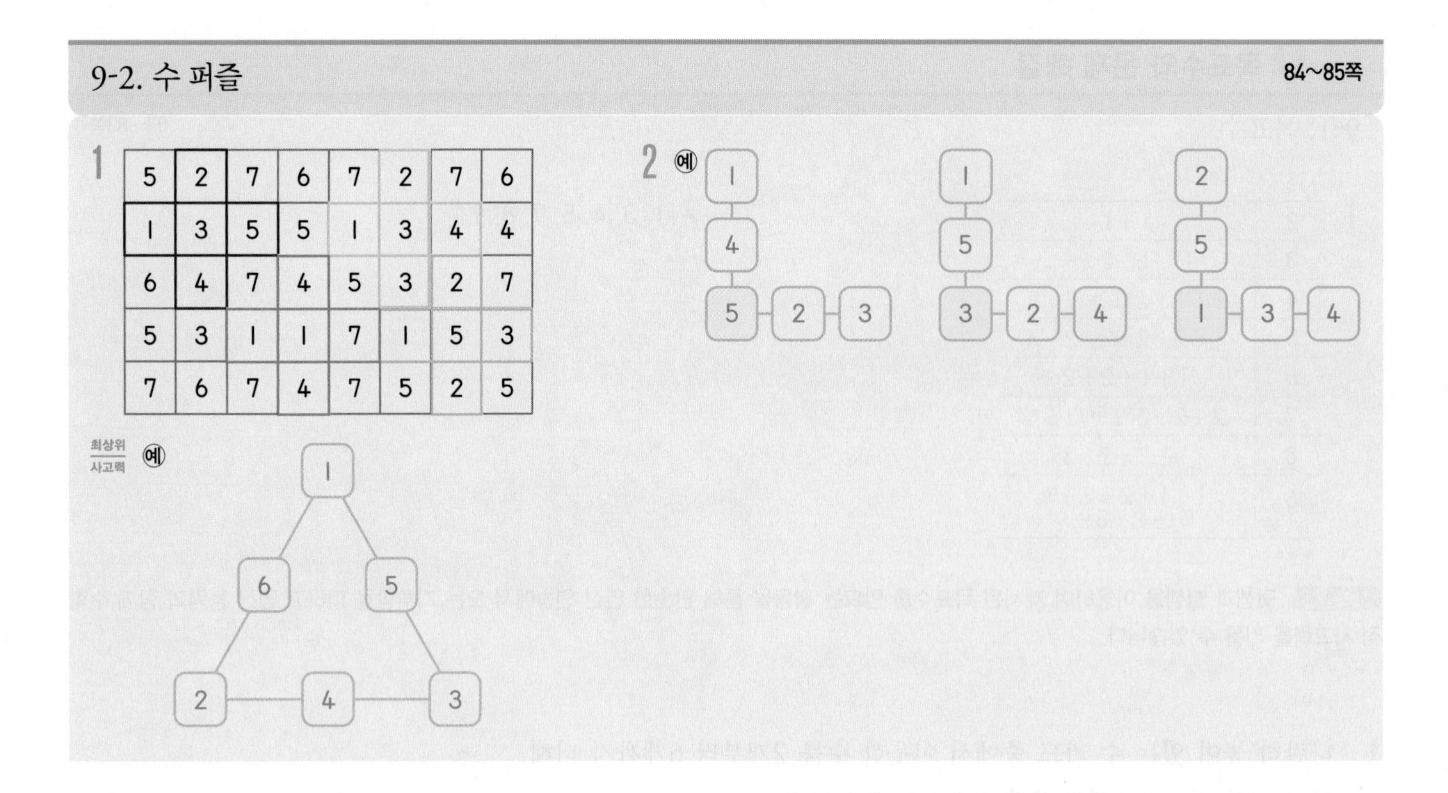

1 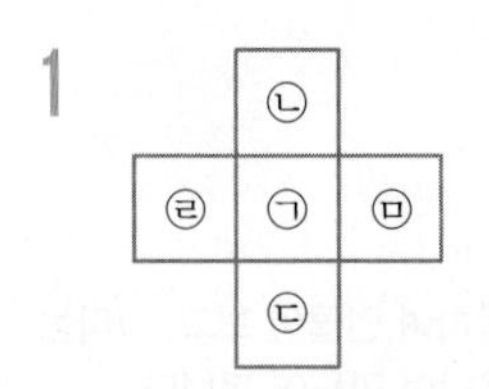

㉠을 기준으로 ㉡+㉢=㉣+㉤을 만족하는 경우를 모두 찾아봅니다.

보충 개념

㉠+㉡+㉢=㉠+㉣+㉤

㉡+㉢=㉣+㉤

2 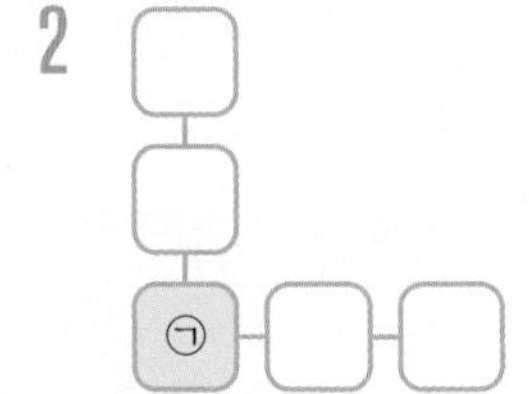

1, 2, 3, 4, 5 중 두 수의 합이 같은 두 수끼리 짝을 짓고 ㉠에 나머지 수를 써넣습니다.

합이 5로 같은 수 ➡ 1+4=2+3 ➡ ㉠=5

합이 6으로 같은 수 ➡ 1+5=2+4 ➡ ㉠=3

합이 7로 같은 수 ➡ 2+5=3+4 ➡ ㉠=1

㉠을 제외한 나머지 수의 위치에 따라 답은 여러 가지입니다.

해결 전략

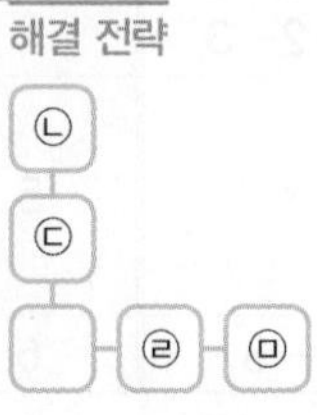

㉡+㉢=㉣+㉤을 만족하는 경우를 모두 찾아봅니다.

최상위 사고력 먼저 1부터 6까지의 수 중 세 수의 합이 9인 식을 모두 찾아봅니다.

1부터 6까지의 수 중 세 수의 합이 9인 식은

1+2+6=9, 1+3+5=9, 2+3+4=9입니다.

3개의 식에서 1, 2, 3은 각각 두 번씩 사용되었으므로 ★의 위치에 1, 2, 3을 넣어 퍼즐을 완성합니다.

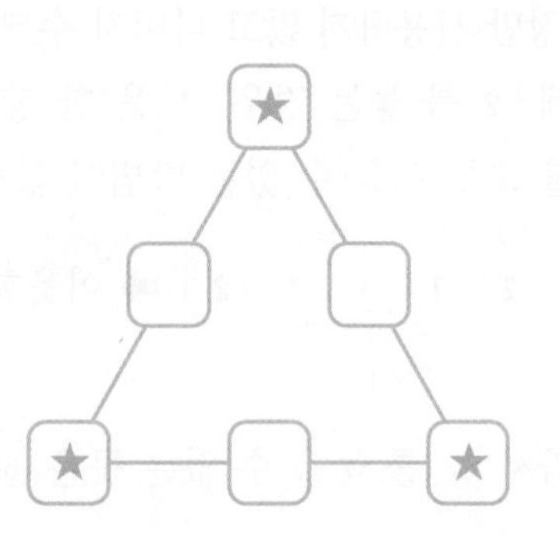

9-3. 덧셈과 뺄셈의 활용 86~87쪽

1 3개 2 [3], [4]

최상위 사고력 6개

1 옮겨야 하는 사탕 수를 □라 하고 식을 세워 풀어 봅니다.
$9-\square=3+\square$ ➡ $9-3=\square+\square$, $6=\square+\square$이고 $3+3=6$이므로 $\square=3$입니다.
따라서 파랑 주머니로 사탕을 3개 옮겨야 합니다.

다른 풀이
빨강 주머니 ●●●●●●●●●
파랑 주머니 ○○○
차: 6개
빨강 주머니와 파랑 주머니의 사탕 개수의 차는 $9-3=6$입니다.
6은 똑같은 두 수 3과 3으로 가를 수 있으므로 사탕 개수가 같아지려면 빨강 주머니에서 파랑 주머니로 사탕을 3개 옮겨야 합니다.

2 계산 결과는 2보다 작아야 하므로 0 또는 1이어야 합니다.
뒤집힌 수 카드의 수를 □라 하고 식을 세워 풀어 봅니다.
- $\square-2-1=0$인 경우 ➡ $\square-3=0$, $\square=3$
- $\square-2-1=1$인 경우 ➡ $\square-3=1$, $\square=1+3$, $\square=4$

따라서 뒤집힌 수 카드의 수가 될 수 있는 것은 [3], [4]입니다.

해결 전략
□는 2보다 큰 수이므로 $\square-2-1$인 식을 만들 수 있습니다.

최상위 사고력 처음 윤주가 가지고 있던 구슬의 수를 □라 하면 윤주가 구슬 2개를 도훈이에게 주었으므로 윤주의 구슬의 수는 $\square-2$가 됩니다.
윤주가 구슬 2개를 도훈이에게 주어 두 사람이 가진 구슬 개수가 같아졌으므로 $\square-2=4$이고, $\square=6$입니다. 따라서 처음 윤주가 가지고 있던 구슬은 6개입니다.

다른 풀이
거꾸로 계산해 봅니다.
① 두 사람이 가진 구슬 수가 같습니다.
○○○○●●●●
윤주 도훈
➡ $4+4=8$이므로 윤주가 가지고 있는 구슬 수: 4개
② 윤주가 도훈이에게 구슬 2개를 주었습니다.
○○○○●●●●
윤주 도훈
➡ 윤주가 가지고 있는 구슬 수: $4+2=6$(개)
따라서 도훈이에게 주기 전 윤주가 가지고 있던 구슬은 6개입니다.

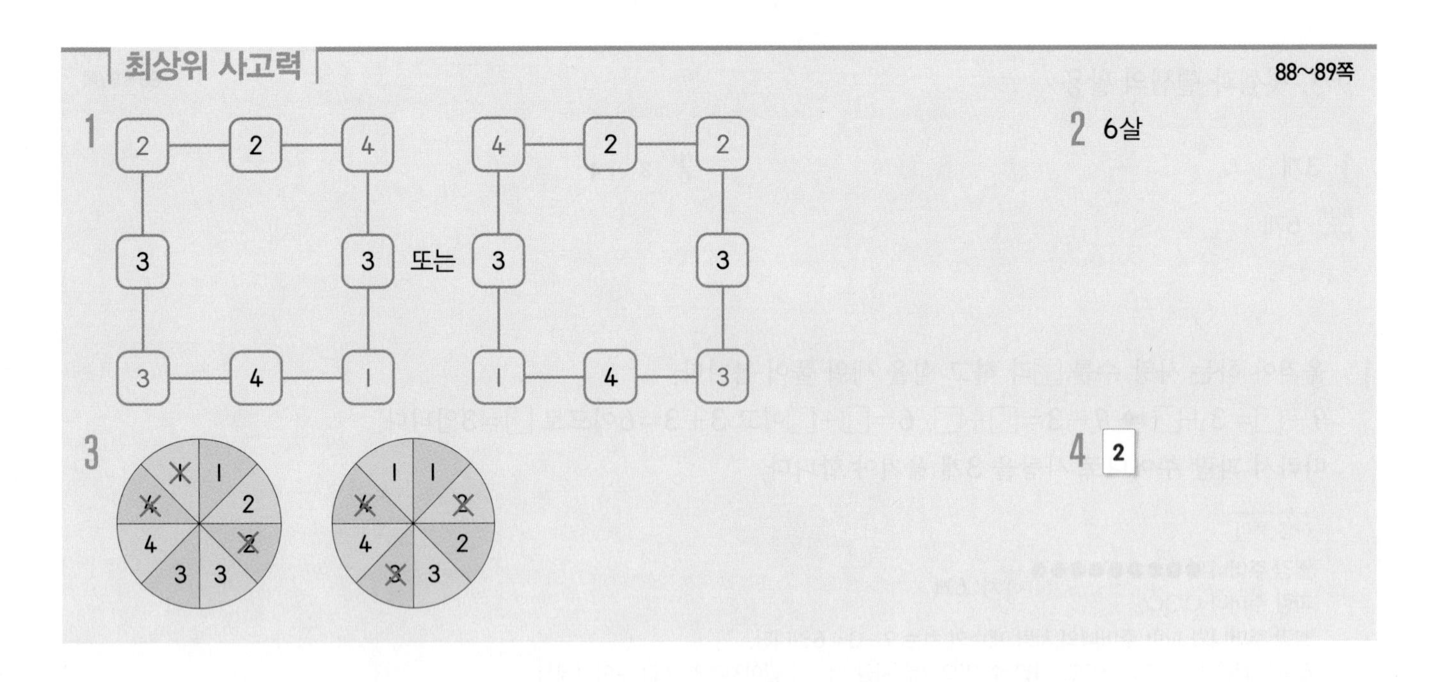

1

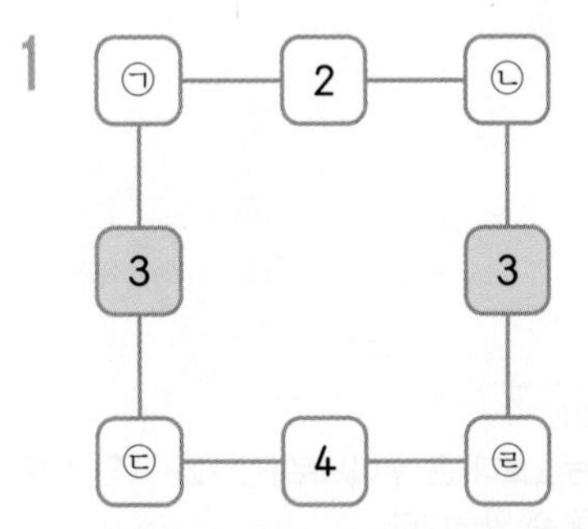

먼저 1, 2, 3, 4를 합이 같은 두 수끼리 짝을 지어 봅니다.

➡ $1+4=2+3$

표의 세로줄의 가운데 수가 모두 3으로 같으므로 ㉠과 ㉢, ㉡과 ㉣에는 각각 1과 4, 2와 3을 써넣습니다. 이때 가로줄과 세로줄의 합이 같도록 알맞은 위치에 써넣어야 합니다.

해결 전략
㉠+㉢=㉡+㉣이어야 합니다.

주의
$1+4=2+3=5$이므로 가로줄과 세로줄에 놓인 세 수의 합이 $5+3=8$이 되도록 합니다.

2 현지의 나이를 □, 동생의 나이를 ○로 하여 주어진 조건에 맞게 식을 세워 봅니다.

□+○=9……①

□−○=3……②

②에서 □=3+○이므로 ①의 식은 3+○+○=9입니다.

3+○+○=9 ➡ ○+○=9−3, ○+○=6이고, 3+3=6이므로 ○=3입니다.

따라서 □+3=9 ➡ □=9−3, □=6이므로 현지는 6살입니다.

3 1, 2, 3, 4 중 세 수와 5를 합이 같은 두 수끼리 짝지어 보면 $4+2=5+1$, $4+3=5+2$입니다.

$4+2=5+1$ ➡ $4+2-1=5$

$4+3=5+2$ ➡ $4+3-2=5$

계산 결과가 5인 식을 과녁에 나타냅니다.

해결 전략
과녁에 적혀 있는 수 1, 2, 3, 4와 목표수 5를 사용하여 두 수의 합이 같은 수를 찾아 짝을 지어봅니다.

4 나머지 수 카드가 될 수 있는 수는 2, 3, 4, 5입니다.
나머지 수 카드의 수가 각각 2, 3, 4, 5일 때 덧셈식이나 뺄셈식의 계산 결과로 1부터 9까지의 수를 만들 수 있는 경우를 모두 찾아봅니다.
2일 때: $6-2-1=3$, $6-2+1=5$, $6+2-1=7$, $1+2+6=9$ ➡ 4개
3일 때: $6-3-1=2$, $6-3+1=4$, $6+3-1=8$ ➡ 3개
4일 때: $6-4-1=1$, $6-4+1=3$, $6+4-1=9$ ➡ 3개
5일 때: $6-5+1=2$ ➡ 1개
따라서 나머지 수 카드의 수는 2입니다.

Review III 연산

90~92쪽

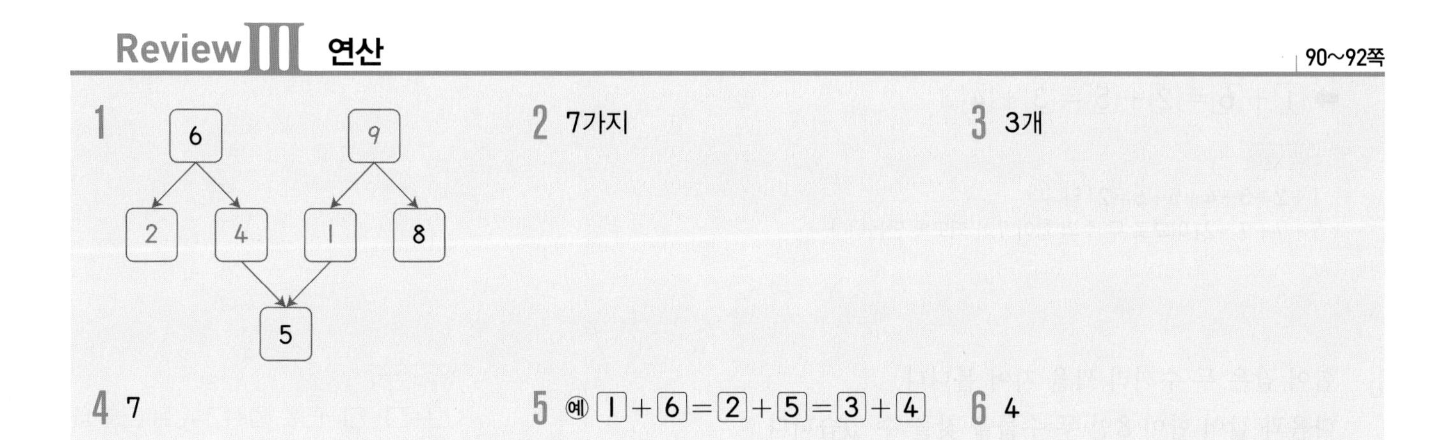

1 (위 그림)　**2** 7가지　**3** 3개

4 7　**5** 예 1+6=2+5=3+4　**6** 4

1

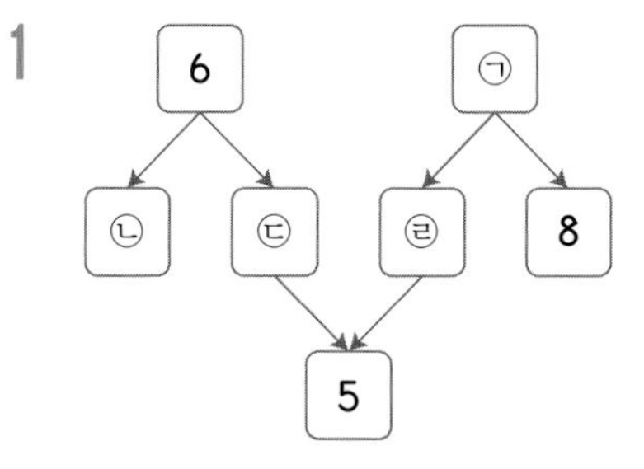

해결 전략
확실하게 알 수 있는 수부터 차례로 모으기와 가르기를 하여 빈칸을 채웁니다.

8과 어떤 수를 모으기 하여 만들 수 있는 한 자리 수는 9뿐입니다.
㉠에 9를 써넣고, ㉣ → ㉢ → ㉡ 순서대로 알맞은 수를 써넣습니다.

2 작은 수 또는 큰 수를 기준으로 합이 8인 식을 빠짐 없이 구해 봅니다.

해결 전략
1은 8번까지 2는 4번까지 5는 1번 더할 수 있습니다.

$5+2+1=8$

$5+1+1+1=8$

$2+2+2+2=8$

$2+2+2+1+1=8$

$2+2+1+1+1+1=8$

$2+1+1+1+1+1+1=8$

$1+1+1+1+1+1+1+1=8$ ➡ 7가지

3 옮기기 전 파란색 접시에 놓여 있던 빵의 개수를 □라 하고 식을 세워 봅니다.

7−2=□+2 ➡ 5=□+2, □=5−2, □=3

따라서 옮기기 전 파란색 접시에 놓여 있던 빵은 3개입니다.

보충 개념
노란색 접시에 놓인 빵의 수는 2개 줄어들고, 파란색 접시에 놓인 빵의 수는 2개 늘어납니다.

4 ★의 규칙은 ㉠★㉡=㉡−㉠+㉡입니다.

따라서 5★6=6−5+6=1+6=7입니다.

해결 전략
먼저 ★의 규칙을 찾습니다.

5 1부터 6까지의 수를 한 번씩 모두 사용하여 등식이 성립하는 경우는 두 수의 합이 7일 때입니다.

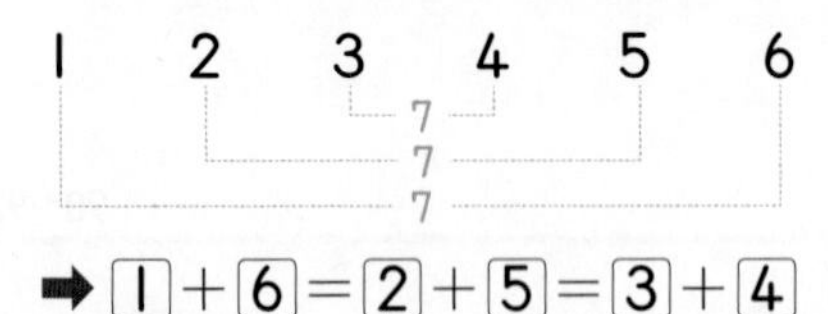

➡ 1+6=2+5=3+4

다른 풀이
1+2+3+4+5+6=21입니다.
7+7+7=21이므로 두 수의 합이 7이 되도록 만듭니다.

6 합이 같은 두 수끼리 짝을 지어 봅니다.

다음과 같이 합이 8인 두 수들을 찾을 수 있습니다.

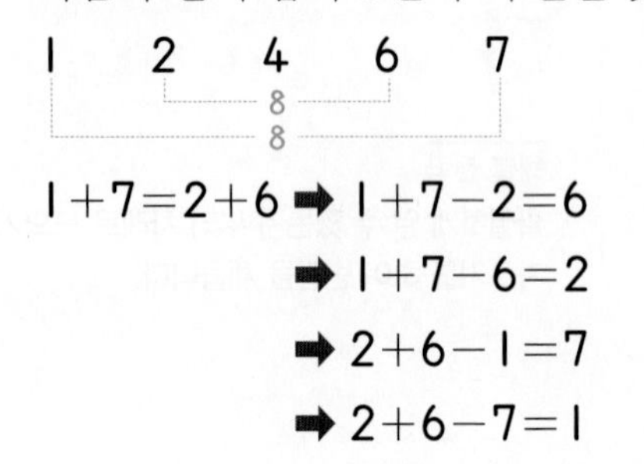

1+7=2+6 ➡ 1+7−2=6
➡ 1+7−6=2
➡ 2+6−1=7
➡ 2+6−7=1

따라서 사용하지 않는 수는 4입니다.

해결 전략
□+□−□=□는 □+□=□+□로 나타낼 수 있습니다.

Ⅳ 측정

길이, 무게, 넓이, 들이를 직접 또는 직관적으로 비교하고 그 결과를 적합한 말로 표현하는 방법을 배우는 단원입니다. 비교하기는 일상 생활에서 상황이나 용도에 맞는 물건을 찾아 바르게 사용할 수 있게 해주는 등 일상 생활에서 많이 사용하는 수학적 활동입니다. 이 단원에서는 정확한 양의 측정값을 이용하지 않고 여러 가지 대상을 관찰하고 비교하여 문제를 해결합니다. 이러한 활동은 양감을 기르고 측정을 이해하는 기초가 됩니다.

최상위 사고력 10 길이 비교하기

10-1. 길의 길이 비교 94~95쪽

1 지훈, 미수 2 ㉤ 최상위 사고력 나

저자 톡! 길이는 모든 양 중에서 가장 기본이 되는 개념으로 키, 높이, 두 점 사이의 거리도 모두 길이와 같은 속성입니다. 따라서 길이의 개념을 확실히 이해하고 길다, 짧다, 높다, 낮다, 키가 크다, 키가 작다 등 측정된 길이의 표현을 적절하게 사용할 수 있어야 합니다.

1 은지네 집에서 친구들의 집까지 □과 ⧄의 칸의 수를 세어 공통인 칸(□ 3칸, ⧄ 1칸) 수를 지우고 남은 거리를 비교해 봅니다.

미수: □ 4칸, ⧄ 2칸 ➡ □ 1칸, ⧄ 1칸

지훈: □ 4칸, ⧄ 1칸 ➡ □ 1칸

지유: □ 3칸, ⧄ 2칸 ➡ ⧄ 1칸

명준: □ 5칸, ⧄ 1칸 ➡ □ 2칸

□은 ⧄의 길이보다 더 짧으므로 가장 가까운 곳에 사는 친구는 지훈이고, 가장 먼 곳에 사는 친구는 미수입니다.

주의
□은 ⧄의 길이보다 더 짧으므로 전체 칸 수를 비교하지 않고 □와 ⧄를 구분하여 비교하도록 주의합니다.

2 ㉠~㉤까지의 길 중에서 □과 ⧄의 칸의 수를 세어 공통인 칸(□ 3칸) 수를 지우고 남은 거리를 비교해 봅니다.

㉠ □ 8칸, ⧄ 1칸 ➡ □ 5칸, ⧄ 1칸

㉡ □ 3칸, ⧄ 4칸 ➡ ⧄ 4칸

㉢ □ 9칸 ➡ □ 6칸

㉣ □ 3칸, ⧄ 4칸 ➡ ⧄ 4칸

㉤ □ 7칸, ⧄ 2칸 ➡ □ 4칸, ⧄ 2칸

⧄은 □의 길이보다 더 길므로 ㉤이 가장 긴 길입니다.

보충 개념
㉡, ㉣은 남은 거리가 4칸이므로 ㉠, ㉢, ㉤보다 짧습니다. ㉠, ㉢, ㉤의 공통인 칸(□ 4칸) 수를 지우고 남은 거리를 비교합니다.

최상위 사고력 먼저 실이 천 속에서 가장 짧은 거리로 움직인 방법을 그린 다음 ⬚과 ⧄의 칸의 수를 세어 길이를 비교해 봅니다.

가 나

⬚ 7칸, ⧄ 2칸 ⬚ 5칸, ⧄ 4칸

가와 나에 사용한 실의 공통인 칸 (⬚ 5칸, ⧄ 2칸) 수를 지우고 남은 부분을 비교하면 가는 ⬚ 2칸, 나는 ⧄ 2칸입니다.
따라서 사용한 실이 더 긴 것은 나입니다.

해결 전략
실이 천 뒷면을 지날 때는 ⬚으로 나타내고, 천 앞면을 지날 때는 ⬚으로 나타냅니다.

10-2. 꺾인 끈의 길이 비교 96~97쪽

1 나, 가, 다
2 (1) (2)
최상위 사고력 ㉢, ㉡, ㉠

저자 톡! 양의 비교는 직관적인 비교, 직접 비교, 간접 비교 등 상황에 따라 알맞은 방법을 사용합니다. 간접 비교는 길이를 비교할 대상을 옮길 수 없거나 너무 길어서 직접 비교할 수 없는 상황에서 끈과 같은 도구를 이용하여 길이를 비교하는 것을 말합니다.

1 껍질이 많이 깎인 순서대로 나열하면 나, 가, 다이므로 지금까지 깎은 껍질의 길이가 긴 순서대로 나열하면 나, 가, 다입니다.

해결 전략
더 많이 깎은 사과 껍질의 길이가 더 깁니다.

2 (1) 통나무를 감은 횟수가 같은 경우에는 통나무의 굵기가 굵은 쪽에 감은 끈의 길이가 더 깁니다.
(2) 상자의 높이가 같은 경우에는 끈을 감은 횟수가 더 많은 상자의 끈이 더 길고, 끈을 감은 횟수가 같은 경우에는 상자의 높이가 높은 상자의 끈이 더 깁니다.

해결 전략
사용한 끈의 길이를 비교할 때에는 물건의 높이나 굵기, 끈을 감은 횟수를 비교합니다.

최상위 사고력
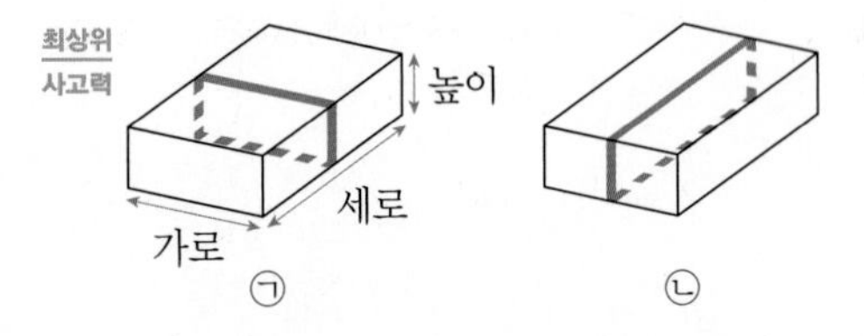

㉠과 ㉡에서 상자의 높이는 같으므로 나머지 부분의 끈의 길이를 비교하면 ㉡이 더 깁니다. ➡ ㉠<㉡

해결 전략
보이는 끈의 길이와 보이지 않는 끈의 길이가 같은 것을 이용하여 보이는 끈의 길이를 비교해 봅니다.

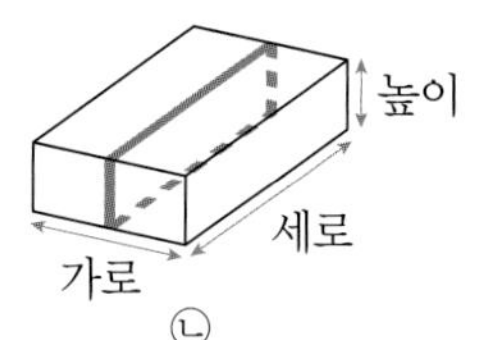

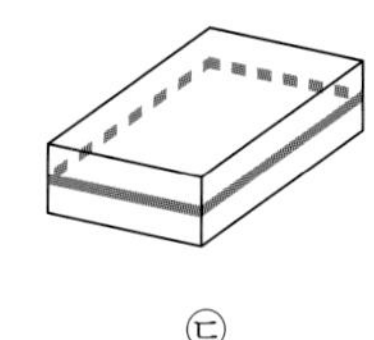

㉡과 ㉢에서 상자의 세로는 같으므로
나머지 부분의 끈의 길이를 비교하면 ㉢이 더 깁니다. ➡ ㉡<㉢

따라서 사용된 끈의 길이가 긴 것부터 차례로 기호를 쓰면 ㉢, ㉡, ㉠입니다.

10-3. 가장 짧은 길의 가짓수

98~99쪽

1
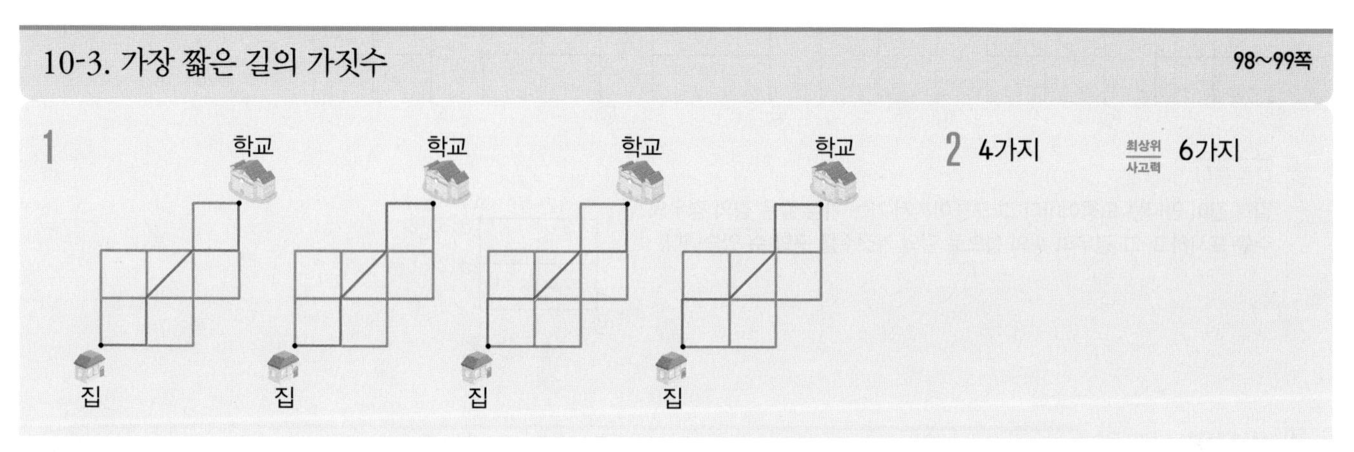

2 4가지 최상위 사고력 6가지

저자 톡! 경우의 수는 그 사건에서 가능한 경우의 가짓수를 말하는데 확률과 통계의 가장 기본적인 개념입니다. 경우의 수를 구할 때에는 모든 경우를 빠짐없이 중복되지 않게 세는 것이 중요합니다.

1
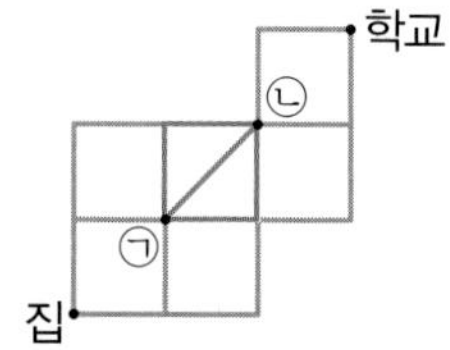

㉠에서 ㉡으로 갈 때 빨간색 길보다 파란색 길이 더 짧으므로 파란색 길을 지날 때 가장 짧은 길로 갈 수 있습니다.

집에서 ㉠까지 가는 길이 모두 2가지이고,

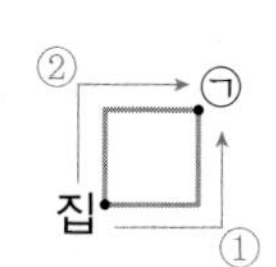

㉡에서 학교까지 가는 길이 모두 2가지이므로

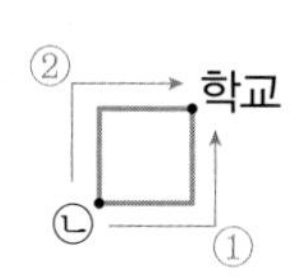

파란색 선을 지나 집에서 학교까지 가는 길을 모두 찾아 그리면 4가지 경우가 있습니다.

해결 전략
집에서 학교까지 가는 거리가 가장 짧을 때 반드시 지나가야 하는 길을 먼저 찾아봅니다.

2 집에서 공원까지 가는 거리가 가장 짧은 길을 먼저 찾아봅니다.

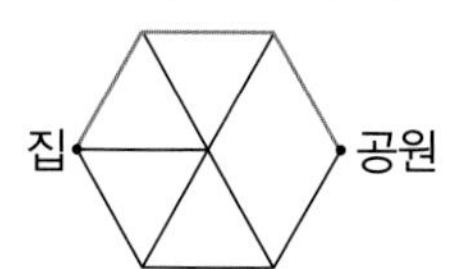

——를 세 칸 지나는 길이가 가장 짧으므로 ——을 세 칸 지나는 길을 빠짐없이 구해 봅니다.

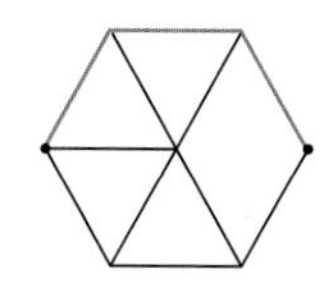
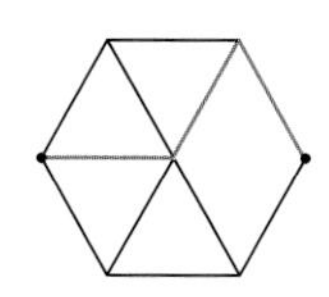
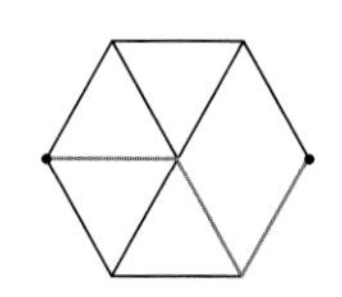
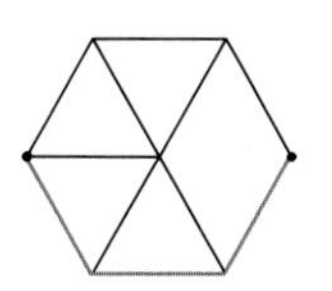

해결 전략
먼저 거리가 가장 짧은 길을 찾은 후 거리가 같은 길을 모두 구해 봅니다.

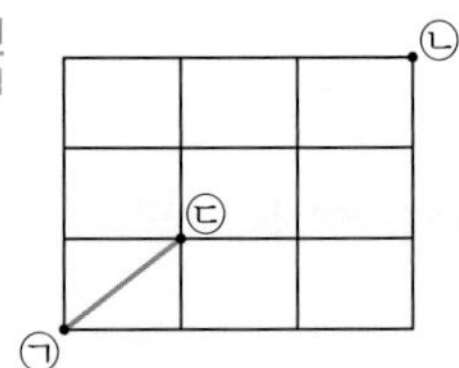

가장 짧은 길로 가기 위해서는 파란색 길을 반드시 지나가야 하므로 가장 짧은 길로 가는 가짓수는 ㉢에서 ㉡까지 가는 길의 가짓수와 같습니다.

그림을 그려 가장 짧은 길로 가는 방법을 빠짐없이 구하면 다음과 같이 모두 6가지입니다.

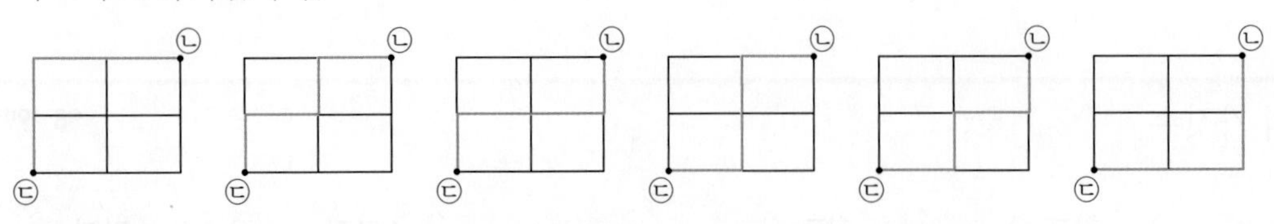

해결 전략
㉠에서 ㉡까지 가는 거리가 가장 짧을 때 반드시 지나가야 하는 길을 먼저 찾아봅니다.

다른 풀이
길과 길이 만나는 모퉁이마다 그 모퉁이까지 가는 가장 짧은 길의 경우의 수를 표시하고, 그 경우의 수의 합으로 길의 가짓수를 구할 수 있습니다.

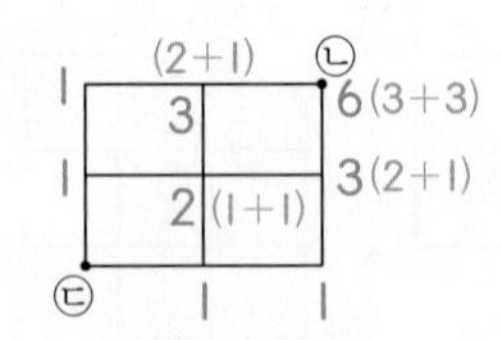

최상위 사고력

100~101쪽

1 ㉡, ㉣, ㉢, ㉠

2 서윤, 은희, 상우, 지민

3 6가지

4 유나

1 자동차가 세로 방향으로 움직인 거리를 비교해 봅니다.
㉠: 2칸, ㉡: 8칸, ㉢: 4칸, ㉣: 6칸
따라서 움직인 거리가 먼 것부터 차례로 쓰면 ㉡, ㉣, ㉢, ㉠입니다.

해결 전략
가로 방향으로 움직인 거리는 8칸으로 모두 같습니다.

2 자전거 바퀴가 돈 횟수가 같은 경우 바퀴의 크기가 클수록 멀리 갈 수 있습니다.
자전거 바퀴는 서윤, 은희, 상우, 지민 순으로 크므로
서윤, 은희, 상우, 지민 순서로 멀리 갔습니다.

해결 전략
자전거 바퀴가 클수록 한 바퀴 굴렀을 때 이동한 거리가 깁니다.

3 도서관과 은행을 가장 가까운 길로 지나려면 빨간색 길을 반드시 지나가야 합니다.

학교
도서관 은행
집

학교에서 도서관과 은행을 차례로 지나 집에 가는 거리가 가장 짧은 경우는 다음과 같이 모두 6가지입니다.

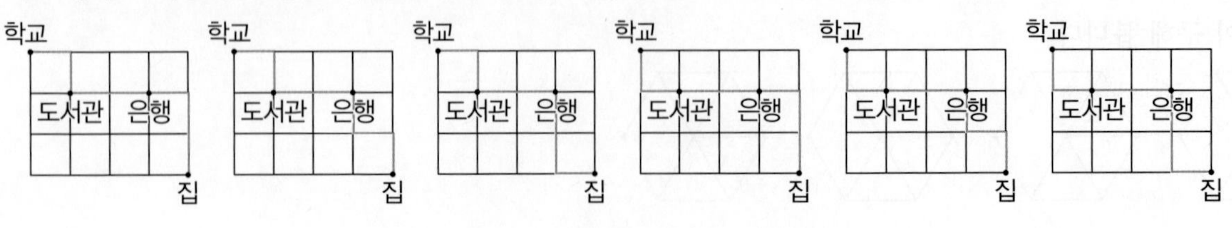

해결 전략
먼저 반드시 지나가야 하는 길을 찾고, 그 길을 지나면서 가는 가장 짧은 길을 구합니다.

4 세로 방향으로 움직인 거리는 6칸으로 모두 같으므로 가로 방향으로 움직인 거리를 비교해 봅니다.

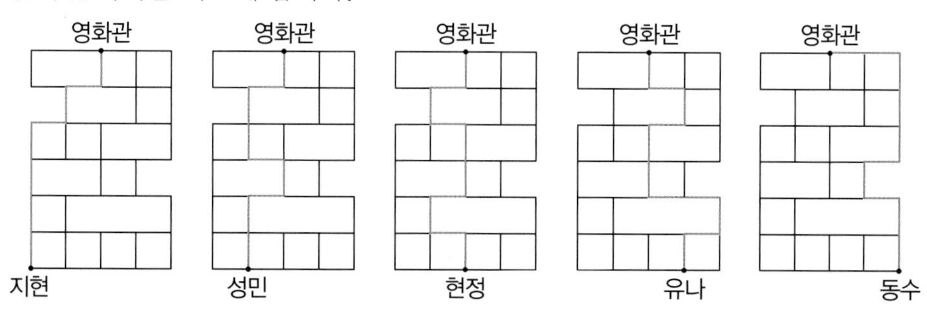

지현이가 가로 방향으로 움직인 칸의 수: 2칸
성민이가 가로 방향으로 움직인 칸의 수: 3칸
현정이가 가로 방향으로 움직인 칸의 수: 4칸
유나가 가로 방향으로 움직인 칸의 수: 5칸
동수가 가로 방향으로 움직인 칸의 수: 4칸
따라서 영화관에서 집까지 가는 거리가 가장 먼 사람은 유나입니다.

최상위 사고력 11 무게 비교하기

11-1. 무게 비교 102~103쪽

1 정민, 민희, 성호, 현수　　2 감자, 오이, 당근, 배추　　최상위 사고력 ㉠

저자 톡! 길이는 시각적으로 비교하기 쉬운 속성인 반면 무게는 시각적으로 비교하는 것이 어렵습니다. 직접 물체를 들어 보거나 저울을 이용하여 무게를 비교해 보는 활동을 통해 무게는 물체의 모양이나 부피로는 판단할 수 없음을 알 수 있습니다.

1 시소는 몸무게가 더 무거운 사람 쪽으로 내려가고, 가벼운 사람 쪽으로 올라갑니다.
• 성호와 민희가 시소를 탔을 때 민희가 내려갔으므로 민희가 성호보다 무겁습니다. ➡ (민희)>(성호)
• 성호와 현수가 시소를 탔을 때 성호가 내려갔으므로 성호가 현수보다 무겁습니다. ➡ (성호)>(현수)
• 정민이와 민희가 시소를 탔을 때 정민이가 내려갔으므로 정민이가 민희보다 무겁습니다. ➡ (정민)>(민희)
따라서 무거운 사람부터 차례로 이름을 쓰면 정민, 민희, 성호, 현수입니다.

2 윗접시 저울은 더 무거운 쪽으로 내려가고, 양쪽에 올려놓은 물체의 무게가 같으면 수평을 이룹니다.
• 오이와 감자를 비교하면 오이가 아래로 내려갔으므로 감자가 오이보다 더 가볍습니다. ➡ (감자)<(오이)
• 오이와 감자의 무게의 합이 당근의 무게와 같으므로 오이와 감자는 각각 당근보다 가볍습니다. ➡ (오이)<(당근), (감자)<(당근)
• 오이와 당근의 무게의 합이 배추의 무게보다 가벼우므로 오이와 당근은 각각 배추보다 가볍습니다. ➡ (당근)<(배추), (오이)<(배추)
따라서 가벼운 채소부터 차례로 쓰면 감자, 오이, 당근, 배추입니다.

해결 전략
저울이 기울어지면 내려간 쪽이 더 무겁고, 양쪽이 수평을 이루면 양쪽에 놓은 물건의 무게가 서로 같습니다.

최상위 사고력 설명을 보고 구슬의 무게를 비교해 봅니다.

• 구슬 ㉠은 구슬 ㉤보다 가볍고 구슬 ㉢보다 무겁습니다. ➡ ㉤>㉠>㉢
• 구슬 ㉢은 구슬 ㉡보다 무겁습니다. ➡ ㉢>㉡
• 구슬 ㉣은 구슬 ㉡보다 가볍습니다. ➡ ㉡>㉣

따라서 ㉤>㉠>㉢>㉡>㉣이므로 두 번째로 무거운 구슬은 ㉠입니다.

11-2. 저울산

104~105쪽

1 6개　　2 6마리

최상위 사고력 6개

저자 톡! 저울산은 수평을 이루고 있는 윗접시 저울의 양쪽 접시에 놓인 같은 물체를 덜어 내거나, 무게가 같은 다른 물체로 바꾸어도 수평이 유지되는 것을 이용한 계산을 말합니다.

1 오른쪽 저울에서 파란색 구슬 1개의 무게는 빨간색 구슬 4개의 무게와 같음을 알 수 있습니다.

해결 전략
구슬을 무게가 같은 다른 구슬로 바꾸거나, 무게가 같은 것을 양쪽에서 똑같이 덜어냅니다.

저울에서 초록색 구슬 2개의 무게는 빨간색 구슬 12개의 무게와 같으므로 초록색 구슬 1개의 무게는 빨간색 구슬 6개의 무게와 같습니다.

2 강아지, 토끼, 햄스터의 무게를 각각 ○, □, △라 하고 식으로 나타내어 봅니다.

해결 전략
모르는 값이 여러 개인 경우 각각을 서로 다른 기호로 나타내어 문제를 해결합니다.

강아지 1마리의 무게와 토끼 2마리의 무게가 같으므로 ○=□+□이고,
토끼 1마리의 무게와 햄스터 3마리의 무게가 같으므로
□=△+△+△입니다.
강아지 2마리의 무게는 토끼 4마리의 무게와 같으므로
○+○=□+□+□+□이고, 이 중 토끼 2마리를 햄스터로 나타내면
○+○=□+□+△+△+△+△+△+△입니다.

└→ 토끼 2마리의 무게는 햄스터 6마리의 무게와 같습니다.

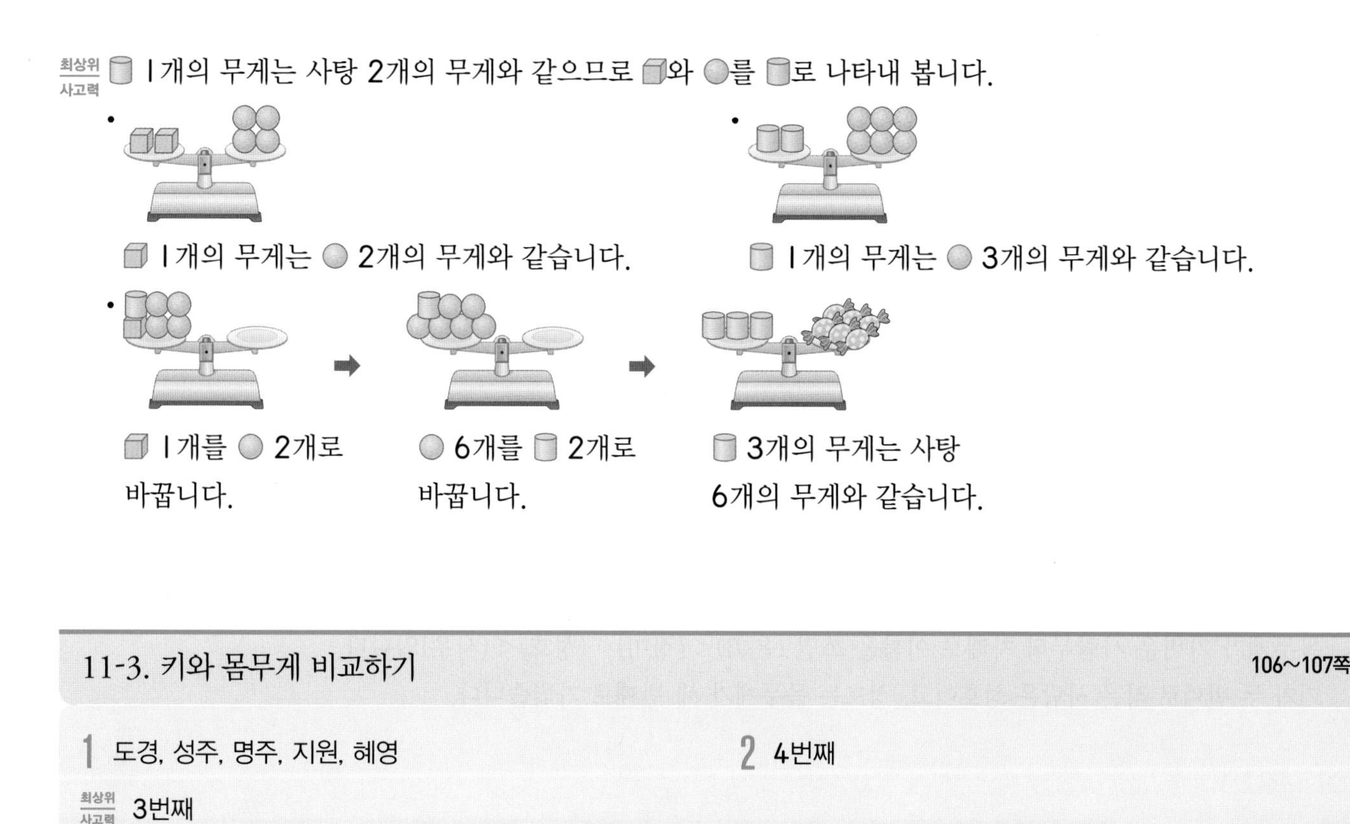

11-3. 키와 몸무게 비교하기

106~107쪽

1 도경, 성주, 명주, 지원, 혜영

2 4번째

최상위 사고력 3번째

저자 톡! 키를 비교한 결과는 '크다, 작다' 등으로 표현하고, 몸무게를 비교한 결과는 '무겁다, 가볍다' 등으로 표현합니다. 키와 몸무게의 비교가 학생들의 교육상 정서적으로 부적절한 부분이 있지만 키나 몸무게의 비교는 일상 생활에서 흔히 일어나는 상황이므로 학습 내용에 포함하였습니다.

1 학생을 ○로 나타내고 왼쪽에서부터 몸무게가 무거운 사람 순서로 써넣습니다.

- 명주는 성주보다 가볍습니다. ➡ (성주)>(명주)
  성주는 명주보다 왼쪽에 있습니다.
- 지원이보다 무거운 사람은 3명입니다. ➡ ○ ○ ○ (지원) ○
- 도경이는 성주보다 무겁습니다. ➡ (도경)>(성주)
  도경이는 성주보다 왼쪽에 있습니다.
- 혜영이는 지원이보다 가볍습니다. ➡ ○ ○ ○ (지원) (혜영)

(도경)>(성주)>(명주)이므로 (도경) (성주) (명주) (지원) (혜영)입니다.

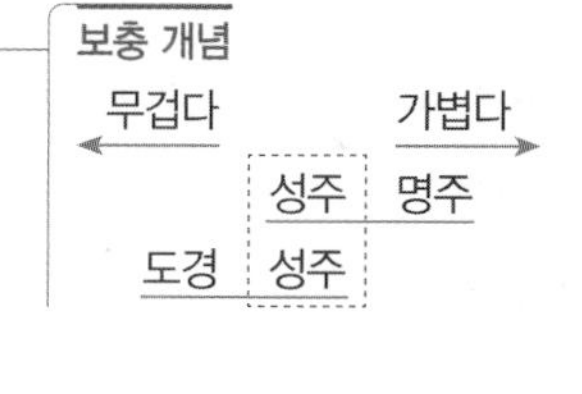

2 학생을 ○로 나타내고 왼쪽에서부터 몸무게가 가벼운 사람 순서로 써넣습니다.

- 정현: 나보다 무거운 사람은 2명이야. ➡ ○ ○ (정현) ○ ○
- 명호: 내가 가장 가벼워. ➡ (명호) ○ (정현) ○ ○
- 민주: 나보다 가벼운 사람은 1명 있어. ➡ (명호) (민주) (정현) ○ ○
- 도훈: 나는 지혜보다는 가벼워. ➡ (명호) (민주) (정현) (도훈) (지혜)

따라서 가장 가벼운 사람부터 차례로 앉을 때 도훈이는 4번째로 앉습니다.

최상위 사고력 키와 몸무게를 비교하는 말을 구분하여 간단하게 나타내어 봅니다.

• 정미는 성호보다 키가 크고 몸무게는 가볍습니다.
➡ 키: (성호)<(정미)
몸무게: (정미)<(성호)

• 시우는 성호보다 키가 작고 몸무게는 무겁습니다.
➡ 키: (시우)<(성호)<(정미)
몸무게: (정미)<(성호)<(시우)

• 몸무게가 가장 무거운 사람은 시우입니다.

• 은희는 정미보다 키가 크고 몸무게는 가볍습니다.
➡ 키: (시우)<(성호)<(정미)<(은희)
몸무게: (은희)<(정미)<(성호)<(시우)

따라서 키가 작은 사람부터 차례로 이름을 쓰면 (시우)<(성호)<(정미)<(은희)이고,
몸무게가 가벼운 사람부터 차례로 이름을 쓰면 (은희)<(정미)<(성호)<(시우)입니다.
키가 두 번째로 작은 사람은 성호이고, 성호는 몸무게가 세 번째로 가볍습니다.

최상위 사고력

108~109쪽

1 은미
2 6마리
3 성민, 예주, 미현, 지훈, 소미
4 12개

1 부등호의 방향을 같은 방향으로 나타내어 봅니다.
(재석)<(현수)
(수지)<(정훈)
(은미)<(재석)
(현수)<(수지)
따라서 몸무게가 가벼운 순서대로 나타내면
(은미)<(재석)<(현수)<(수지)<(정훈)입니다.

해결 전략
주어진 조건을 보고 두 사람씩 가벼운 사람부터 차례로 써 보고 모든 사람의 무게를 비교합니다.

2
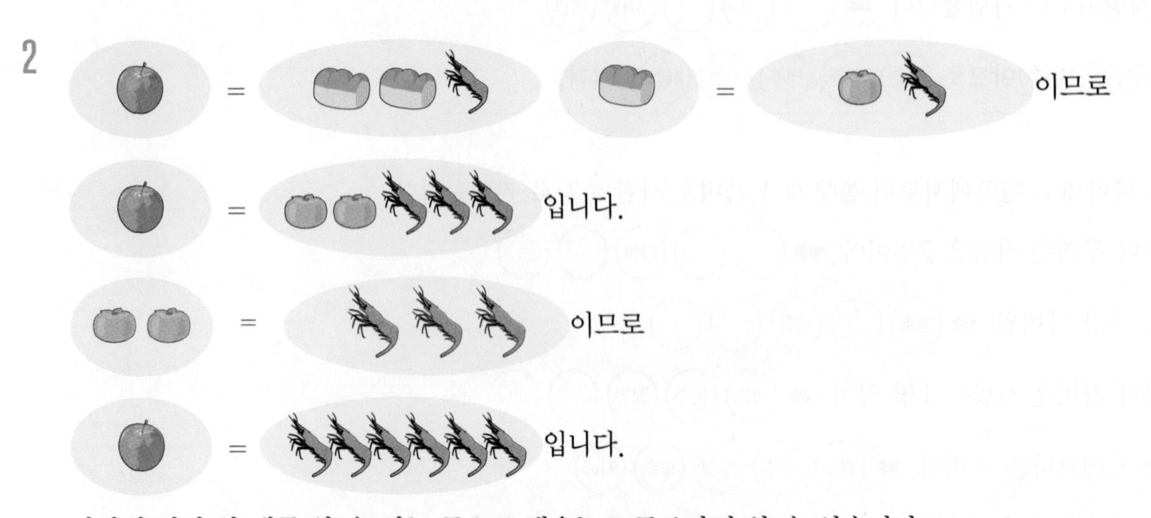

따라서 사과 한 개를 살 수 있는 돈으로 새우는 모두 6마리 살 수 있습니다.

3 학생을 ○로 나타내고 순서대로 이름을 써넣습니다.

• 지훈이 앞에는 세 명이 서 있습니다. ➡ (앞) ○ ○ ○ (지훈) ○ (뒤)

• 미현이 뒤에는 두 명이 서 있습니다. ➡ (앞) ○ ○ (미현) (지훈) ○ (뒤)

• 소미와 미현이 사이에 지훈이가 서 있습니다. ➡ (앞) ○ ○ (미현) (지훈) (소미) (뒤)

• 성민이 바로 뒤에는 예주가 서 있습니다. ➡ (앞) (성민) (예주) (미현) (지훈) (소미) (뒤)

따라서 앞에서부터 성민, 예주, 미현, 지훈, 소미의 순서로 줄을 서 있습니다.

4

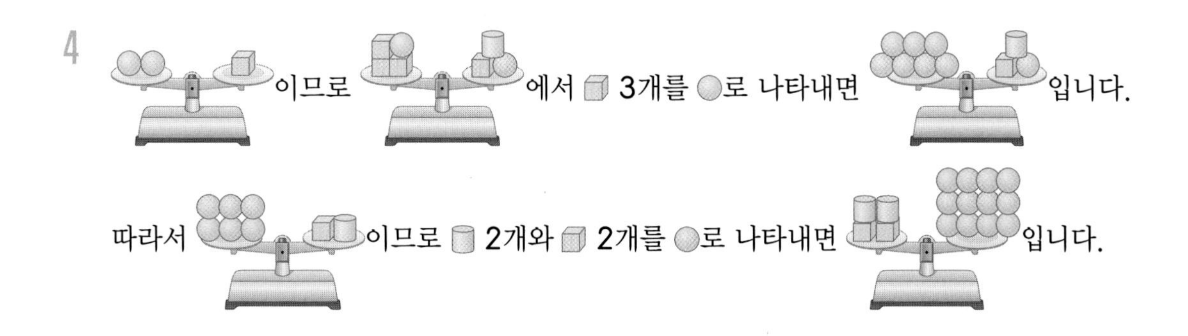

최상위 사고력 **12 여러 가지 비교하기**

12-1. 넓이 비교

110~111쪽

저자 톡! 길이는 1차원인 선분의 기본량이고, 넓이는 2차원인 평면도형의 기본량입니다. 넓이를 비교하는 방법에는 직관적으로 비교하는 방법과 겹쳐보는 방법 등이 있는데 이 단원에서는 임의 단위를 사용하여 넓이를 비교합니다.

1 모양을 기준으로 하여 넓이를 알아봅니다.

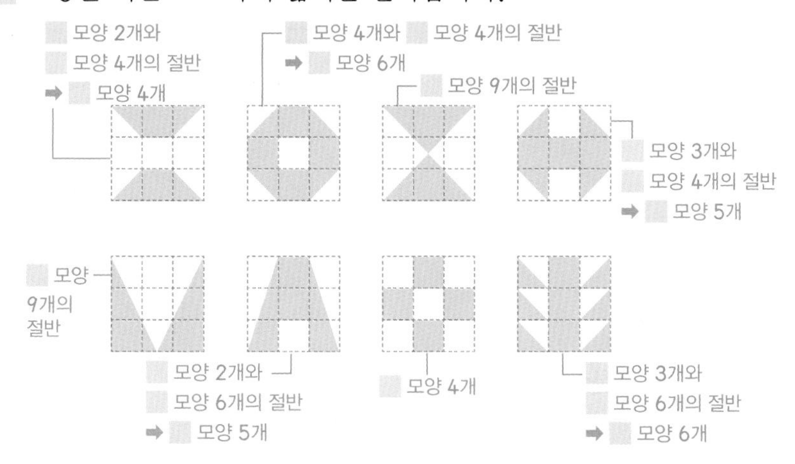

보충 개념

• 은 의 절반입니다.

• 은 의 절반입니다.

2 ▩ 모양을 기준으로 하여 넓이를 알아봅니다.

㉠ ▩ 모양 9개

㉡ ▩ 모양 9개

㉢ ▩ 모양 6개와 ▩ 모양 6개의 절반 ➡ ▩ 모양 9개

㉣ ▩ 모양 6개

㉤ ▩ 모양 8개

㉥ ▩ 모양 8개와 ▩ 모양 4개의 절반 ➡ ▩ 모양 10개

따라서 넓이가 가장 넓은 것은 ㉥입니다.

해결 전략
모눈의 크기는 모두 같으므로 각각의 칸 수를 세어 비교합니다.

최상위 사고력 ▦ 모양 안에 색칠한 ▩ 칸 수가 가장 많은 것과 가장 적은 것을 각각 찾아봅니다.

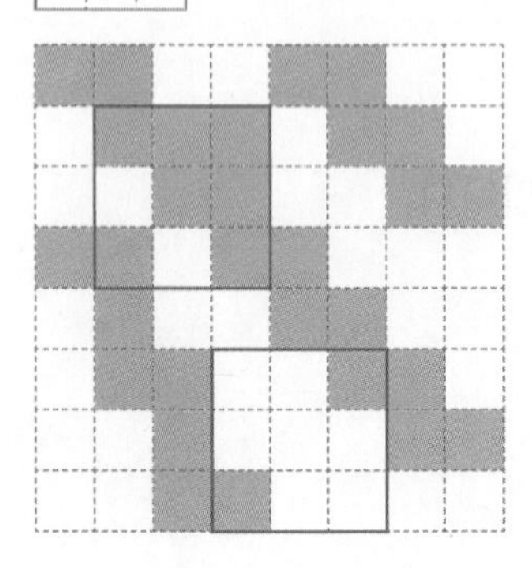

12-2. 들이 비교(1)

112~113쪽

1 가

2 명호, 정우, 은호, 규현, 민지

최상위 사고력 ㉠

저자 톡! 들이는 용기에 담을 수 있는 양을 의미하는데 일상 생활에서 빈번하게 사용하는 양이지만 용기의 모양에 따라 들이가 달라지므로 직관적인 비교가 어렵습니다. 이 단원에서는 들이 비교의 원리를 이해하고 비교한 결과를 적절히 해석하는 것에 목표를 두고 있습니다.

1 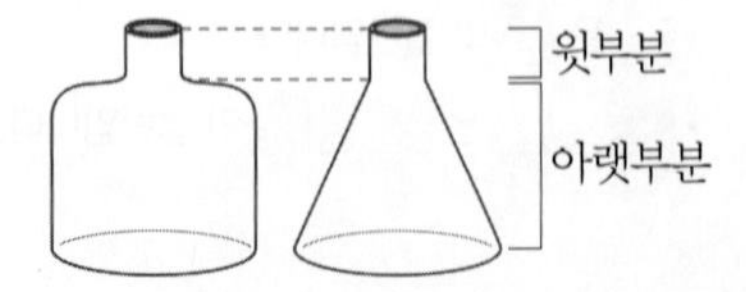

두 그릇의 윗부분의 길이와 폭은 같습니다.

그러나 왼쪽 그릇의 아랫부분의 폭은 일정하나 오른쪽 그릇의 아랫부분의 폭은 위쪽으로 올라갈수록 좁아집니다.

즉, 왼쪽 그릇의 들이가 더 큽니다.

따라서 오른쪽 그릇에 주스를 옮겨 담으면 왼쪽 그릇에 담았을 때 보다 높이가 높아지므로 알맞은 것은 가입니다.

보충 개념
담을 수 있는 양을 '들이'라고 합니다.

2 그릇에 담긴 음료수의 양을 비교해 봅니다.

- 은호, 규현, 정우의 그릇에 담긴 음료수의 높이가 같으므로 그릇이 큰 순서대로 음료수의 양이 많습니다.
  (정우)<(은호)<(규현)
- 규현이와 민지의 그릇 크기가 같으므로 담긴 음료수의 높이가 높은 사람의 음료수의 양이 더 많습니다.
  (규현)<(민지)
- 정우와 명호의 그릇 크기가 같으므로 담긴 음료수의 높이가 높은 사람의 음료수의 양이 더 많습니다.
  (명호)<(정우)

그릇에 담긴 음료수의 양이 적을수록 음료수를 많이 마셨으므로 음료수를 많이 마신 사람부터 차례로 쓰면 명호, 정우, 은호, 규현, 민지입니다.

> 해결 전략
> 그릇에 담긴 물의 높이가 같으면 그릇의 크기가 클수록 담긴 물의 양이 많고, 그릇의 크기가 같으면 물의 높이가 높을수록 담긴 물의 양이 많습니다.

최상위 사고력

- ㉠은 ㉡에 물을 가득 채워서 3번 부으면 가득 찹니다.

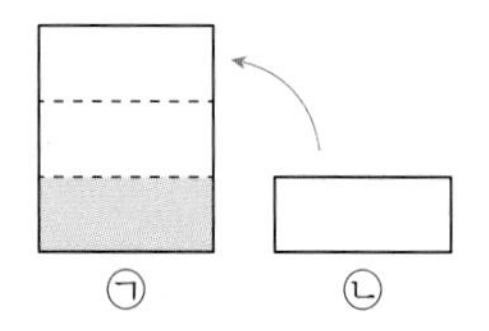

- ㉣에 물을 가득 채워서 ㉡에 부으면 반만 찹니다.

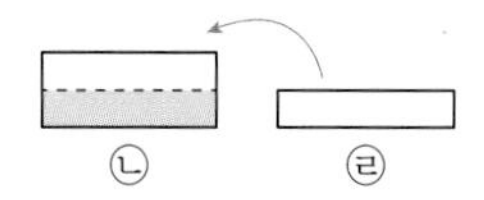

- ㉢은 ㉡에 물을 가득 채워서 2번 부으면 가득 찹니다.

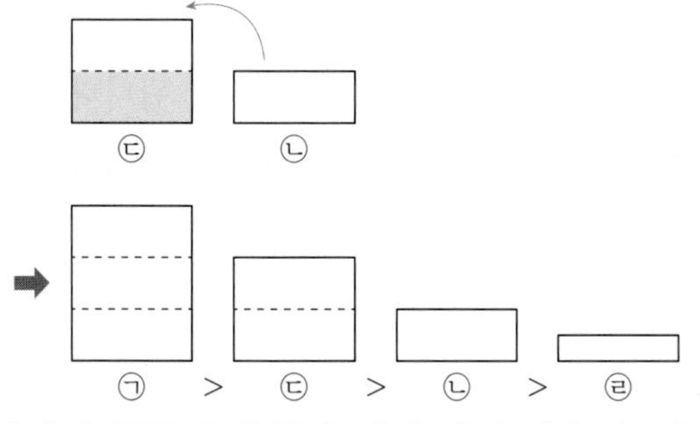

따라서 물통 ㉠에 물을 가장 많이 담을 수 있습니다.

> 보충 개념
> 어떤 그릇으로 주어진 물통을 가득 채우기 위해 여러 번 부어야 할 때, 그릇으로 많은 횟수를 부은 물통의 들이가 더 큽니다.

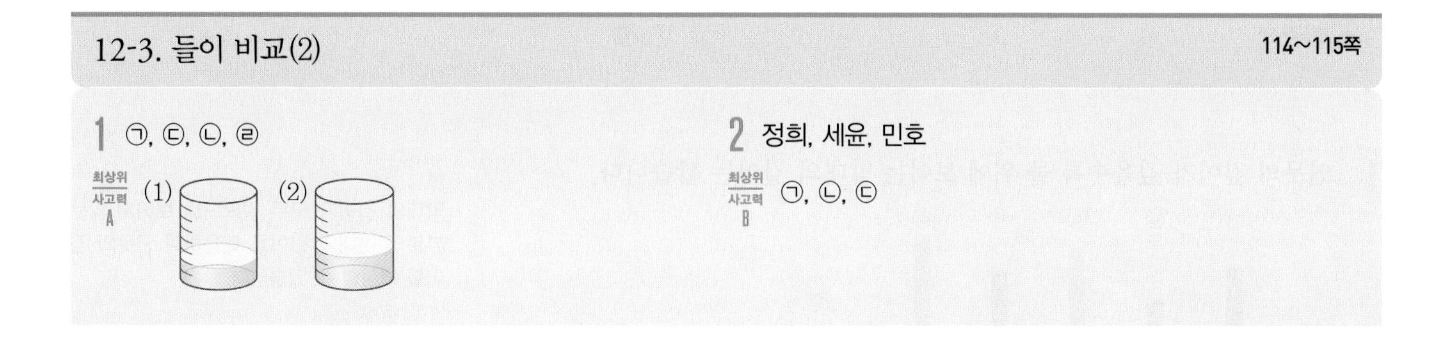

12-3. 들이 비교(2)

114~115쪽

1 ㉠, ㉢, ㉡, ㉣

최상위 사고력 A (1) (2)

2 정희, 세윤, 민호

최상위 사고력 B ㉠, ㉡, ㉢

1 물의 높이가 모두 같아지려면 어항에 담긴 물의 양이 적을수록 큰 돌을 넣어야 합니다.
어항에 담긴 물의 양은 ㉠<㉢<㉡<㉣이므로 넣은 돌의 크기가 큰 어항부터 차례로 쓰면 ㉠, ㉢, ㉡, ㉣입니다.

2 각각의 설명에 맞는 구슬의 개수를 구합니다.

- ㉠에 정희의 주머니에 있는 구슬을 모두 넣으면 비커에 물이 가득 찹니다.
  ➡ ㉠에 물이 가득 차려면 구슬이 4개 필요하므로 정희의 주머니에 있는 구슬은 4개입니다.
- ㉠에 세윤이와 민호의 주머니에 있는 구슬을 모두 넣으면 물의 높이가 ㉡과 같아집니다.
  ➡ ㉠과 ㉡의 물의 높이가 같아지려면 구슬 3개가 필요하므로 세윤이와 민호의 주머니에 있는 구슬을 모두 더하면 3개입니다.
- ㉢에 세윤이의 주머니에 있는 구슬을 모두 넣으면 물의 높이가 ㉡과 같아집니다.
  ➡ ㉢과 ㉡의 물의 높이가 같아지려면 구슬 2개가 필요하므로 세윤이의 주머니에 있는 구슬은 2개입니다.

따라서 구슬이 1개 들어 있는 나머지 주머니가 민호의 주머니입니다.

해결 전략
가장 확실하게 누구의 주머니인지 알 수 있는 것부터 순서대로 해결합니다.

최상위 사고력 A 구슬 한 개를 넣었을 때 물의 높이가 눈금 2칸만큼 높아집니다.
(1) 구슬 3개를 꺼내면 물의 높이가 눈금 6칸만큼 낮아집니다.
(2) 구슬 2개를 꺼내면 물의 높이가 눈금 4칸만큼 낮아집니다.

최상위 사고력 B 먼저 |보기|에서 구슬을 넣었을 때 물의 높이가 얼마만큼 높아지는지 알아봅니다.
보라색 구슬을 넣으면 비커에 들어 있는 물의 높이가 눈금 2칸만큼 높아지고,
초록색 구슬을 넣으면 비커에 들어 있는 물의 높이가 눈금 3칸만큼 높아집니다.
㉡ 비커에서 보라색 구슬을 꺼내면 물의 높이는 눈금 2칸만큼 낮아져 물의 높이는 눈금 3칸이 됩니다.
㉢ 비커에서 초록색 구슬을 꺼내면 물의 높이는 눈금 3칸만큼 낮아져 물의 높이는 눈금 2칸이 됩니다.
따라서 처음에 들어 있던 물의 양이 많은 것부터 차례로 쓰면 ㉠, ㉡, ㉢입니다.

최상위 사고력

116~117쪽

1 ㉡
2 (1) 7개 (2) 4개
3 파란색
4 ①, ⑥

1 연못의 깊이가 깊을수록 물 위에 보이는 막대의 길이는 짧습니다.

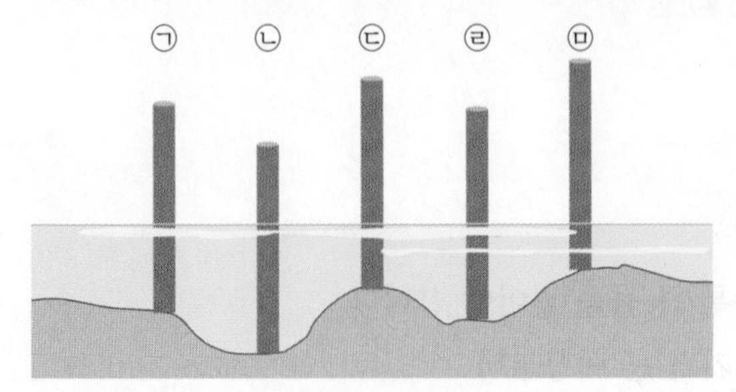

따라서 연못의 깊이가 가장 깊은 곳은 ㉡입니다.

해결 전략
막대의 길이가 모두 같으므로 보이지 않는 부분의 막대의 길이를 이용하여 연못의 깊이를 예상할 수 있습니다.

2 (1) 파란색 구슬을 한 개 넣으면 물의 높이가 눈금 1칸만큼 높아지므로 파란색 구슬을 6개 넣으면 비커에 물이 가득 찹니다. 따라서 파란색 구슬을 7개 넣을 때 물이 넘치기 시작합니다.
(2) 빨간색 구슬을 한 개 넣으면 물의 높이가 눈금 2칸만큼 높아지므로 빨간색 구슬을 3개 넣으면 비커에 물이 가득 찹니다. 따라서 빨간색 구슬을 4개 넣을 때 물이 넘치기 시작합니다.

3 빨간색, 파란색, 노란색으로 색칠한 부분의 넓이를 비교해 봅니다.

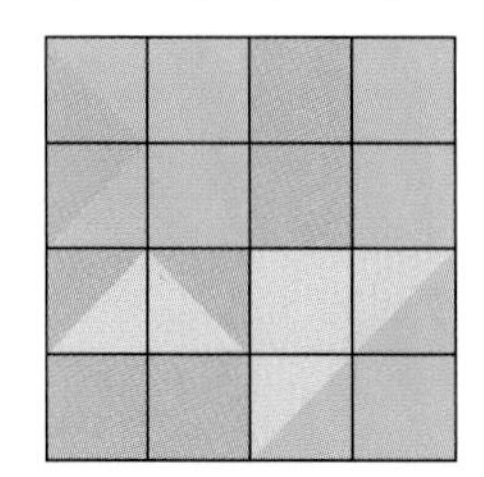

□ 모양을 단위로 하여 넓이를 알아보면 다음과 같습니다.

빨간색: □ 모양 4개, □ 모양 4개의 절반 ➡ □ 모양 6개

노란색: □ 모양 1개, □ 모양 4개의 절반 ➡ □ 모양 3개

파란색: □ 모양 5개, □ 모양 4개의 절반 ➡ □ 모양 7개

따라서 가장 넓은 부분을 색칠한 것은 파란색입니다.

해결 전략
크레파스로 색칠된 부분의 모양이 서로 다르므로 일정한 모양을 단위로 하여 넓이를 비교할 수 있게 나눕니다. 단위가 되는 모양은 □ 뿐만 아니라 ◺도 될 수 있습니다.

4 투명 판의 색칠된 부분은 모두 4칸으로 같으므로 같은 위치에 색칠한 칸의 수가 적을수록 완전히 포개어지게 겹쳤을 때 색칠한 부분의 넓이가 넓습니다.
한 개의 투명 판을 기준으로 다른 투명 판과 같은 위치에 색칠한 칸의 수를 구해 봅니다.
①과 ②: 3칸, ①과 ③: 2칸, ①과 ④: 3칸, ①과 ⑤: 3칸, ①과 ⑥: 1칸,
②와 ③: 3칸, ②와 ④: 3칸, ②와 ⑤: 3칸, ②와 ⑥: 2칸,
③과 ④: 3칸, ③과 ⑤: 2칸, ③과 ⑥: 2칸,
④와 ⑤: 2칸, ④와 ⑥: 2칸,
⑤와 ⑥: 2칸
따라서 투명 판 ①과 ⑥을 완전히 포개어지게 겹쳤을 때 색칠한 부분의 넓이가 가장 넓습니다.

보충 개념
같은 위치에 색칠한 칸은 완전히 포개어지게 겹쳤을 때 한 칸으로 보입니다.

Review IV 측정

118~120쪽

1 로봇
2 ㉢, ㉣, ㉠, ㉡
3 곰, 거북, 닭, 병아리
4 연필, 지우개, 크레파스, 야구공
5 라
6 4가지

1 선물이 쓰여 있는 과녁의 넓이가 좁을수록 맞히기 어려우므로 칸의 수를 세어 넓이를 비교해 봅니다.
곰인형: 5칸
로봇: 3칸
초콜릿: 6칸
장난감 자동차: 4칸
따라서 가장 받기 어려운 선물은 로봇입니다.

2 물통의 모양과 크기가 같으므로 물감의 양이 많을수록 막대에 묻은 물감의 높이가 높습니다.
막대에 묻은 물감의 높이를 비교해 보면 ㉢<㉣<㉠<㉡이므로
물감이 적게 담긴 물통부터 차례로 쓰면 ㉢, ㉣, ㉠, ㉡입니다.

3 동물들의 무게를 부등호를 이용하여 나타내 봅니다.
(닭)>(병아리), (거북)>(닭), (곰)>(닭), (곰)>(거북)
따라서 무거운 동물부터 차례로 쓰면 곰, 거북, 닭, 병아리입니다.

해결 전략
주어진 그림을 보고 두 마리씩 비교하여 무거운 동물부터 차례로 써 보고 모든 동물의 무게를 비교합니다.

4 무게가 무거울수록 용수철이 많이 늘어납니다.
용수철의 길이를 비교하면
(야구공)>(크레파스)>(지우개)>(연필)의 순서로 길게 늘어났습니다.
따라서 가벼운 것부터 차례로 쓰면 연필, 지우개, 크레파스, 야구공입니다.

5 • 가 그릇에 물을 가득 채워 라 그릇에 세 번 부으면 가득 찹니다.
➡ 라>가
• 가 그릇에 물을 가득 채워 나 그릇에 부으면 물이 넘칩니다.
➡ 가>나
• 다 그릇에 물을 가득 채워 라 그릇에 부으면 물이 그릇의 절반만 차고, 가 그릇에 부으면 물이 넘칩니다.
➡ 가<다<라
들이가 가장 큰 그릇부터 차례로 쓰면 라, 다, 가, 나입니다.
따라서 들이가 가장 큰 그릇은 라 그릇입니다.

해결 전략
가, 나, 다, 라 그릇의 크기를 부등호를 이용하여 나타내 봅니다.

6 가장 짧은 길을 먼저 구하고 같은 길이로 갈 수 있는 길을 빠짐없이 구해 봅니다.

➡ 4가지

다른 풀이

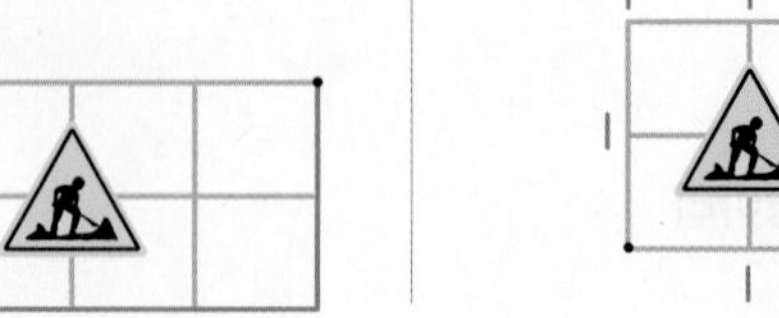

V 수(2)

50까지의 수를 바르게 쓰고 읽는 방법을 배우는 단원입니다.
이 단원에서는 여러 가지 방법으로 수를 표현해 보고, 세어 보며 순서를 알아보거나 크기를 비교하는 활동을 통해 수 개념과 수 감각 형성을 위한 기초적인 지식을 익힙니다. 50까지의 수를 익히는데 있어 단순히 읽고 쓰는 연습을 반복적으로 하기 보다는 다양한 문제를 해결해 보는 활동을 통해 수에 대한 흥미를 높이고 실생활에서 수의 필요성을 깨달을 수 있습니다. 50까지의 수에 대한 학습은 100까지의 수의 개념과 수 체계 형성을 위한 중요한 배경 지식이 됩니다.

최상위 사고력 13 십몇

13-1. 줄서기 122~123쪽

1 11명　　2 14권, 10권　　최상위 사고력 9명

저자 톡! 이 단원에서는 앞서 학습한 9까지의 수에서의 순서와 크기 비교를 50까지의 수로 확대하여 학습합니다. 또 십진법의 개념을 처음으로 다루는데 두 자리 수를 10개씩 묶음의 수와 낱개의 수로 나타내고 크기를 비교하는 등의 활동을 통해 위치적 기수법의 기초 개념을 형성합니다.

1 학생을 ○로 나타내 그림을 그려 해결해 봅니다.

(왼쪽) ○○●○○○○○○○○○○○○●○○○○○ (오른쪽)
명인 (3번째), 지운 (16번째)

따라서 지운이와 명인이 사이에 서 있는 학생은 11명입니다.

> 해결 전략
> 학생 20명이 서 있는 그림을 그려서 생각해 봅니다.

2 「인어공주」가 「헨젤과 그레텔」의 왼쪽에 꽂혀 있는 경우

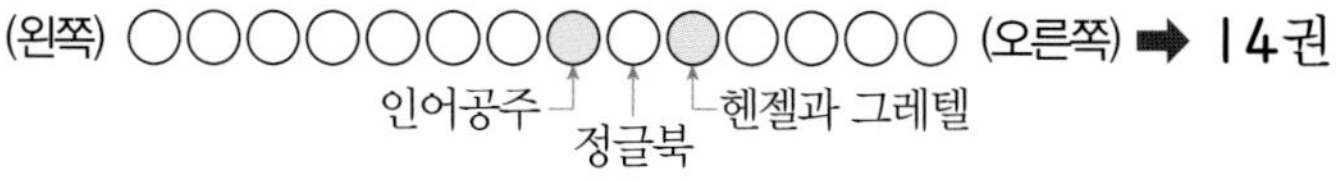

(왼쪽) ○○○○○○○●○●○○○○ (오른쪽) ➡ 14권
인어공주, 정글북, 헨젤과 그레텔

「인어공주」가 「헨젤과 그레텔」의 오른쪽에 꽂혀 있는 경우

(왼쪽) ○○○○○●○●○○ (오른쪽) ➡ 10권
헨젤과 그레텔, 정글북, 인어공주

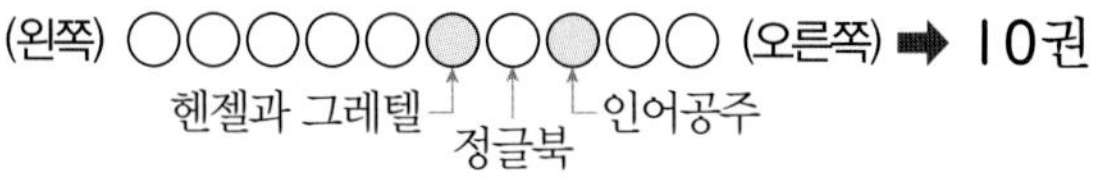

따라서 책장에 동화책이 가장 많이 꽂혀 있을 때는 14권, 가장 적게 꽂혀 있을 때는 10권입니다.

> 해결 전략
> 「인어공주」가 「헨젤과 그레텔」의 왼쪽에 꽂혀 있는 경우와 오른쪽에 꽂혀 있는 경우 동화책의 수를 각각 구해 봅니다.

최상위 사고력 15명의 학생 중 여학생은 몇 명인지 구해 봅니다.
학생을 ○로 하여 그림으로 나타내고 명호와 성윤이의 위치를 표시하면 다음과 같습니다.

(왼쪽) ○○○○●○○○○○○○●○○○ (오른쪽)
성윤 └── 여학생 ──┘ 명호

15명의 학생 중 여학생은 명호와 성윤이 사이에만 서 있으므로 모두 6명입니다.
따라서 남학생은 9명입니다.

1
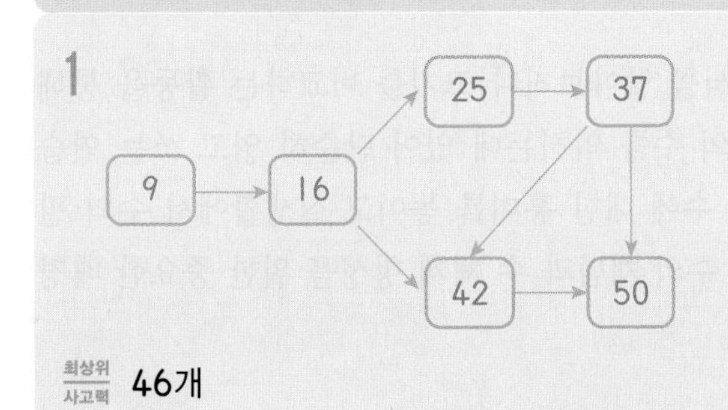

2 (1) 1, 2, 3 (2) 2, 3

최상위 사고력 46개

저자 톡! 두 자리 수의 크기를 비교할 때에는 10개씩 묶음의 수가 클수록 큰 수이고 10개씩 묶음의 수가 같을 때에는 낱개의 수가 클수록 큰 수임을 이해하여 수의 크기 비교를 학습합니다.

1 수의 크기를 비교하여 작은 수부터 차례로 써 봅니다.
9 < 16 < 25 < 37 < 42 < 50이므로
작은 수부터 차례로 쓰면 9, 16, 25, 37, 42, 50입니다.
화살표가 가리키는 곳에 더 큰 수가 들어가도록 차례로 써넣습니다.

해결 전략
두 자리 수의 크기를 비교할 때는 10개씩 묶음의 수를 비교한 후 낱개의 수를 비교합니다.

2 두 자리 수의 크기를 비교할 때에는 10개씩 묶음의 수가 클수록 큰 수이고, 10개씩 묶음의 수가 같을 때에는 낱개의 수가 클수록 큰 수입니다.
이를 이용하여 빈칸에 알맞은 수를 구해 봅니다.
(1) 10개씩 묶음의 수가 4로 같으면 45가 42보다 더 크므로 □ 안에는 4보다 작은 수가 들어가야 합니다.
따라서 □ 안에 들어갈 수 있는 수는 1, 2, 3입니다.
(2) 세 수의 크기 비교는 두 수씩 차례로 비교해 봅니다.
19 < □6에서 낱개의 수가 19가 □6보다 더 크므로 □ 안에는 1보다 큰 수가 들어가야 합니다. ➡ ②, ③, 4……
□6 < 42에서 낱개의 수가 □6이 42보다 더 크므로 □ 안에는 4보다 작은 수가 들어가야 합니다. ➡ 1, ②, ③
따라서 □ 안에 들어갈 수 있는 수는 2, 3입니다.

주의
수의 크기를 비교할 때는 비교하는 자리의 아래 자리 숫자에 따라 □의 값이 바뀔 수 있으므로 □의 앞뒤 자리의 숫자를 모두 살펴보아야 합니다.

최상위 사고력
- 두 번째 조건에서 은주가 딴 딸기의 수는 미연이가 딴 딸기의 수(4□개)보다 많고 50개보다 적으므로 4□ < □7 < 50입니다.
따라서 은주가 딴 딸기의 수는 47개입니다.
- 세 번째 조건에서 미연이가 딴 딸기의 수는 정우가 딴 딸기의 수보다 10개씩 묶음이 1개 더 많으므로 45개입니다.
- 첫 번째 조건에서 상호가 딴 딸기의 수는 미연이(45개)보다 많고 은주(47개)보다 적으므로 46개입니다.

주의
조건을 주어진 순서대로 해결해야 되는 것은 아닙니다.

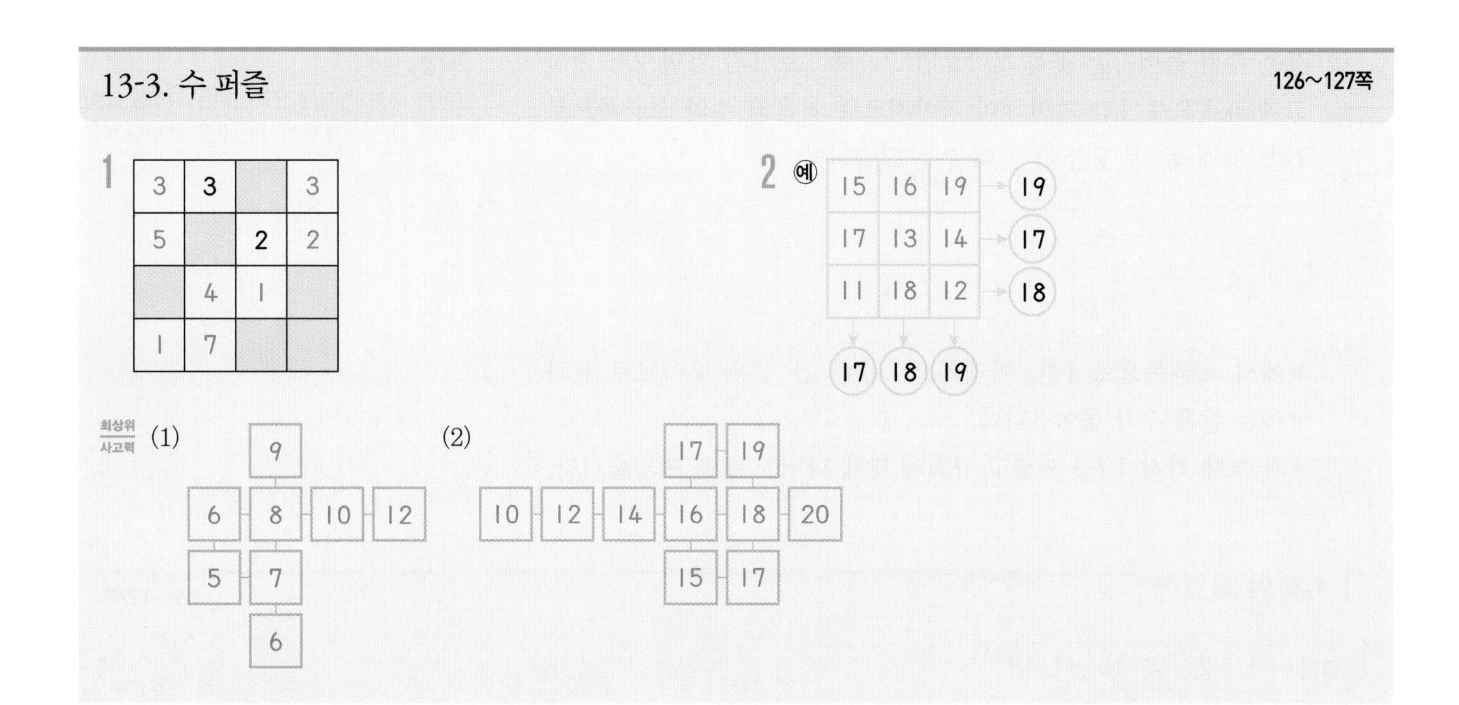

1 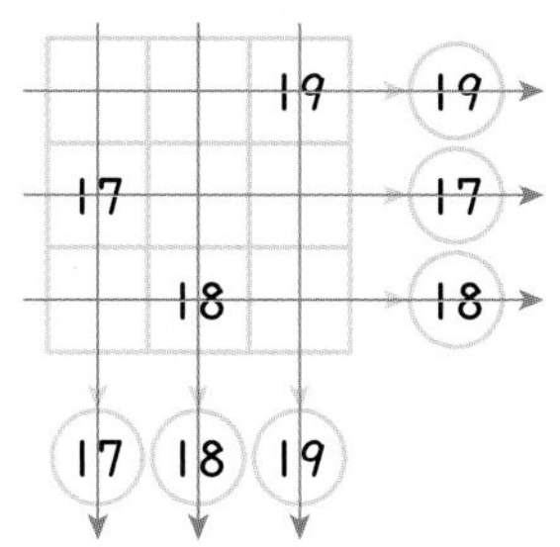

10개씩 묶음의 수가 2인 수는 22와 21입니다.
㉠=1, ㉡=2라면 주어진 수를 한 번씩 모두 사용하여 퍼즐을 완성할 수 없습니다.
따라서 ㉠=2, ㉡=1입니다.
낱개의 수 또는 10개씩 묶음의 수가 같은 수를 찾아 나머지 빈칸을 채워 봅니다.

해결 전략
먼저 수를 확실히 써넣을 수 있는 빈칸부터 찾아봅니다.

보충 개념

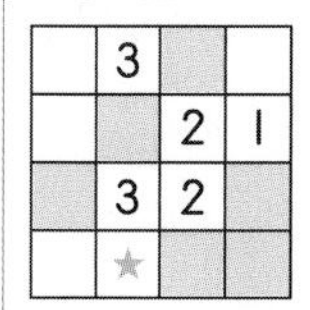

★에 올 수 있는 수는 3 또는 5입니다. 그러나 남은 수 중에서 낱개의 수가 3 또는 5인 수는 없습니다.

2 빈칸에서 17, 18, 19가 들어갈 위치를 먼저 찾아 써넣습니다.

17, 18, 19 이외의 수는 어느 곳에 써도 상관없으므로 답은 여러 가지입니다.

최상위 사고력 (1)

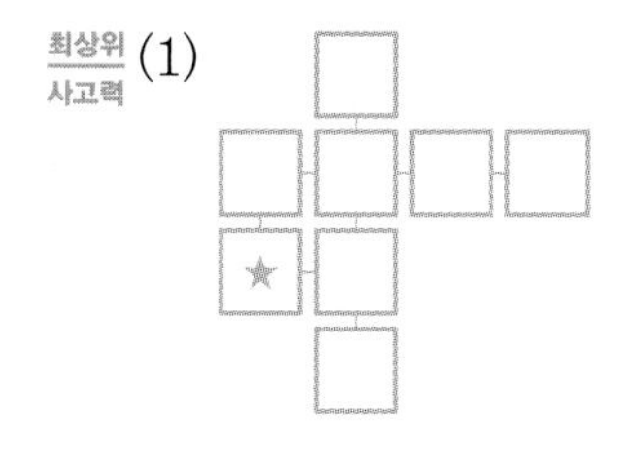

가장 작은 수가 들어가는 곳을 찾아보면 왼쪽과 아래쪽에 있는 수가 가장 작은 수이므로 ★에 들어가는 수가 가장 작습니다.
★에 5를 써넣고 규칙에 맞게 나머지 수를 써넣습니다.

해결 전략
먼저 가장 작은 수가 들어가는 곳을 찾아봅니다.

(2) 같은 수가 들어가는 곳을 찾아보면 오른쪽으로 1칸 가면 2가 커지고 아래쪽으로 1칸 가면 1이 작아지므로 처음의 수와 오른쪽으로 1칸, 아래쪽으로 2칸 간 곳의 수는 같습니다.

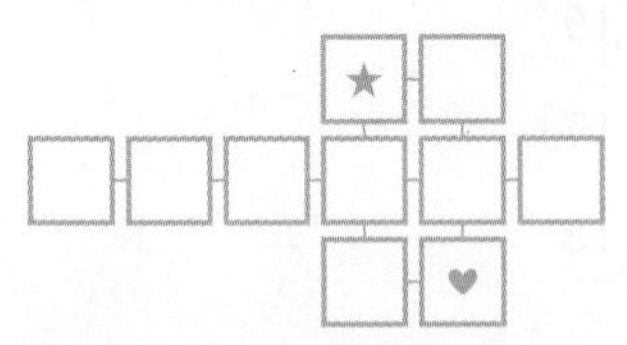

★에서 오른쪽으로 1칸, 아래쪽으로 2칸 간 곳은 ♥이므로 ★과 ♥에는 같은 수가 들어갑니다.
★과 ♥에 각각 17을 써넣고 규칙에 맞게 나머지 수를 써넣습니다.

해결 전략
먼저 수가 커지거나 작아지는 규칙을 이용하여 같은 수가 들어가는 곳을 찾아봅니다.

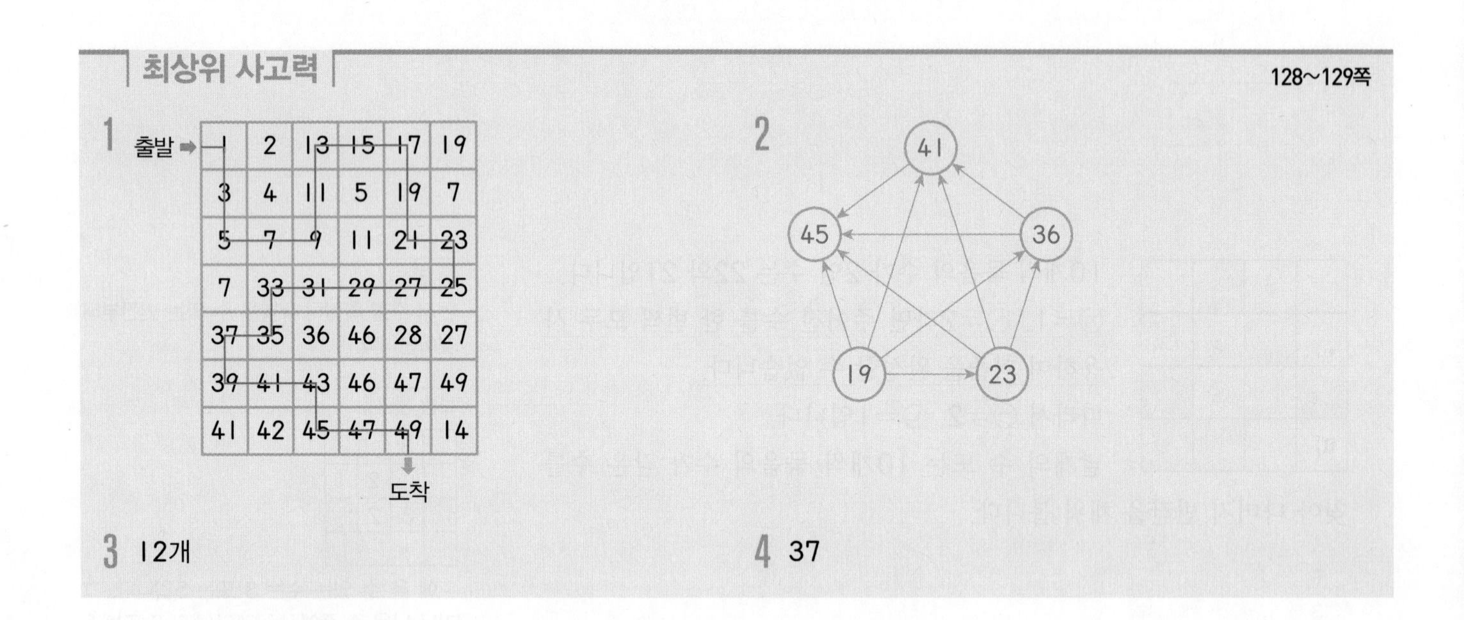

1 1부터 2씩 뛰어 세기 하여 센 수는 1, 3, 5, 7, 9……입니다.
출발부터 도착까지 순서대로 수를 이어 미로를 탈출합니다.

2 주어진 수들을 작은 수부터 차례로 쓰면 19, 23, 36, 41, 45입니다.

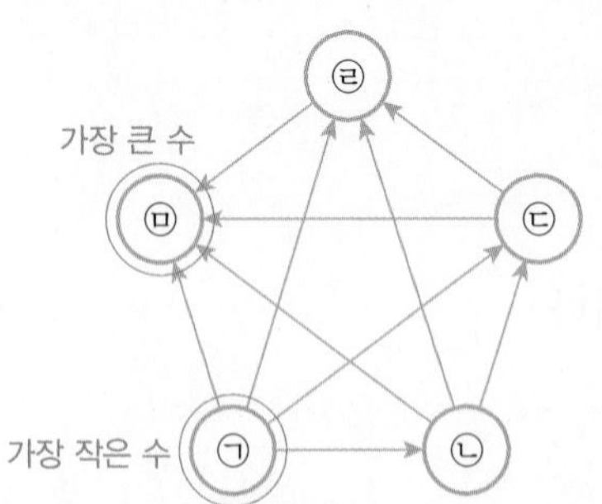

㉠, ㉡, ㉢, ㉣, ㉤에서 화살표를 보내고 받는 수를 비교하면 ㉠은 화살표를 모두에게 보내고 있으므로 가장 작은 수이고 ㉤은 화살표를 모두에게 받고 있으므로 가장 큰 수입니다. 화살표를 ㉡은 1개, ㉢은 2개, ㉣은 3개 받으므로 ㉣>㉢>㉡이 됩니다.
따라서 ㉠=19, ㉡=23, ㉢=36, ㉣=41, ㉤=45입니다.

주의
화살표가 향하는 수가 더 큰 수입니다.

3 파란색 구슬이 빨간색 구슬보다 오른쪽에 있을 때 초록색 구슬을 가장 적게 놓을 수 있습니다.
구슬 13개를 그린 다음 왼쪽에서 13번째에 파란색 구슬을 표시하고 파란색 구슬과 빨간색 구슬 사이에 초록색 구슬이 5개가 되도록 빨간색 구슬을 표시합니다.
빨간색 구슬이 오른쪽에서 8번째가 되도록 파란색 구슬의 오른쪽에 초록색 구슬을 더 그려 넣습니다.

왼쪽에서 13번째

(왼쪽) ●●●●●●●●●●●●●● (오른쪽)

오른쪽에서 8번째

따라서 초록색 구슬을 가장 적게 놓으려면 초록색 구슬 12개를 놓아야 합니다.

> 주의
> 파란색 구슬과 빨간색 구슬 사이에 있는 초록색 구슬 수와 그 외의 위치에 있는 초록색 구슬 수를 빠짐없이 세어야 합니다.

4 • 첫 번째 조건에서 도훈이의 수 카드는 은서의 수 카드보다 10개씩 묶음의 수가 1개 적으므로 33입니다.
• 두 번째 조건에서 도훈이의 수 카드가 가장 작으므로 민희의 수 카드는 35 또는 45, 경주의 수 카드는 37 또는 47입니다.
• 세 번째 조건에서 민희의 수 카드가 가장 크므로 민희의 수 카드는 45이고 경주의 수 카드는 37입니다.
따라서 경주가 고른 수 카드는 37입니다.

> 주의
> 1부터 50까지의 수가 쓰여 있으므로 10개씩 묶음의 수에 5가 들어갈 수 없습니다.

다른 풀이
도훈이의 수 카드는 33입니다. 경주의 수 카드는 도훈이의 수 카드보다 크고, 민희의 수 카드보다 작으므로 33<□7<45입니다.
$\underbrace{33<\square 7}_{①}\underbrace{<45}_{②}$
① 33<□7 ➡ □=③, 4, 5……
② □7<45 ➡ □=1, 2, ③
따라서 경주의 수 카드는 37입니다.

수의 규칙

14-1. 나열된 수의 규칙 찾기 130~131쪽

1 | 25 | 15 | 2 23 최상위 사고력 37

저자 톡! 나열된 수의 규칙을 찾을 때에는 수 사이에 반복되는 수가 있는지, 일정한 수만큼 커지거나 작아지고 있는지 알아보면 규칙을 쉽게 찾을 수 있습니다. 나열된 수의 규칙을 찾는 활동을 통해 다음에 올 수를 예상하는 추리력을 기를 수 있습니다.

1 왼쪽 칸의 수는 11, 13, 15, 17……로 11부터 2씩 커지는 규칙이고,
오른쪽 칸의 수는 50, 45, 40, 35……로 50부터 5씩 작아지는 규칙입니다.
따라서 | 11 | 50 | | 13 | 45 | | 15 | 40 | | 17 | 35 | | 19 | 30 | | 21 | 25 | | 23 | 20 | | 25 | 15 | ……
이므로 8번째 수는 | 25 | 15 | 입니다.

2 지현이가 나열한 수는 4씩 작아지는 규칙이므로
40, 36, 32, 28, 24, 20, 16입니다.
미주가 나열한 수는 2씩 커지는 규칙이므로
15, 17, 19, 21, 23, 25, 27입니다.
지현이와 미주가 나열한 수를 작은 수부터 차례로 쓰면
15, 16, 17, 19, 20, 21, 23……이므로 7번째 수는 23입니다.

해결 전략
앞의 수보다 뒤의 수가 크면 수가 커지는 규칙, 앞의 수보다 뒤의 수가 작으면 수가 작아지는 규칙임을 알고 문제를 해결합니다.

최상위 사고력
- 첫 번째 조건에서 30보다 크고 50보다 작은 수이므로 10개씩 묶음의 수는 3 또는 4입니다.
- 두 번째 조건에서 49, 46, 43, 40……의 규칙은 49에서 3씩 작아지는 규칙이므로 첫 번째 조건을 만족하는 수는 49, 46, 43, 40, 37, 34, 31입니다.
- 세 번째 조건에서 1, 2, 4, 7, 11……의 규칙은 커지는 수가 1, 2, 3, 4……로 커지는 규칙이고, 수를 나열하면 1, 2, 4, 7, 11, 16, 22, 29, 37, 46……이므로 첫 번째 조건을 만족하는 수는 37, 46입니다.

따라서 |조건|을 모두 만족하는 수 중 가장 작은 수는 37입니다.

14-2. 수 배열표

132~133쪽

1 39, 40　　2 44, 47　　최상위 사고력 28

1 수를 배열한 규칙은 다음과 같습니다.
→ 방향으로는 낱개의 수가 1씩 커집니다.
← 방향으로는 낱개의 수가 1씩 작아집니다.
↓ 방향으로는 10개씩 묶음의 수가 1씩 커집니다.
↑ 방향으로는 10개씩 묶음의 수가 1씩 작아집니다.
★의 수는 34에서 → 방향으로 5칸 이동하므로
34보다 낱개의 수가 5 큰 수인 39입니다.
♣의 수는 34에서 ↓ 방향으로 1칸, ← 방향으로 4칸 이동하므로
34보다 10개씩 묶음의 수가 1 크고, 낱개의 수가 4 작은 수인 40입니다.

해결 전략
먼저 수를 배열한 규칙을 찾아 봅니다.

지도 가이드
수 배열표: 1부터 100까지의 수를 순서대로 쓴 표를 말합니다.
수 배열표는 오른쪽으로 갈수록 1씩 커지고, 아래쪽으로 갈수록 10씩 커지는 규칙이 있습니다.

2 주어진 표에는 수가 다음과 같은 순서로 배열되어 있습니다.

1	2	3	4	5
10	9	8	7	6
11	12	13	14	15
20	19	18	17	16
21	22	23	24	25

⋮

색칠한 칸의 수는 3씩, 7씩 번갈아 가며 커지는 규칙으로 4, 7, 14, 17, 24, 27, 34, 37, 44, 47……입니다.
따라서 색칠한 칸의 수 중에서 10개씩 묶음의 수가 4인 수는 44, 47입니다.

최상위 사고력 주어진 표에는 수가 오른쪽과 같은 순서로 배열되어 있습니다.
가로 방향으로 놓여 있는 수들의 낱개의 수는 같은 수가 번갈아 가며 나오므로
33은 가로 방향으로 3, 8, 13, 18……의 수가 쓰여 있는 줄에 있습니다.
따라서 3, 8, 13, 18, 23, 28, 33……이므로
33의 바로 왼쪽 칸에 쓰여 있는 수는 28입니다.

1	10	11	20
2	9	12	19
3	8	13	18
4	7	14	17
5	6	15	16

……

14-3. 규칙을 이용하여 나타낸 수

134~135쪽

1 9, 15, 13, 22, 16 2 47 최상위 사고력 (1) 46 (2) 38

1 고대 마야의 수는 가로선과 점으로 수를 나타냅니다.
•은 1을 나타내고 한 개씩 늘어날 때마다 1씩 커집니다.
——은 5를 나타내고 한 개씩 늘어날 때마다 5씩 커집니다.

9 15 13 22 16

해결 전략
먼저 고대 마야 수의 규칙을 찾아봅니다.

지도 가이드
마야 문명은 기원전 3세기에서 기원후 10세기까지 유카탄 반도를 중심으로 번성한 문명입니다. 마야인들은 이미 기원전부터 0을 알고 있었고, 같은 숫자라도 자릿수에 따라 수의 크기가 달라지는 진법을 사용했습니다. 마야인들이 사용한 숫자는 다음과 같습니다.

0 1 2 3 4 5 6 7 8 9
10 11 12 13 14 15 16 17 18 19

2 ●은 10개씩 묶음의 수를 나타내고 ☆과 ★은 낱개의 수를 나타내는데
★은 낱개의 수가 5개인 것을 나타냅니다.
●●●●★☆☆은 ●이 4개이므로 10개씩 묶음의 수는 4이고,
★이 1개, ☆이 2개이므로 낱개의 수는 7입니다.
➡ 47

해결 전략
●, ★, ☆이 나타내는 수를 각각 찾아봅니다.

최상위 사고력 ♣은 1, ■은 5를 나타내고, 모양이 오른쪽 그림의 색칠한 칸에 놓이면 10개씩 묶음의 수를, 나머지 칸에 놓이면 낱개의 수를 나타냅니다.

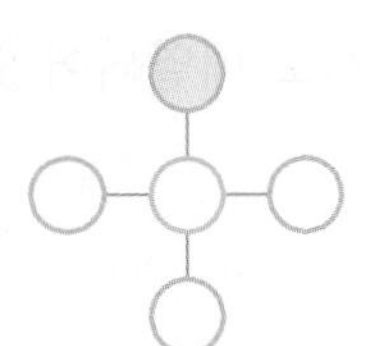

해결 전략
먼저 모양이 나타내는 수를 찾고 위치에 따라 수를 어떻게 나타내는지 찾습니다.

(1) 10개씩 묶음의 수를 나타내는 칸에 ♣이 4개 있으므로 10개씩 묶음의 수는 4이고, 낱개의 수를 나타내는 칸에 ■이 1개, ♣이 1개 있으므로 낱개의 수는 $5+1=6$입니다. ➡ 46

(2) 10개씩 묶음의 수를 나타내는 칸에 ♣이 3개 있으므로 10개씩 묶음의 수는 3이고, 낱개의 수를 나타내는 칸에 ■이 1개, ♣이 3개 있으므로 낱개의 수는 $5+3=8$입니다. ➡ 38

최상위 사고력

136~137쪽

1 7일, 14일, 21일, 28일

2 (위에서부터) 25, 36, 45

3 20

4 (1) 23 (2) 17

1

8월

일	월	화	수	목	금	토
					1	2
3	4	5	6	7	8	9

⋮

8월은 31일까지 있고, 첫 번째 목요일은 7일입니다.
달력의 수는 세로 방향으로 7씩 커지므로 8월의 목요일의 날짜를 모두 쓰면 7일, 14일, 21일, 28일입니다.

보충 개념
다음은 달력에서 찾을 수 있는 규칙입니다.
• 모든 요일은 7일마다 반복됩니다.
• 수가 가로로 1씩 커집니다.
• 수가 세로로 7씩 커집니다.

2

1	2	3	4	5	6	7	8	9	10
20	19	18	17	16	15	14	13	12	11
21	22	23	24	25	26	27	28	29	30
40	39	38	37	36	35	34	33	32	31
41	42	43	44	45					

해결 전략
규칙에 따라 수를 더 쓰고 색칠한 칸에 알맞은 수의 규칙을 찾아봅니다.

색칠한 칸의 수는 5, 16, 25, 36, 45이므로 11과 9씩 번갈아 가며 커지는 규칙입니다. (+11 +9 +11 +9) 따라서 색칠한 칸에 알맞은 수는 25, 36, 45입니다.

3 • 첫 번째 조건에서 10보다 크고 30보다 작은 수이므로 10개씩 묶음의 수는 1 또는 2입니다.
• 두 번째 조건에서 48, 44, 40, 36……의 규칙은 48에서 4씩 작아지는 규칙이므로 첫 번째 조건을 만족하는 수는 28, 24, 20, 16, 12입니다.
• 세 번째 조건에서 5, 10, 15, 20……의 규칙은 5에서 5씩 커지는 규칙이므로 첫 번째 조건을 만족하는 수는 15, 20, 25입니다.
따라서 조건을 만족하는 수는 20입니다.

4 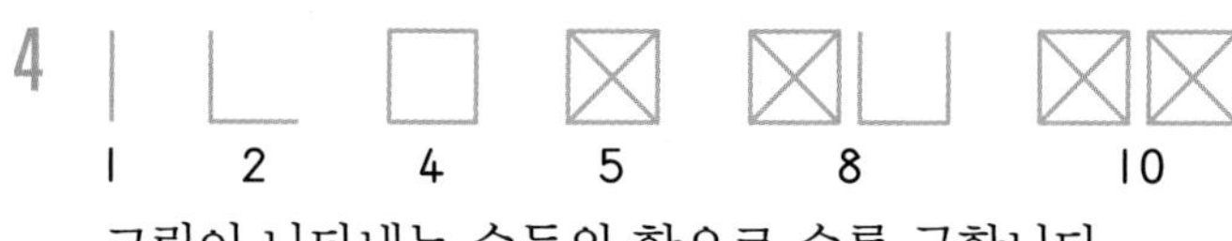

그림이 나타내는 수들의 합으로 수를 구합니다.

(1) 10 10 3 ➡ $10+10+3=23$

(2) 10 5 2 ➡ $10+5+2=17$

해결 전략
여러 그림이 있을 때는 각 그림이 나타내는 수를 알아본 다음 모두 더하여 구합니다.

최상위 사고력 15 숫자와 수

15-1. 조건을 만족하는 수 138~139쪽

1 41 **2** 8개 **최상위 사고력** 30, 40

저자 톡! 앞의 학습에서 두 자리 수와 관련하여 십의 자리 수, 일의 자리 수라는 표현 대신 10개씩 묶음의 수와 낱개의 수로 표현하여 기수법의 기초 개념을 이해하였습니다. 예를 들어 32에서 10개씩 묶음의 수가 3이므로 3은 30을 나타낸다는 것을 학습하였습니다. 이러한 경험은 추후 큰 수의 자릿값을 이해하는데 있어 중요한 사전 지식입니다.

1 10개씩 묶음의 수와 낱개의 수의 차가 3인 수를 작은 수부터 차례로 쓰면 14, 25, 30, 36, 41, 47이므로 다섯 번째 수는 41입니다.

2 10개씩 묶음의 수와 낱개의 수의 합이 5보다 크고 8보다 작은 수이므로 6 또는 7입니다.
10개씩 묶음의 수와 낱개의 수의 합이 6인 수: 15, 24, 33, 42
10개씩 묶음의 수와 낱개의 수의 합이 7인 수: 16, 25, 34, 43
따라서 10개씩 묶음의 수와 낱개의 수의 합이 5보다 크고 8보다 작은 두 자리 수는 모두 8개입니다.

최상위 사고력
- 첫 번째 조건을 만족하는 수
  ➡ 10, 11, 12, 13, 20, 21, 22, 30, 31, 40
- 첫 번째 조건을 만족하는 수 중에서 두 번째 조건을 만족하는 수
  ➡ 10, 20, 21, 30, 31, 40
- 첫 번째와 두 번째 조건을 만족하는 수 중에서 세 번째 조건을 만족하는 수 ➡ 30, 40

따라서 조건을 만족하는 두 자리 수는 30, 40입니다.

해결 전략
첫 번째 조건, 두 번째 조건, 세 번째 조건 순서로 수를 찾아봅니다.

15-2. 수 카드로 수 만들기

140~141쪽

1 10, 20, 21, 30, 31, 32　　2 23　　최상위 사고력 8개

저자 톡! 두 자리 수에서 10개씩 묶음을 십의 자리, 낱개를 일의 자리라고 합니다. 수 카드를 이용하여 두 자리 수를 만들 때 십의 자리에 0은 올 수 없음을 이해합니다.

1 10개씩 묶음의 수가 될 수 있는 수는 1, 2, 3입니다.
10개씩 묶음의 수가 낱개의 수보다 큰 두 자리 수는
10개씩 묶음의 수가 1일 때: 10
10개씩 묶음의 수가 2일 때: 20, 21
10개씩 묶음의 수가 3일 때: 30, 31, 32입니다.

2 0은 10개씩 묶음의 수가 될 수 없습니다.
10개씩 묶음의 수가 1일 때: 10, 12, 13, 14
10개씩 묶음의 수가 2일 때: 20, 21, 23, 24
⋮
이므로 작은 수부터 차례로 쓰면 10, 12, 13, 14, 20, 21, 23, 24……입니다.
따라서 7번째 수는 23입니다.

최상위 사고력 30보다 작은 두 자리 수이므로 10개씩 묶음의 수는 1 또는 2가 되어야 합니다.
10개씩 묶음의 수가 1일 때 만들 수 있는 두 자리 수: 10, 12, 15, 16
10개씩 묶음의 수가 2일 때 만들 수 있는 두 자리 수: 20, 21, 25, 26
따라서 30보다 작은 수는 모두 8개입니다.

15-3. 수와 숫자의 개수

142~143쪽

1 14명　　2 (○)(　　)

최상위 사고력

숫자	0	1	2	3	4	5	6	7	8	9
붙임딱지 수(개)	5	15	15	15	15	6	5	5	5	5

1 50보다 작은 수 중에서 낱개의 수가 4인 경우와 10개씩 묶음의 수가 4인 수를 구해 봅니다.
낱개의 수가 4인 경우: 4, 14, 24, 34, 44
10개씩 묶음의 수가 4인 경우: 40, 41, 42, 43, 44, 45, 46, 47, 48, 49
따라서 대기표의 번호에 4가 있는 사람은 14명입니다.

주의
44는 4가 2번 들어가므로 한 번만 세어야 합니다.

2 주어진 설명에 맞는 숫자 또는 수의 개수를 각각 구해 봅니다.
- 1부터 50까지의 홀수를 차례로 쓸 때 숫자 1의 개수
  낱개의 수가 1인 수: 1, 11, 21, 31, 41
  10개씩 묶음의 수가 1인 수 중 홀수: 11, 13, 15, 17, 19
  따라서 10개입니다.
- 1부터 50까지의 짝수를 차례로 쓸 때 숫자 0이 포함된 수의 개수
  두 자리 수에서 0은 10개씩 묶음의 수가 될 수 없으므로 낱개의 수가 0인 수는 10, 20, 30, 40, 50으로 5개입니다.

보충 개념
2, 4, 6, 8, 10과 같이 둘씩 짝을 지을 수 있는 수를 짝수라고 하고 1, 3, 5, 7, 9와 같이 둘씩 짝을 지을 수 없는 수를 홀수라고 합니다.

주의
11은 낱개의 수가 1이고, 10개씩 묶음의 수도 1입니다.

최상위 사고력 10개씩 묶음의 수와 낱개의 수로 나누어 0부터 9까지의 숫자의 개수를 각각 구해 봅니다.
- 0의 개수
  낱개의 수가 0인 수: 10, 20, 30, 40, 50 ➡ 5개
- 1의 개수
  10개씩 묶음의 수가 1인 수: 10, 11, 12……19 ➡ 10개
  낱개의 수가 1인 수: 1, 11, 21, 31, 41 ➡ 5개
- 2의 개수
  10개씩 묶음의 수가 2인 수: 20, 21, 22……29 ➡ 10개
  낱개의 수가 2인 수: 2, 12, 22, 32, 42 ➡ 5개
- 3의 개수
  10개씩 묶음의 수가 3인 수: 30, 31, 32……39 ➡ 10개
  낱개의 수가 3인 수: 3, 13, 23, 33, 43 ➡ 5개
- 4의 개수
  10개씩 묶음의 수가 4인 수: 40, 41, 42……49 ➡ 10개
  낱개의 수가 4인 수: 4, 14, 24, 34, 44 ➡ 5개
- 5의 개수
  10개씩 묶음의 수가 5인 수: 50 ➡ 1개
  낱개의 수가 5인 수: 5, 15, 25, 35, 45 ➡ 5개
- 6의 개수
  낱개의 수가 6인 수: 6, 16, 26, 36, 46 ➡ 5개
- 7의 개수
  낱개의 수가 7인 수: 7, 17, 27, 37, 47 ➡ 5개

• 8의 개수

낱개의 수가 8인 수: 8, 18, 28, 38, 48 ➡ 5개

• 9의 개수

낱개의 수가 9인 수: 9, 19, 29, 39, 49 ➡ 5개

최상위 사고력

144~145쪽

1 17개 2 36

3 25 4 31

1 25보다 크고 45보다 작은 수이므로

10개씩 묶음의 수가 2일 때에는 낱개의 수가 5보다 커야 합니다.

10개씩 묶음의 수가 2일 때: 26, 27, 28, 29 ➡ 4개

10개씩 묶음의 수가 3일 때: 30, 31, 32, 34, 35, 36, 37, 38, 39 ➡ 9개

10개씩 묶음의 수가 4일 때에는 낱개의 수가 5보다 작아야 합니다.

10개씩 묶음의 수가 4일 때: 40, 41, 42, 43 ➡ 4개

따라서 25보다 크고 45보다 작은 수는 모두 17개입니다.

주의

25보다 크고 45보다 작은 수에는 25와 45는 포함되지 않습니다.

2 • 첫 번째 조건에서 10보다 크고 50보다 작은 수이므로 10개씩 묶음의 수는 1, 2, 3, 4가 될 수 있습니다.

• 첫 번째 조건을 만족하면서 두 번째 조건을 만족하는 수는 18, 27, 36, 45입니다.

• 첫 번째와 두 번째 조건을 만족하는 수 중에서 세 번째 조건을 만족하는 수는 36입니다.

따라서 |조건|을 만족하는 수는 36입니다.

보충 개념

1 큰 수 1 큰 수 1 큰 수

3 — 4 — 5 — 6

3 10부터 50까지의 수 중 10개씩 묶음의 수와 낱개의 수의 합이 6인 수

➡ 15, 24, 33, 42

10부터 50까지의 수 중 10개씩 묶음의 수와 낱개의 수의 합이 7인 수

➡ 16, 25, 34, 43

10개씩 묶음의 수가 클수록 큰 수이므로 10개씩 묶음의 수가 4인 수부터 차례로 쓰면 43, 42, 34, 33, 25, 24, 16, 15입니다.

따라서 큰 수부터 차례로 쓸 때 5번째 수는 25입니다.

지도 가이드

수의 크기를 비교할 때 10개씩 묶음의 수가 클수록 큰 수입니다. 10개씩 묶음의 수가 같을 때에는 낱개의 수가 클수록 큰 수입니다.

4 숫자 한 개를 지웠을 때 3이 되는 수는 수에 3이 포함되어 있는 수입니다.
10부터 50까지의 수 중에서 3이 포함되어 있는 수를 큰 수부터 쓰면 다음과 같습니다.
43, 39, 38, 37, 36, 35, 34, 33, 32, (31)……
따라서 10번째로 큰 수는 31입니다.

Review V 수(2)

146~148쪽

1 6개	2 34, 35	3 24
4 26장	5 6명	6 39, 40, 41, 42, 43

1 10개씩 묶음의 수가 3 또는 4인 수 중에서 32보다 크고 45보다 작은 수를 찾아봅니다.
10개씩 묶음의 수가 3일 때: 34, 35 ➡ 2개
10개씩 묶음의 수가 4일 때: 40, 41, 42, 43 ➡ 4개
따라서 만들 수 있는 수 중에서 32보다 크고 45보다 작은 수는 모두 6개입니다.

주의
수 카드에서 서로 다른 두 장을 골라 두 자리 수를 만들 때 10개씩 묶음의 수와 낱개의 수가 같은 수는 만들 수 없습니다.

2 • 첫 번째 조건에서 30보다 크고 50보다 작은 수이므로 10개씩 묶음의 수는 3 또는 4입니다.
• 첫 번째 조건을 만족하면서 두 번째 조건을 만족하는 수는 다음과 같습니다.
10개씩 묶음의 수가 3인 경우: 34, 35, 36, 37, 38, 39
10개씩 묶음의 수가 4인 경우: 45, 46, 47, 48, 49
• 첫 번째 조건과 두 번째 조건을 만족하는 수 중에서 세 번째 조건을 만족하는 수는 34, 35입니다.

3 홀수 번째 수는 2, 4, 6, 8……이므로 2부터 2씩 커집니다.
짝수 번째 수는 3, 6, 9, 12……이므로 3부터 3씩 커집니다.
➡ 2, 3, 4, 6, 6, 9, 8, 12, 10, 15, 12, 18, 14, 21, 16, (24)
따라서 16번째 수는 24입니다.

해결 전략
홀수 번째 수가 나열된 규칙과 짝수 번째 수가 나열된 규칙을 찾아봅니다.

4 한 자리 수: 3, 4 ➡ 2장
10개씩 묶음의 수가 1일 때: 13, 14 ➡ 2장
10개씩 묶음의 수가 2일 때: 23, 24 ➡ 2장
10개씩 묶음의 수가 3일 때: 30~39 ➡ 10장
10개씩 묶음의 수가 4일 때: 40~49 ➡ 10장
따라서 3 또는 4가 쓰여 있는 수 카드는 모두 26장입니다.

5 윤지는 뒤에서 6번째에 서 있으므로 앞에서 25번째에 서 있습니다.
18과 25 사이의 수는 19, 20, 21, 22, 23, 24이므로 지우와 윤지 사이에 서 있는 사람은 6명입니다.

보충 개념
30명 중 뒤에서 6번째에 서 있으므로 앞에 24명이 있습니다. 따라서 앞에서 25번째임을 알 수 있습니다.

10보다 크고 50보다 작은 수 중에서 양 끝의 숫자가 3이므로
첫 번째 수는 10개씩 묶음의 수가 3인 수이고 마지막 수는 낱개의 수가 3인 수입니다.
10개씩 묶음의 수가 3인 수 ➡ 30, 31, 32, 33 …… 39
낱개의 수가 3인 수 ➡ 13, 23, 33, 43
두 수 사이의 숫자가 8개이므로 나열한 숫자의 개수는 10개이고,
나열한 수는 두 자리 수이므로 연속한 수는 5개입니다.
따라서 첫 번째 수의 10개씩 묶음의 수가 3이고,
1씩 4번 뛰어 세었을 때 낱개의 수가 3인 연속한 수는
39, 40, 41, 42, 43입니다.

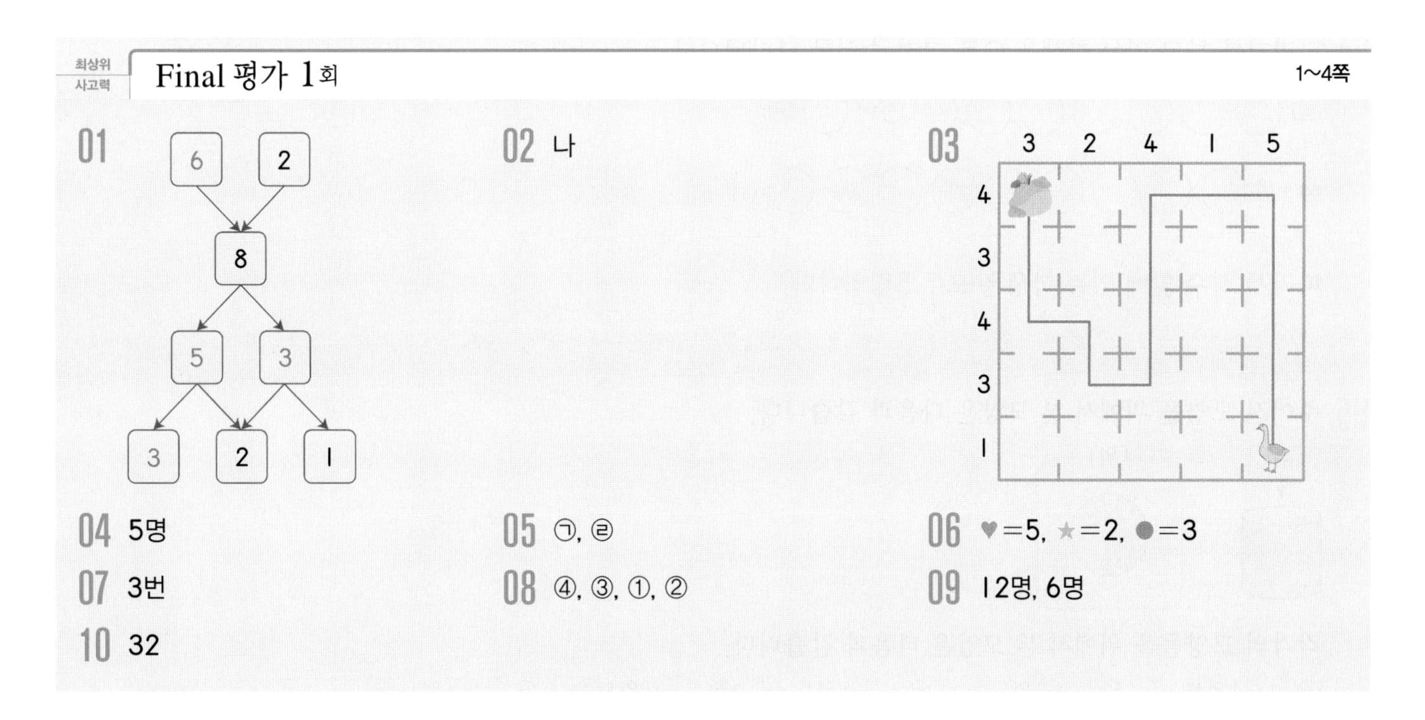

01

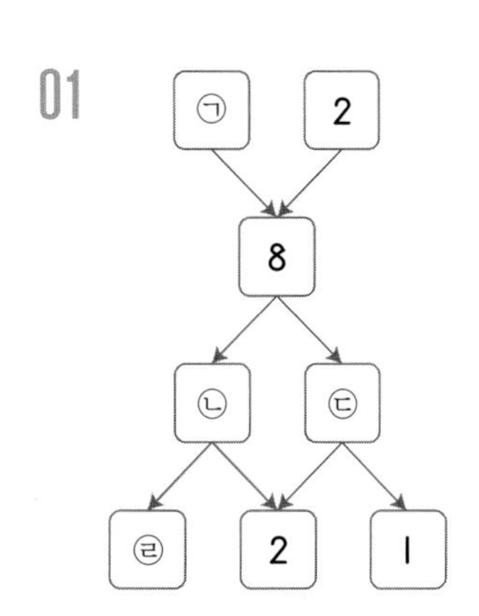

2와 6을 모으면 8이므로 ㉠은 6입니다.
1과 2를 모으면 3이므로 ㉢은 3입니다.
8은 3과 5로 가르기 할 수 있으므로 ㉡은 5입니다.
5는 2와 3으로 가르기 할 수 있으므로 ㉣은 3입니다.

해결 전략
빈칸에 들어 가는 수를 확실히 알 수 있는 곳부터 채워 넣습니다.

02

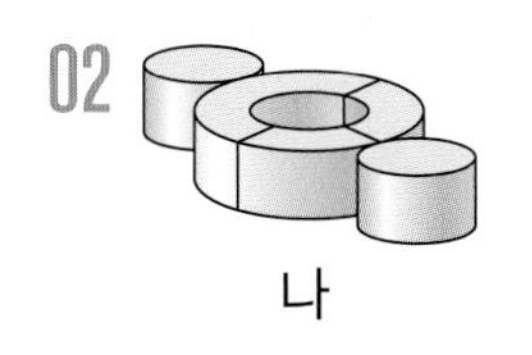

조각을 1개 더 사용했습니다.

03 ① 반드시 지나야 하는 방에 ○표 하고, 지날 수 없는 방에 ×표 합니다. 이때 연못과 오리가 있는 방은 반드시 지나야 합니다.

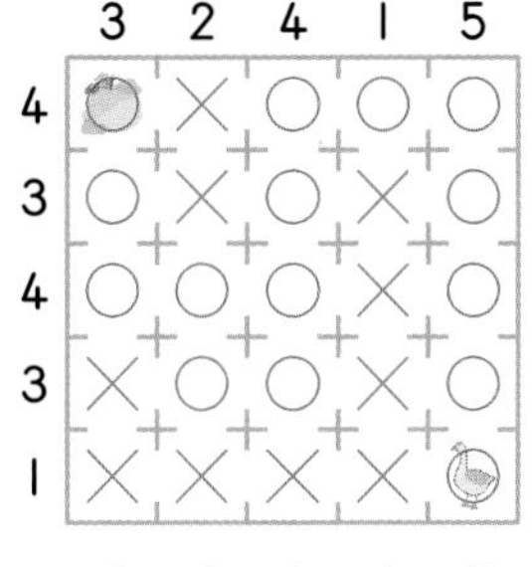

② ○표 한 방을 선으로 이어 봅니다.

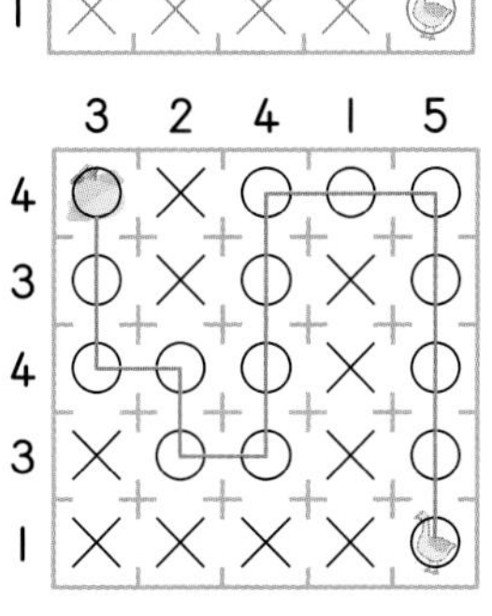

해결 전략
방은 가로로 5칸, 세로로 5칸이 있으므로 가로 방향 또는 세로 방향으로 5가 적힌 칸은 반드시 모두 지나야 합니다.

04 달리기를 하고 있는 학생을 ○로 그려 순서를 나타냅니다.

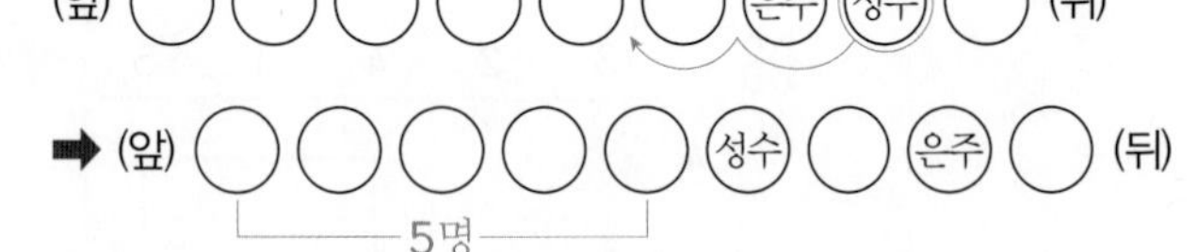

따라서 성수 앞에 있는 학생은 모두 5명입니다.

05 주어진 모양을 위에서 본 모양은 다음과 같습니다.

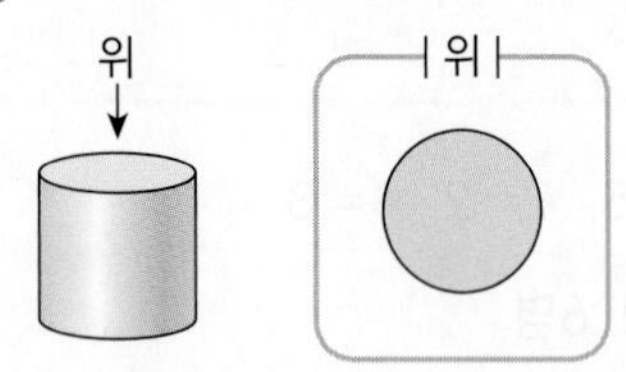

각각의 모양들을 위에서 본 모양은 다음과 같습니다.

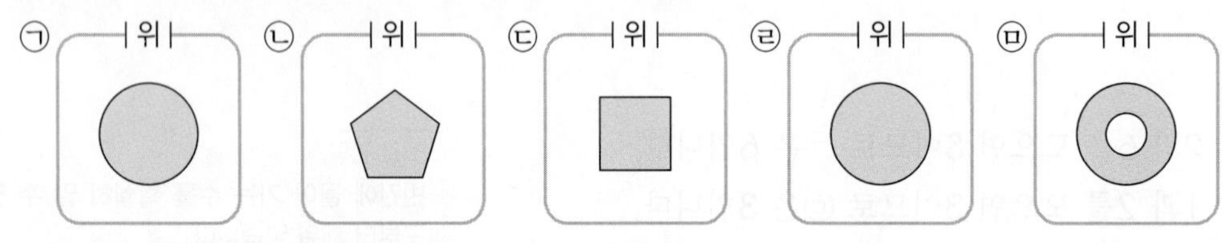

따라서 위에서 본 모양이 같은 것은 ㉠, ㉣입니다.

06 ♥+■=9에서 ■=4이므로 ♥+4=9, ♥=5입니다.
♥=5이므로 ★+★+♥=9에서 ★+★+5=9, ★+★=4이고, 2+2=4이므로 ★=2입니다.
■=4, ★=2이므로 ●+★+■=9에서 ●+2+4=9, ●+6=9, ●=3입니다.

> 해결 전략
> ♥ ➡ ★ ➡ ● 순서로 나타내는 수를 구합니다.

07 나 그릇에 물을 가득 채워 가 그릇에 물을 붓는 것은 물컵으로 물을 2번 붓는 것과 같습니다. 가 그릇은 물컵을 5번 부으면 가득 차므로 나 그릇으로 최소한 3번 부어야 가 그릇의 물이 넘칩니다.

> 보충 개념
> $2+2<5<2+2+2$

08 구슬 ①은 구슬 ②보다 무겁습니다.
➡ ①>②
③ 한 개가 ① 두 개와 무게가 같으므로 ③ 한 개가 ① 한 개보다 더 무겁습니다.
➡ ③>①>②
구슬 ④는 구슬 ②, ③보다 무겁습니다.
➡ ④>③>①>②
따라서 무거운 것부터 차례로 쓰면 ④, ③, ①, ②입니다.

09 줄을 선 사람이 가장 많은 경우

(앞) ○○○○●○○●○○○○ (뒤) ➡ 12명 (석민, 지윤)

줄을 선 사람이 가장 적은 경우

(앞) ○●○○●○ (뒤) ➡ 6명 (지윤, 석민)

10 첫 번째 조건에서 수의 범위가 20보다 크고 45보다 작으므로 10개씩 묶음의 수는 2, 3, 4입니다.
두 번째 조건은 50에서 6씩 작아지는 규칙이므로 조건을 만족하는 수는 44, 38, 32, 26입니다.
세 번째 조건은 4에서 7씩 커지는 규칙이므로 조건을 만족하는 수는 25, 32, 39입니다.
따라서 조건을 모두 만족하는 수는 32입니다.

> 해결 전략
> 20보다 크고 45보다 작은 수에 20과 45는 포함되지 않습니다.

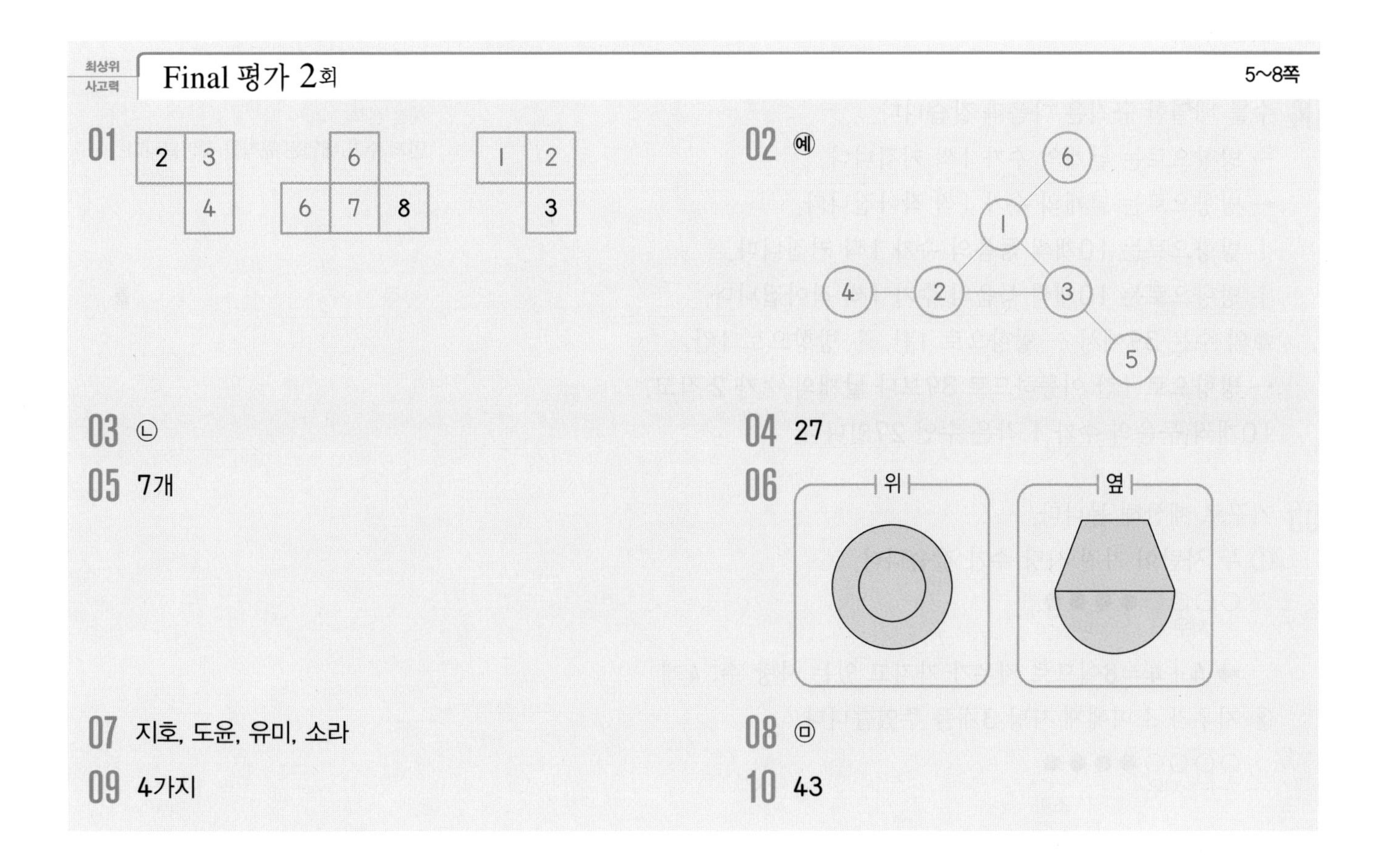

01 ← 방향으로 1칸 갈 때 1씩 작아지고 → 방향으로 1칸 갈 때 1씩 커지는 규칙입니다.
↑ 방향으로 1칸 갈 때 1씩 작아지고 ↓ 방향으로 1칸 갈 때 1씩 커지는 규칙입니다.

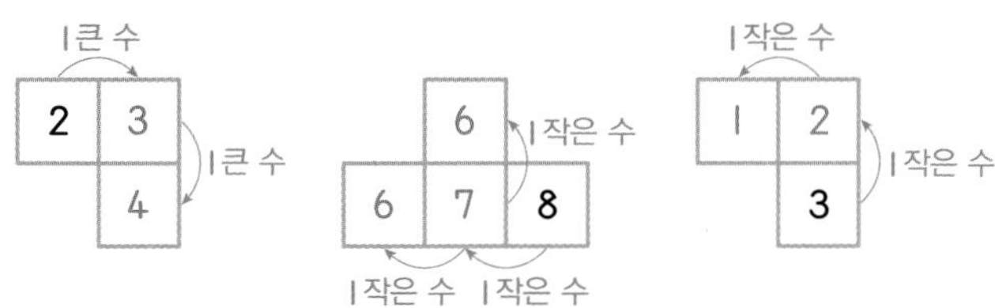

02 1부터 6까지의 수 중 세 수의 합이 9인 식을 모두 찾아봅니다.
$1+2+6=9$, $1+3+5=9$, $2+3+4=9$입니다.
3개의 식에서 1, 2, 3은 두 번씩 사용되었으므로 ★에 1, 2, 3을 넣어 퍼즐을 완성합니다.

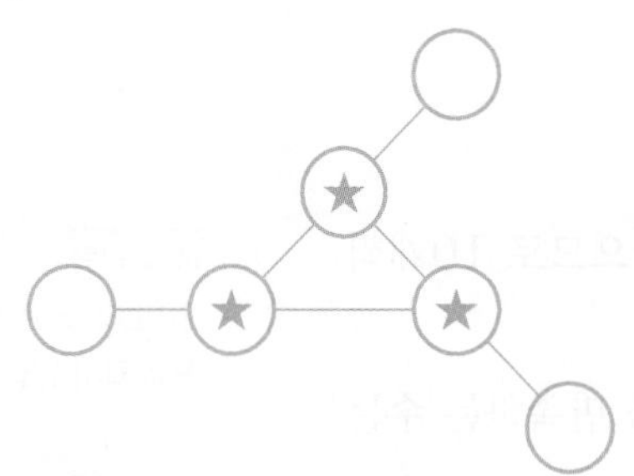

03 ㉠  ㉢ 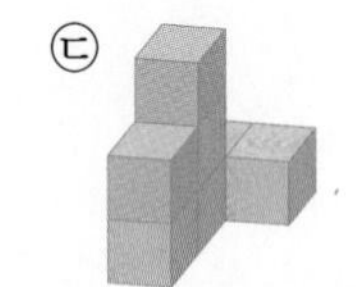 ㉣ 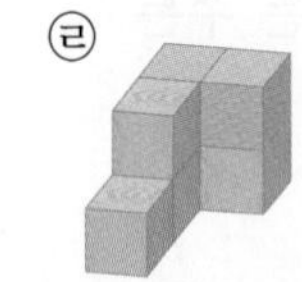

㉡은 주어진 모양을 찾을 수 없으므로 쌓기나무를 더 쌓아 만들 수 없습니다.

> 해결 전략
> 다음과 같이 주어진 모양을 먼저 찾은 후 더 쌓은 쌓기나무를 찾습니다.

04 수를 배열한 규칙은 다음과 같습니다.
→ 방향으로는 낱개의 수가 1씩 커집니다.
← 방향으로는 낱개의 수가 1씩 작아집니다.
↓ 방향으로는 10개씩 묶음의 수가 1씩 커집니다.
↑ 방향으로는 10개씩 묶음의 수가 1씩 작아집니다.
●의 수는 39에서 ← 방향으로 1칸, ↑ 방향으로 1칸, ← 방향으로 1칸 이동하므로 39보다 낱개의 수가 2 작고, 10개씩 묶음의 수가 1 작은 수인 27입니다.

> 해결 전략
> 먼저 수가 배열된 규칙을 찾아봅니다.

05 거꾸로 계산해 봅니다.
① 두 사람이 가진 사탕 수가 같습니다.

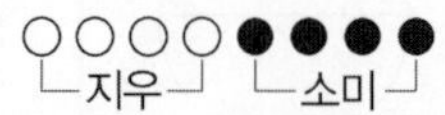

➡ $4+4=8$이므로 지우가 가지고 있는 사탕 수: 4개
② 지우가 소미에게 사탕 3개를 주었습니다.

➡ 지우가 가지고 있는 사탕 수: $4+3=7$(개)
따라서 지우가 소미에게 주기 전 가지고 있던 사탕은 7개입니다.

07 학생을 ○로 나타내고 왼쪽에서부터 키가 작은 사람 순서로 써넣습니다.
• 도윤이보다 큰 사람은 2명입니다. ➡ ○ (도윤) ○ ○
• 유미는 소라보다 작고, 지호는 유미보다 작습니다. ➡ (지호) (도윤) (유미) (소라)
따라서 키가 가장 작은 사람부터 차례로 이름을 쓰면 지호, 도윤, 유미, 소라입니다.

08 ▢ 모양을 기준으로 하여 넓이를 알아봅니다.
㉠ ▢ 모양 4개, ▢ 절반 모양 2개 ➡ ▢ 모양 5개
㉡ ▢ 모양 6개
㉢ ▢ 모양 3개, ▢ 절반 모양 4개 ➡ ▢ 모양 5개
㉣ ▢ 모양 4개, ▢ 절반 모양 4개 ➡ ▢ 모양 6개
㉤ ▢ 모양 8개
㉥ ▢ 모양 5개
따라서 넓이가 가장 넓은 것은 ㉤입니다.

해결 전략
모눈의 크기는 모두 같으므로 각각의 칸 수를 세어 비교합니다.

보충 개념
(▢ 절반 모양 2개의 넓이)
=(▢ 모양 1개의 넓이)

09 □+□−□=□는 □+□=□+□로 나타낼 수 있습니다.
따라서 합이 같은 두 수를 찾아봅니다.
3, 4, 5, 6를 모두 더하면 3+4+5+6=18입니다.
9+9=18이므로 두 수의 합이 9가 되도록 식을 만듭니다.
4+5=3+6이므로 =의 양쪽에 3, 4, 5, 6를 빼서
□+□−□=□ 형태로 만듭니다.
➡ 4+5−3=6, 4+5−6=3, 3+6−4=5, 3+6−5=4
따라서 식을 만드는 방법은 4가지입니다.

10 10개씩 묶음의 수와 낱개의 수의 합이 7인 경우
➡ 16, 25, 34, 43
10개씩 묶음의 수와 낱개의 수의 합이 8인 경우
➡ 17, 26, 35, 44
10개씩 묶음의 수가 작을수록 작은 수이므로 10개씩 묶음의 수가 1인 수부터 차례로 쓰면
16, 17, 25, 26, 34, 35, 43, 44입니다.
따라서 7번째 수는 43입니다.

보충 개념
수의 크기를 비교할 때 10개씩 묶음의 수가 클수록 큰 수입니다. 10개씩 묶음의 수가 같을 때에는 낱개의 수가 클수록 큰 수입니다.

심화 완성 최상위 수학S, 최상위 수학

개념부터 심화까지

수학 좀 한다면 

상위권의 힘, 사고력 강화

최상위 사고력

상위권의 기준

최상위 사고력

따라올 수 없는 자신감!
디딤돌 초등 라인업을 만나 보세요.

구분	교재	대상	특징
수준별 수학 기본서	**디딤돌 초등수학 원리**	3~6학년	교과서 기초 학습서
	디딤돌 초등수학 기본	1~6학년	교과서 개념 학습서
	디딤돌 초등수학 응용	3~6학년	교과서 심화 학습서
	디딤돌 초등수학 문제유형	3~6학년	교과서 문제 훈련서
	디딤돌 초등수학 기본+응용	1~6학년	한권으로 끝내는 응용심화 학습서
	디딤돌 초등수학 기본+유형	1~6학년	한권으로 끝내는 유형반복 학습서
상위권 수학 학습서	**최상위 초등수학 S**	1~6학년	심화 개념 · 심화 유형 학습서
	최상위 초등수학	1~6학년	심화 개념 · 심화 유형 학습서
	최상위 사고력	7세~초등 6학년	경시 · 영재 · 창의사고력 학습서
	3% 올림피아드	1~4과정	올림피아드 · 특목중 대비 학습서
연산학습 교재	**최상위 연산은 수학이다**	1~6학년	수학이 담긴 차세대 연산 학습서
국사과 기본서	**디딤돌 초등 통합본(국어·사회·과학)**	3~6학년	교과 진도 학습서
국어 독해력	**디딤돌 독해력**	1~6학년	수능까지 연결되는 초등국어 독해 훈련서